JN206527

増補版

「戦争と平和」の世界史

日本人が学ぶべきリアリズム

駿台予備学校 世界史科講師
茂木誠

増補版　はじめに

二〇二二年二月二四日、ロシアが隣国ウクライナへ軍事侵攻しました。

主権国家同士の全面戦争としては、米・英を主力とする連合軍がイラク共和国へ侵攻したイラク戦争（二〇〇三～一一）以来のことです。若い世代にとっては戦争をナマで目撃することになり、衝撃を受けたことでしょう。当たり前と思っていた平和が一瞬で終わり、砲撃で街が瓦礫（がれき）の山に変わっていく光景は、画面越しに見ても胸が締め付けられる思いがします。

国連の五大国の一つとして世界の平和と安全に責任を負い、核兵器の保有を認められているロシアが、核兵器を放棄した隣国ウクライナに侵攻したこと、国連がまったく機能しなかったこと、ロシアとの核戦争を恐れる諸外国がウクライナとともに戦おうとはせず、兵器を送るにとどまったこと、これらの現実はわれわれにも重くのしかかっています。

つまり、ロシアと同じような核保有国が日本の周辺で軍事行動を開始した時、これを阻止することは困難を極める、という現実です。

その一方で、ロシアはやみくもに侵略を始めたわけではありません。プーチンの言い分については今回加筆した一四章で検討しますが、彼が旧ソ連の領土を奪回しようとしている、という見方は誤りです。

バルト三国やフィンランドも旧ソ連領だったことがありますが、プーチンはこれらの国々には手を出しません。そこには戦争抑止のメカニズムが働いているのです。

戦争が起こる条件、それを抑止する条件とは何か？

今こそ、歴史に学ぶべき時なのです。

二〇二二年八月

茂木　誠

はじめに

日本国憲法改正の機運が高まっています。

改憲推進派は、「今の憲法では日本を守れない。今やらなかったら、永久に改憲できない！」と気合が入ります。一方で、改正に反対する護憲派は、「憲法改正で戦争に巻き込まれる。平和憲法を守れ！」と悲壮感を漂わせています。

憲法改正の焦点は、日本国の「戦争放棄と戦力の不保持」を定めた第九条です。つまりこの改憲問題は、日本人が「戦争」とどう向き合ってきたのか？　という根本的な世界観に関わるものだから、国論が二分されているのです。

世界一九六カ国のほとんどが、第二次世界大戦ののちに植民地からの独立を達成した新興国です。国家として一人立ちしてからの歴史が浅く、過去の経験から学べることは少ないのです。

しかし日本国は、千数百年の長きにわたって独立を維持し、江戸時代には二五〇年余にわたる平和を維持してきた類(たぐい)まれな国家です。それがなぜ可能だったのか、を考えること自体が戦争観につながるでしょうし、その長い歴史の中で実際に日本国が関わった戦争を客観的に理解しておくことは、改憲論議を深めるためにもきわめて重要だと考えます。

第二次世界大戦後の歴史教育は、戦争を悲惨なもの、あってはならないものとしてタブー視し、戦争について語ることさえはばかられるという風潮を作ってきました。サッカーの公式試合にぼろ負けしたチームが、敗因の分析をまったく行わず、「二度とサッカーはしない。ボールを持たない」と誓いを立てたのです。

あの軍民合わせて三〇〇万人もの日本人を死に至らしめた満洲事変から第二次世界大戦に至る戦争についても「そもそも間違っていた」と断罪するだけで、「なぜ負けたのか？　今後二度と負けないためにはどうすればよいのか？」という議論は封殺されてきたのです。

しかし現実の世界では苛烈な「試合」が今も続いており、日本が望むと望まざるとにかかわらず、巻き込まれる危険性が高まってきました。北朝鮮の核兵器搭載可能な弾道ミサイルが日本列島の上空を通過し、中国海上警察の公船が日本の領海侵犯を繰り返しているのです。武力紛争に巻き込まれないためにはどうすればいいのか、もし巻き込まれた場合はどうするのか、を真剣に議論しないのは、あまりにも無責任だと思います。

本書では、世界の戦争の歴史を振り返り、人類がいかにして戦争を抑止するシステムを構築してきたかを考えます。

次に日本の戦争の歴史を振り返り、「サムライの国」がなぜ二世紀におよぶ「徳川の平和（パクス・トクガワーナ）」を生み出したのか、「国際法を学んだ」明治日本が、どうして昭和には「軍国主義の国」となり、さらに敗戦後の「平和憲法の国」に転換したのかを考えます。

最後に、近未来の東アジアで起こりうる危機を予測し、日本がこれに巻き込まれないためにはどうしたらいいのかを、「改憲」「護憲」の立場の違いを超えて、冷静に考えていきましょう。

第7章 『万国公法』と植民地支配 123

第8章 ビスマルク体制と明治日本の国際デビュー 165

第9章 明治日本の戦争 191

第10章 第一次世界大戦と国際連盟体制 225

※本書は二〇一九年七月にＴＡＣ出版より刊行された『「戦争と平和」の世界史 日本人が学ぶべきリアリズム』に加筆修正を施した増補版です。

第1章

人類はいつから戦ってきたのか？

人類とチンパンジーは仲間同士で殺し合う

戦争と殺人・傷害はどう違うのでしょう?

暴力で他者を殺傷し、屈服させることでは同じです。

個人または集団が他者を殺傷し、社会的に罪とされるのが殺人・傷害であるのに対し、戦争は個人ではできません。また社会的に罪とされないどころか、英雄的行為として賞賛されることが多いのが戦争です。合法化された暴力行為ということもできます。ここでは仮に、こう定義しておきましょう。

「ある社会集団が、別の社会集団と武力で闘争すること」

「国家」ではなく「社会集団」というあいまいな表現をしたのは、「国家」が成立するはるか以前から戦争はあったからです。また、一つの国家の内部で社会集団同士が抗争する「内戦」も、戦争に含まれるからです。

人類（ホモ・サピエンス）のＤＮＡの九八％はチンパンジーと同じです。人類の行動の多くは類人猿でも確認されています。それでは、類人猿もまた、人類と同様に集団で殺し合うのでしょうか？

類人猿（ゴリラ・チンパンジー・ボノボ・オランウータン）のうち、単独行動をとるオランウータンは除外されます。ゴリラやチンパンジー、ボノボは群れを作りますので、彼らの生態を調べてみれば何かわかりそうです。

動物園にいるチンパンジーはバナナを食べる穏やかな生き物というイメージですが、野生のチンパンジーはかなり凶暴です。普段は果実を食べていますが、ときには集団で小形のオナガザル（アカコロブス）を襲撃し、食べてしまうのです。

いやいや、他の生物を捕食するのは肉食獣で、チンパンジー同士は殺し合わないはずだ、と思われるかもしれません。

しかし、タンザニアやウガンダでの観察によれば、チンパンジーは集団で殺し合いをします。原因はえさ場の奪い合いだったり、メスの争奪だったりします。血縁関係にあるオスたちが徒党を組んで、他の集団を襲うのです。人間のように武器こそ使いませんが、ツメでひっかき、歯で噛みつき、相手の体を引き裂いて殺します（山極寿一『暴力はどこからきたか』ＮＨＫブックス）。

見かけによらずおとなしいゴリラやボノボ（ピグミーチンパンジー）には、このような行動は確認されていません。同種間で殺し合いをするのはチンパンジーと人間だけです。

余談ですが、チンパンジーは子殺しもします。一頭のオス（ボス）が複数のメスを引き連れて群れを作るのですが、若いオスが台頭して、ボスの座を奪い取ることがあるのです。クーデタが成功すると、新たにボスになったオスは授乳中の前のボスの子供を噛み殺します。もちろん母親は抵抗しますがなすすべもありません。さらに驚くべきことには、子供を殺されたメスは発情し、我が子を殺した若いオスと交尾するのです。このような行動はライオンでも見られます。

力のある個体が優れた遺伝子を残すというダーウィンの進化論、適者生存の原理に従えば、合理的な行動であるともいえます。人間社会で犯罪や病理とされるいくつかの行動は、実は進化の過程にさかのぼる原初的な衝動に基づいている可能性があるのです。

石器時代の戦争

最新の古人類学の成果によれば、最古の石器は約三三〇万年前に東アフリカのケニアで作られました。近辺から石器で傷つけられた動物の骨が出土していることから、狩猟または調理に使われた道具であると推測できます（『ナショナルジオグラフィック』2015.05.22）。

人類同士の殺し合いに石器が使われた確実な証拠が見つかったのは、スーダンの砂漠で発見された一万五〇〇〇年前のジェベル・サハバ117遺跡です。ここで発見された五九体の遺骨のうち、二三体は大量の細石器（矢じりや槍の刃として使われた小型石器）とともに出土し、骨まで貫通しているものもありました（『ＷＩＲＥＤ』https://wired.jp/2016/01/22/10000-year-old-mass-killing/ 2016.01.22）。

ケニアのトゥルカナ湖畔のナタルク遺跡では、約一万年前に石器で殺された大人二一人、子供六人の遺骨が発見されました。犠牲者の多くは鈍器で頭を殴られており、手足を縛られた妊婦も含まれていました。

いまだ農業も知らず、狩猟採集生活を送っていた人類の戦争の記録です。

戦争が始まったのは農耕による余剰農産物が生まれてからで、狩猟採集の時代は平和だった、というこれまでの常識は覆されました。

フランス革命に大きな影響を与えた思想家ジャン・ジャック・ルソーは、文明以前の自然状態における人類が、善良で無垢の精神を持ち、争いのない生活をしていたのであり、私有財産の発生があらゆる罪悪を生んだのだと想像しました（ルソー『人間不平等起源論』光文社古典新訳文庫）。この思想を受け継いだマルクスとエンゲルスは、原始共産主義という理想郷を想定しました。

富が蓄積される農耕社会が始まってから戦争が大規模化したことは事実ですが、「狩猟採集時代が平和だった」というのは近代人の妄想です。

　パプアニューギニアで民族学的調査を行ってきた高橋龍三郎氏によれば、個人間のいさかいが部族間抗争に発展するのはよくあることだそうです。

「例えば『息子が見下された』『女房に色目を使った』といったごくたわいないもめごとも、最終的に相手を壊滅させる部族間の戦争にまで発展しかねないのです。……第二次世界大戦前まで弓矢と槍を使った攻撃で四～五人の死者が出るのは日常的なことで、それに対するリベンジも日常のことでした」（「新鐘」№82早稲田大学）

　古代ギリシアの大叙事詩、ホメロスの『イーリアス』に描かれたトロイア戦争も、妃ヘレネをトロイア王子に寝取られた王の私怨に端を発しています。英雄アキレウスが出陣するのも、自分の身代わりになった友人の仇討ち(あだうち)をするという個人的動機のためであり、「戦争の大義」のようなものは見当たりません。

『日本書紀』の神武東征神話では、九州にいた神武が古老から「東に美(うま)し国あり」と聞いてヤマト（大和）に攻め込みます。ヤマトには長髄彦(ながすねひこ)という首長が率いる先住民がいたのですが、「すばらしい国だから、いただこう」という単純な理由で神武は攻め込むのです。

　縄文時代の人骨からは攻撃を受けた痕跡が二〇例ほど見つかっています。これは戦争というより私闘、あるいは殺人というべきものでしょう。

　興味深いのは使用された武器です。縄文時代には六〇%が矢じり、二六%が石斧であるのに対し、弥生時代には刀剣が五四％、矢じりが四四％という統計が出ています（内野那奈「受傷人骨からみた縄文の争い」立命館大学）。これは弥生時代に鉄器の刀剣が普及したことの反映でしょう。

国家と呼べるものはまだなかった時代にも、部族間戦争は日常的に行われていました。同時に、これを防ぐ努力も続けられてきました。フランスの人類学者マルセル・モースは『贈与論』で、「贈与と交換」の慣習が、社会集団間の緊張を緩和し、戦争を抑止していることを鋭く見抜きました。弱者が強者に「貢ぐ」ことで、安全を保証してもらうという習慣は、人類に広く見られます。中華帝国が周辺諸国に強いてきた「朝貢（ちょうこう）」がいい例です。戦争は常にありましたが、一定の抑止装置が働いていた、ということができるでしょう。

このような歯止めが利かなくなったとき、戦争は大規模化して大量虐殺が生まれます。

個人の私怨や仇討ちの延長だった小さな戦争が、社会集団の大義や宗教を掲げてぶつかり合う大規模な戦争になるのは、文字の発明によって抽象的な思考が可能になり、戦争を正当化する宗教やイデオロギーが出現してからです。多くの文献が残されている古代中国と古代ギリシアの例を見てみましょう。

第2章

古代国家と戦争

儒家は理想主義で戦争を捉えた

古代中国の思想家といえば、儒学を開いた孔子が有名です。

殷王朝を滅ぼした周の武王は一族を各地に派遣して諸侯とし、血縁関係でゆるやかに治める封建制を実施しました。信頼する弟の周公旦を山東半島に遣わして魯という国を建てさせます。これらの諸侯は完全な自治権を認められ、時の経過とともに周王朝の統制を離れて自立していきます。そして、異民族の侵入を機に無政府状態におちいり、さらには諸侯同士が争うようになるのです（春秋戦国時代）。

孔子に代表される中国古代の思想家たちが戦争について何を語っているか、見てみましょう。


魯は周公旦に始まる由緒ある諸侯として一目置かれていましたが、戦乱の時代になると隣国の斉に侵略され、国内では家臣がクーデタを起こして政権を奪います。

魯の下級貴族に生まれた孔子は、王と諸侯が血縁関係で結ばれていた周王朝を理想国家と仰ぎ、家族関係をモデルとした他者へのいたわりの情（仁）、道徳的に正しく生きるモラル意識（義）を再建すれば、失われた国家秩序は再構築できる、と説きました。要は、みんなが清く正しく生きれば、戦争は回避できるという理想主義を説いたわけです。

衛の霊公が兵法を問うた。孔子は答えていった。「祭祀のことは学びましたが、兵法のことはまだこれを学んでおりません」と。翌日、孔子は衛を去った。

（『論語』第十五　衛霊公篇／著者が口語訳）

孔子の理想主義を「性善説」として理論化したのが孟子です。孟子は軍事力による政治（覇道）を戒め、仁義による政治（王道）を説きました。魏（梁）の恵王と孟子の問答は「五十歩百歩」の故事で有名ですが、こういう話もあります。

恵王がいった。「わが国は東方では斉に敗れて長男が戦死し、西では秦に七百里の領土を奪われ、南では楚に敗れた。私はこれを恥じ、死者のため雪辱を果たしたい。どうすればよいか？」孟子は答えた。「四百里四方の小国となっても、王であることは変わりません。王が仁政を施し、刑罰を軽くし、農業に専念させ、人民に徳を積ませたとすれば、杖を持つだけで敵の甲冑を撃ち、武器を持った敵の兵士を打ち倒せます。敵国が人民を酷使すれば、その人民は飢えて離散します。そのとき王が出征すれば、いったい誰が王の敵となりましょう。だから仁者は敵なし、といわれるのです。」

（『孟子』巻第一　梁恵王章句上／著者が口語訳）

国防の具体的なアドバイスを求めた恵王に対し、「仁政を敷けば自然に国力は強化され、敵は退散します」とだけ孟子は説いたのです。これが儒家の理想主義です。

道徳的に正しい戦争（義戦）はあるのか、と問われた孟子は答えます。

> 春秋に義戦なし。「あの戦いは、この戦いよりはましだった」、といえるのみである。
> （『孟子』巻第十四 尽心章句下／著者が口語訳）

春秋とは、魯の歴史書『春秋』に記録された時代（春秋時代、前七七〇～前四〇三）を指しますが、「年月」「歴史」という意味もあります。歴史上、真の「義戦」といえるものなどない、と孟子は考えたのです。

同じ儒家ですが孟子を批判して性悪説を説いた荀子（じゅんし）は、道徳的に正しい戦争（義戦）というものがある、といいます。

殷の紂王（ちゅう）は、暴君として有名でした。「酒池肉林」の贅沢に溺れたとされる人物です。この紂王の圧政に耐えかねた臣下の一人、周の武王が挙兵し、牧野（ぼくや）の戦いに勝利して殷を滅ぼしたのです。しかし武王の挙兵は、「主君である紂王に対する反逆では？」と弟子に問われた荀子は、こう答えます。

人義の士が行う戦争は、利益が目的ではない。非道を抑えて人民の苦しみを取り除くことが目的なのだ。……武王は紂王を討伐した。この戦いは仁義に基づいていた。だから近隣の人民が善政を喜び、遠方の人民も武王の徳を慕った。干戈(かんか)を交えなくとも、各国が服属してきたのだ。こうして世界が徳に包まれたのだ。

(『荀子』巻第十 議兵篇第十五/著者が口語訳)

仁義(愛や正義)に基づく戦争は「義戦」であるから正しい、という論法です。けれども、ある戦争が仁義に基づくかどうかを、誰が判定するのでしょう?

墨家の徹底したリアリズム

儒家の最大のライバルとなったのが、墨子の教団(墨家(ぼっか))です。現実主義者の墨子は、儒家のいう仁義は偽善であり、儒家が嫌う利益の追求こそが人間の本性であると見抜きました(交利)。戦争は人民を消耗させ、国家の損失になるだけだからやるべきではない、という考え方です。儒家のように道徳的に戦争を否定したのではありません。

墨子は、果物を盗む者より家畜を盗む者の方が罪が重く、家畜を盗むより人に危害を加える者の方が罪が重い、と説いた上でこういいます。

もし人に危害を与えることが多ければ、不仁は甚だしく罪はますます重い。世の知識人はこれを非と知り、これを不義という。いま、大いに他国を攻めるに至っては、これを非とは知らず、だからこれを誉めて義という。これで義と正義の区別ができているといえるだろうか?

一人を殺せばこれを罪といい、一人が死罪となる。この説に従えば、十人殺せば不義は十倍となり、十人が死罪となる。百人殺せば不義は百倍となり、百人が死罪となる。……いま、大いに不義を行って他国を攻めるに至っては、これを非とすることを知らず、むしろこれを褒め、これを義という。実にその不義を知らないのである。

（『墨子』非攻上篇／著者が口語訳）

他人に危害を与える傷害や殺人は不義だが、他国に危害を与える戦争は正義だというのはおかしいではないか、という論法です。これが有名な「非攻」ですが、墨子は戦争そのものを全否定したわけではありません。

墨子は、他国に対する侵略戦争の無益を説くと同時に、他国に侵略されることが、国家と人民に大きな災厄をもたらすことを説いたのです。

それでは他国に侵略されないためにはどうすればよいのでしょうか？

魯の隣にある宋という小国が、墨子にアドバイスを求めてきました。南方の大国・楚がわが国を侵略しようと準備している。どうすればこれを防げるだろうか？

これを聞いた墨子は弟子たちを宋に派遣する一方、単身で大国・楚に乗り込み、宋への遠征を準備していた公輸般（こうしゅはん）という人物に会見を求めます。公輸般は発明家でもあり、衛の城壁を破壊するための雲梯（うんてい）というクレーン式の攻城機を制作していました。

楚は大国であり、小国・宋への遠征は仁義に反するから中止すべきだ、と墨子が正論で訴えると、公輸般は答えます。

「宋への遠征は王がお決めになったこと。すでに準備は進んでおり、いまさら中止はできない」

そこで楚王の御前に進み出た墨子は帯を解き、解い

戦国時代の中国

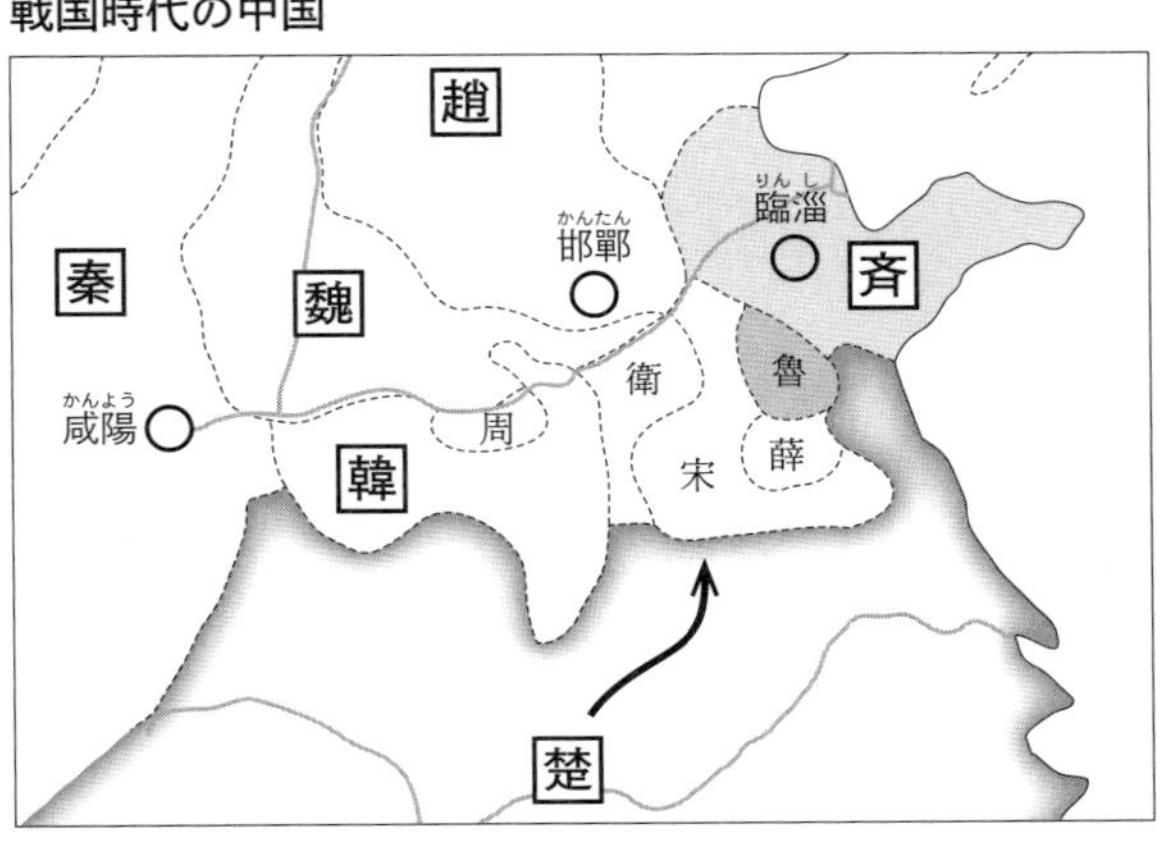

た帯で机の上に囲みを作って城壁とし、木片を軍に見立てて机上演習（シミュレーション）を行いました。墨子が宋軍の側に立って、楚軍の包囲から城壁を守ってみせるというのです。

公輸般が何度攻めても墨子は城壁を防御しました。負けを認めたくない公輸般は、捨て台詞を吐きます。

「私にはもう一つ秘策があるが、それは明らかにしない」

墨子は返します。

「それはこの場で私を殺すことだろう。しかし、私を殺しても無駄である。すでに弟子たちが宋に派遣され、守りを固めているからだ」

これを聞いた楚王は、宋への遠征を中止しました（『墨子』公輸篇）。

仁義などというお題目を唱えるのではなく、徹底的に防御を固める（墨守する）ことで敵の侵略を防ぐ、というのが墨子のリアリズムです。『墨子』ではそのために号令篇という一章を立て、住民をいかに防衛戦に総動員するか、敵のスパイによる工作活動をいかに防ぐかを論じています。

実際、彼の教団（墨家）は戦闘集団であり、プロの傭兵隊を抱えていました。口で仁義を唱えれば戦争はなくなる、と説いた儒家との決定的な違いです。

墨子の思想が世に広まれば、各国は守りを固め、小国分立が固定されるでしょう。天下統一をめざす者にとって、墨家は危険分子となったのです。

統一を成し遂げた秦の始皇帝は、巨大な官僚機構によって法と刑罰で人民を統制する法家(ほうか)の思想を採用し、政権批判を封じるため焚書(ふんしょ)を命じます。民間人で書物を隠し持つ者は入れ墨の上、強制労働の刑。政治を論じる者は死刑。始皇帝を批判する者は、一族もろとも死刑。これらを見逃した役人も死刑。

粛清の嵐の中で、儒家も墨家も絶滅します。

秦王朝が過酷な支配で人民の恨みを買い、統一後わずか一五年で崩壊したあと、中国を再統一した漢王朝は、表向きは儒家を復活させて「仁義」で統治すると見せかけ、実態は秦の法家的な官僚機構を受け継ぎました。

墨家がよみがえることは二度とありませんでした。

古代ギリシアの戦争観

孔子や墨子が活躍した時代、ヨーロッパの大部分は未開の地でしたが、ギリシアだけは文明が花開いていました。古代中国によく似て、ポリスと呼ばれる都市国家が乱立し、果てしない抗争を続けていたのです。

中東を統一した超大国アケメネス朝ペルシアがギリシアに攻め込んできたとき、ギリシア諸都市は連合軍を編制してこれを撃退しました。その中心となったのがアテネ（アテナイ）で、他の諸ポリスを従えてデロス同盟を組織します。

ペルシア軍の再侵攻に備えて、アテネはデロス同盟の加盟国に命令します。

「連合艦隊維持のため軍船を提供し、毎年、貢納金を納めよ」

しかしペルシア軍の再侵攻はなく、アテネ軍の将軍ペリクレスはデロス島にあった同盟の金庫をアテネ本国に移し、私物化してしまいました。デロス同盟は、「アテネ帝国」に変質していくのです。

ギリシア第二の有力ポリスだったスパルタ（ラケダイモン）は、アテネに反発する諸都市を糾合していきます。この結果、ギリシアはアテネ陣営（デロス同盟）とスパルタ陣営（ペロポネソス同盟）に二分され、内戦に突入しました。

アテネの惨敗に終わったこのペロポネソス戦争については、詳細な記録が残されています。アテネ軍の将軍として従軍したトゥキュディデスの『戦史』です。

彼はこの本を、アテネ（アテナイ）側を正当化するためではなく、中立的、客観的な歴史の記録として書き記しました。これがこの人のすごいところで、現在進行形で戦っている敵のスパルタ（ラケダイモン）側にも言い分がある、というのです。

アテナイ人はその支配圏をますます強固な組織となし、かれらはいちじるしい勢力拡大をとげた。しかしラケダイモン人はこれに気づいていながら、干渉らしい干渉を見せず、ほとんど終始して静観の態度を変えようとしなかった。（中略）やがてアテナイの勢力は衆目にも疑いないまでの発展をとげ、ついにはペロポネソス同盟をも侵蝕する事態となった。ここにいたってかれらはもはや看過するに忍びず、ただ全力を鼓舞して反撃するべきであるとし、なおできうればアテナイ勢力を潰滅せんとして今次の大戦を起こしたのであった。

（トゥキュディデス『戦史』巻一　中公クラシックス P.54～55）

覇権国家に新興国がチャレンジするとき戦争が起こる「トゥキュディデスの罠」という言葉は、アメリカの政治学者グレアム・アリソンの造語です。彼はアテネとスパルタの覇権争いを例示して、今後の中国の台頭が米中衝突を不可避とするだろう、と論じたのです。（The Thucydides Trap: Are the U.S. and China Headed for War？ *The Atlantic Sep* 24, 2015）

『戦史』にはペリクレス以下、アテネの指導者たちの演説や、外交交渉の記録が詳細に記されています。速記の技術はすでにありましたが、すべての記録に接することができたとは思えず、トゥキュディデスが創作した部分もあると思われます（『戦史』中公クラシックス版解説）。

メロス島対談は、『戦史』の白眉ともいえる部分で、トゥキュディデスの戦争観を明示した部分です。小著『世界史を動かした思想家たちの格闘』（大和書房）でも紹介しましたが、重要な部分ですので加筆し、再掲します。

メロス島（現在の地名はミロス島）はスパルタからの移住者がエーゲ海の小島に建設したポリスでした。スパルタはギリシア最強の陸軍国でしたが海軍が弱く、本土から遠く離れたメロス島の防衛は困難でした。

一方、アテネはギリシア最大の海軍国で、エーゲ海の制海権を握っていました。アテネとの戦争を望まないメロスは、中立を宣言します。ところがアテネは艦隊をメロスへ派遣して部隊を上陸させ、無条件の服属を要求したのです。

「なぜ中立を認めてくれないのか、正義はないのか？」

と懇願するメロス代表に対して、アテネの軍使が言い放ちます。

「正義とは、対等な相手に求めるもの。強者は弱者に対し、命ずるのみ」

「弱者に妥協すれば、他国から侮られる。われらはそれを望まぬ」

――われらも言辞をかざって、ペルシアを破って得たわれらの支配権を正当化したり、侵されたが

ペロポネソス戦争

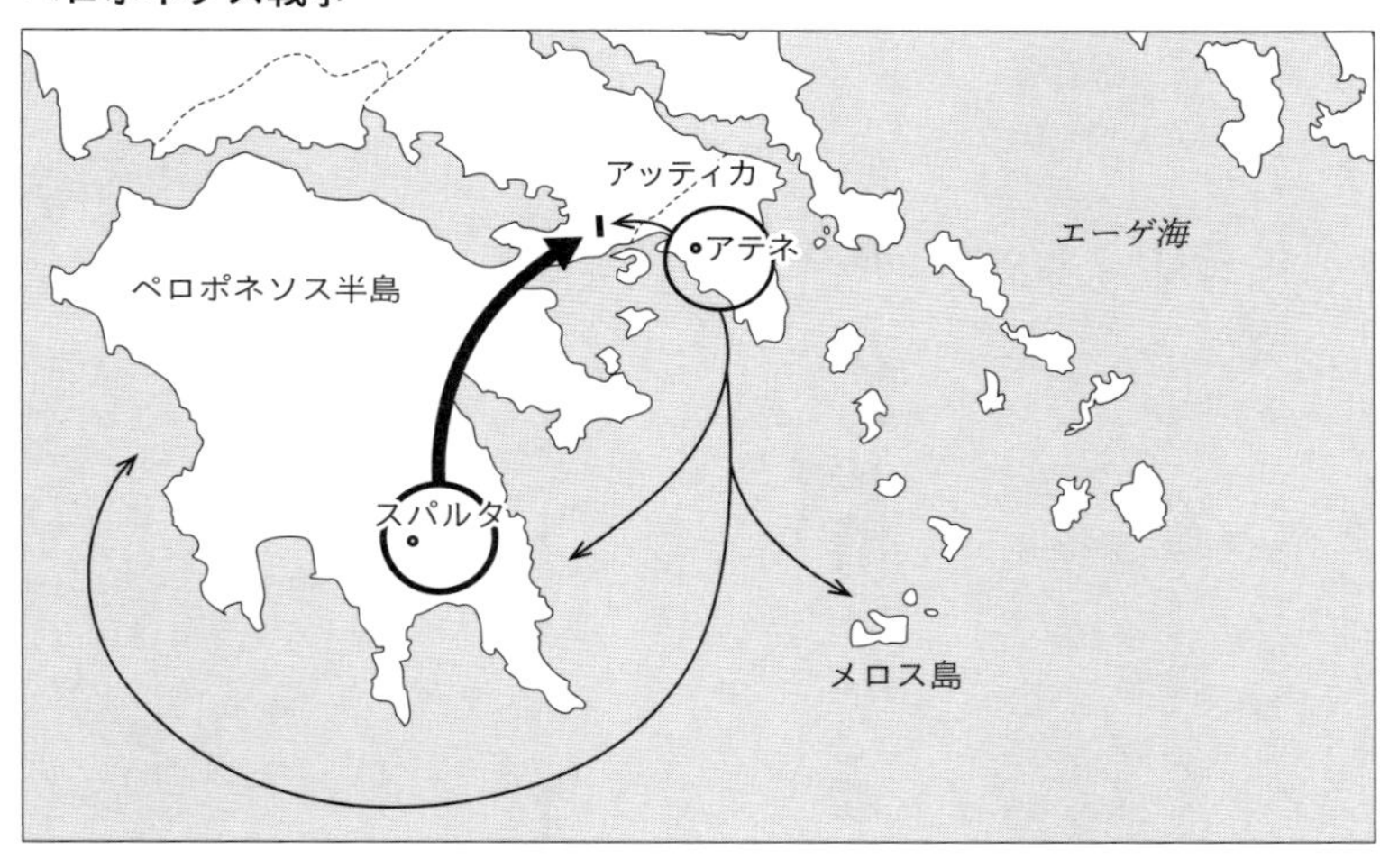

ゆえに報復の兵をすすめるなどと言い張って、だれも信用しない話をながながとする気持は毛頭ない。（中略）われら双方はおのおのの胸にある現実的なわきまえをもとに、可能な解決策をとるよう努力すべきだ。諸君も承知、われらも知っているように、この世で通ずる理屈によれば正義か否かは彼我の勢力伯仲のとき定めがつくもの。強者と弱者のあいだでは、強きがいかに大をなしえ、弱きがいかに小なる譲歩をもって脱しうるか、その可能性しか問題となりえないのだ。

（同書巻五 P.214）

メロスの民会は独立国家としての体面を重視し、またスパルタからの援軍に期待して、アテネへの服属と貢納の要求を拒否したため、両者は開戦に至ります。

結局、スパルタからの援軍はなく、アテネの大軍に包囲されたメロスは敗北します。兵役年齢に達した男子はすべて処刑され、女子供は奴隷として売り飛ばされました。無人となったメロス島にはアテネ人が入植し、新たな街を築いたのです。

この話の注目すべき点は、アテネ側が戦争の大義や正当性を主張することなく、臆面もなく強者としての権利を主張し、弱者のメロスを屈服させていることです。正義を求めたのは、むしろメロスの方だったのです。アテネの勝利は正義の実現ではなく、純粋に軍事力によるものなのです。きれいごとをいっても、実力がない者は滅ぼされ、不正義が実現する、というリアリズムの考え方です。

古代のギリシアの戦争とは、このようなものでした。

「記紀」から抹消された不都合な真実

日本国の母体となったヤマト（大和）国家が日本列島を統一する前、各地はそれぞれ地方政権が治めていました。その場所は巨大古墳の集中地域とほぼ重なり、大きなものでは九州に筑紫(つくし)と日向(ひゅうが)、山陰に出雲(いずも)、山陽に吉備(きび)、東海に美濃(みの)・尾張(おわり)、北関東には毛野(けの)がありました。

つまり古代中国やギリシアと同じような小国分立状態だったわけで、もしかしたら墨子やトゥキュディデスのような語り部がいて、ヤマトによる統一戦争が語られたのかもしれません。

しかし、それらの記憶が文字に残されることはなく、唯一残ったのがヤマト側の公式記録である『古事記』と『日本書紀』で、あわせて「記紀(きき)」といいます。『古事記』が国内向けの記録で日本風の漢文で書かれているのに対し、『日本書紀』は当時の国際語である漢文で正式に書かれた、中国人に読まれることを意識した公式記録です。いずれにせよ、これらの記録はヤマト王権の正統性を誇示するために書かれたものですから、都合の悪い事実は隠蔽されています。

統一される前の日本列島諸勢力

『詳説日本史図録』(山川出版社)

一世紀(弥生時代)、筑紫の王権は中国の後漢に朝貢して「漢委奴国王(かんのわのなのこくおう)」と刻まれた金印を授与されました(『後漢書』東夷伝)。「漢王朝に服属した倭人の奴国の王」として認めてやる、という意味です。

中華帝国はこの時代から周辺の諸民族に朝貢(貢ぎ物)を要求し、臣下としての地位を与える(冊封(さくほう)する)という形で安全を保障したのです。冊封はあくまで外交儀礼上の主従関係であり、漢の軍隊が筑紫に駐留したわけではありません。近代的な意味での「植民地」とは違うのです。

五世紀（古墳時代）には、ヤマトの五人の王（倭の五王）が中国の南朝に相次いで朝貢し、倭王武（雄略天皇／ワカタケル大王）が「安東大将軍倭王」として冊封されました。

東アジアの外交史上、きわめて重要なこれらの事実は、「記紀」にはまったく出てきません。「記紀」の編集が進められた七～八世紀、日本は大唐帝国の冊封体制から脱しようともがいており（後述）、かつての倭王たちが中華皇帝から冊封されていたという事実は、都合が悪いから消したのでしょう。

古の日本列島統一戦争の謎

同様に、国内の統一戦争についても、肝心な部分が隠されているようです。出雲の王権は大量の銅剣を鋳造する技術を持ち（荒神谷遺跡）、軍事的にもヤマトに対抗しうる大勢力でしたが、ある段階でヤマト王権に服属したようです。「記紀」によれば、ヤマト王権＝皇室の祖である太陽神・天照大神が、高天原（天上界）から葦原中国（日本列島）を治める出雲の大国主のもとへ使者を遣わし、「国を譲れ」と迫ったところ、大国主が「自分を神と祀ってくれるなら国を譲りましょう」と応じたので、出雲大社に祀った、という神話があります。このあと天照大神の孫である瓊瓊芸が九州の日向に降臨し（天孫降臨）、その曾孫の神武天皇が九州で即位し、ヤマトに遠征した（神武東征）というのが日本の建国神話です。

記紀神話を読んで不思議に思うのは、古代中国史や古代ギリシア史によく出てくる「敗戦国の男は皆殺し」とか、「婦女子は奴隷化」とかいう話がまったくなく、勝者と敗者が話し合ってなんとなく妥協してしまう、という記述が多いことです。神武東征のくだりでも、ヤマトを治めていた長髄彦（ながすねひこ）という王に対し、ヤマトの神である饒速日（にぎはやひ）が「無駄な抵抗はやめろ」と命じ、饒速日が長髄彦を倒してヤマトは神武東征軍に服属するのですが、そのあと大量殺戮や奴隷化があったという話は出てきません。饒速日の末裔が物部氏（もののべ）であり、皇室を守護する軍事氏族として長く命脈を保ちました。饒速日から物部氏が受け継いだ宝物である十種神宝（とくさのかんだから）の所在は不明ですが、その神霊は、石上神宮（いそのかみ）の御祭神として、今も祀られています。

「どうせ、都合が悪いことは消したのだ」といってしまえばそれまでですが、敵の大量殺戮や奴隷化は古代世界の常識であり、「都合の悪いこと」ではありません。被征服民の神殿は破壊され、戦勝国の神々が強制されるのが常識です。しかし、日本では出雲大社や石上神宮のように敗戦国の神をそのまま祀ってきたのです。これは世界史上、特異な現象といえるでしょう。

雄略天皇（ワカタケル大王）の時代までに、ヤマト国家（その国際的な名称が「倭国」）は、西は九州から東は関東まで支配下に置いていました。このことは、記紀の記録と、熊本県の江（え）田船山（たふなやま）古墳と埼玉県の稲荷山古墳から出土した鉄剣に、いずれも「ワカタケル大王」と刻まれているという、考古学調査の結果とが符合しているので事実です。

しかしその外側、南九州には熊本の熊襲・鹿児島の隼人、東北以北には蝦夷と呼ばれる部族が居住してヤマトに抵抗を続けていました。雄略天皇（倭王武）が中国南朝の宋の皇帝に送った上表文にはこうあります。

> 昔からわが祖先は自ら甲冑をまとい、山河を渡り、平定に休む間もなかった。東は毛人を征すること五十五国。西は衆夷を服すること六十六国。渡って海北を平定すること九十五国。
>
> （『宋書』倭国伝／著者が口語訳）

「毛人」は蝦夷、「衆夷」は熊襲・隼人、「海北」は朝鮮半島南部のことでしょう。朝鮮半島では、高句麗・百済・新羅の抗争が続いており、南部の加羅地方（任那）にはヤマトの勢力が及んでいました。この上表文を受けて宋の皇帝は、日本列島と朝鮮半島を管轄する「安東大将軍倭王」という称号を武（雄略天皇）に授けたのです。

記紀神話で最大の英雄であるヤマトタケルの物語は、歴代大王の遠征の記憶を一人の英雄物語として昇華させたものです。

ヤマトタケル（本名はオウス）が熊襲平定に行ったときの話です。熊襲は部族社会で、複数の部族長（その称号が「タケル」）に治められていました。女装してタケルの兄弟の寝所に忍び込んだオウスは、隠し持っていた剣で兄タケルを殺します。弟タケルは恐れてこのヤマトの勇者に服属し、「タケル」の名を献上しました。こうしてオウスは「ヤマトタケル」と名乗ったというのです。

七世紀、隼人がヤマトに服属し、六年交代で上京して皇居の警備任務につくことになりました。逆S字のデザインが描かれた盾を持って舞う「隼人舞」は、宮中の伝統行事として平安時代まで伝えられました。

東北地方では、服属した蝦夷（俘囚）を逆に国境警備の任務につかせることが多く、岩手県を拠点とした安倍氏は俘囚の一つで、いったんは服属したものの、のちに前九年の役（一一世紀）を起こして朝廷に敗れます。捕縛された安倍宗任は、北九州に流されました。その子孫が山口に移住し、元内閣総理大臣・安倍晋三氏の一族となるのです。

蝦夷を「エゾ」と呼ぶのは江戸時代からで、北海道（蝦夷地）のアイヌを指します。最新の分子生物学の成果によれば、アイヌは縄文人の遺伝子を色濃く受け継いでおり、日本人（和人）と共通の祖先を持っていたことがわかりました。言葉や習俗は大きく異なりますが、異人種ではありません。古代・中世に「蝦夷」と呼ばれた諸部族も縄文人の末裔で、最後まで服属しなかったのがアイヌだと考えればよいでしょう。

『日本書紀』によれば、女帝・斉明天皇の時代（在位六五五〜六六一）、朝廷の命を受けた阿

▲安倍宗任

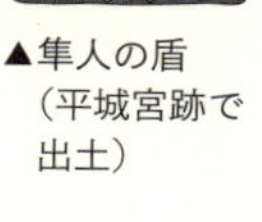

▲隼人の盾（平城宮跡で出土）

倍比羅夫は軍船二〇〇隻を率いて北上、粛慎国に遠征しました。粛慎は沿海州（現在のロシア領）や満洲（現在の中国東北部）に住むツングース系狩猟民族の一派とみられ、高句麗の仲間です。日本海北部やオホーツク海を縦横に渡航し、樺太にも拠点がありました。

服属した蝦夷を案内人として船に乗せ、比羅夫は大河のほとりまで船団を進めました。河口付近には渡島（北海道）の蝦夷の集落があり、比羅夫に向かって「粛慎の攻撃に悩まされている。助けて欲しい」と訴えました。

蝦夷の要望に応え、比羅夫は粛慎と交渉しますがうまくいかず、戦闘が始まります。比羅夫軍の将軍が戦死するなど激戦となりましたが、比羅夫軍が勝勢になり、粛慎は敗走しました。

『日本書紀』にはこの年の夏、ヤマトの都で粛慎人四八人を饗応したとの記述があります。

敵対する他部族を絶滅するのではなく、味方に取り込んでいくという日本的な戦争観を、熊襲・隼人や蝦夷の扱いにも見ることができるでしょう。

満洲では、飛鳥時代に渤海がおこり、日本に朝貢しました。平安時代には渤海の滅亡後、刀伊と呼ばれる武装集団が海賊化し、博多を襲います（後述）。

一六世紀にはここに清朝がおこり、二〇世紀には日本が占領して満洲国を建国しました。彼らから見た日本は、「日本海の南の豊かな隣国」というイメージだったようです。

白村江の戦いと壬申の乱で「日本国」が誕生した！

阿倍比羅夫の凱旋に気をよくした斉明女帝と中大兄皇子（のちの天智天皇。在位六六八～六七二）は、朝鮮半島の動乱に目を向けます。

長く分裂が続いた中国では、北朝の隋が南朝の陳を滅ぼして四〇〇年ぶりに統一国家を樹立し、その余勢を駆って高句麗に攻め込みました。聖徳太子（厩戸王）が小野妹子を遣隋使として派遣し、「日出ずる所の天子……」で始まる国書を隋の煬帝に渡し、冊封関係を拒否したのはこのときです。高句麗遠征で頭がいっぱいだった煬帝は不機嫌になったものの、倭国と高句麗が結ぶことを恐れたためか、倭国の「非礼」を黙認しました。

高句麗戦争に失敗した隋の煬帝が反乱軍に殺されたあと、中国を再統一したのが唐です。

唐は慎重に事を運びました。高句麗の圧迫を受けていた新羅を冊封し、同盟を結んだのです。

一方、新羅と領土紛争を抱えていた百済は、ヤマト（倭国）に接近し、王子の豊璋を人質としてヤマトに派遣します。

六六〇年、唐・新羅連合軍が百済の都・扶余（ふよ）を攻略し、百済王国は滅亡しました。このとき国を失った百済王族や貴族が船で脱出し、ヤマトに亡命を求めてきました。

百済の重臣だった鬼室福信（きしつふくしん）はそのあとも抵抗を続け、ヤマトに百済復興のための支援を要請します。

斉明天皇と中大兄皇子はそれに応え、人質にとっていた百済の王子・豊璋を帰還させ、軍事援助を約束しました。中華帝国との戦争を、粛慎遠征と同じ程度に軽く考えていたのでしょうか。

二人は艦隊を率いて難波津（なにわづ）（大阪）を出港し、瀬戸内海を筑紫へ向かいました。指揮官の中には阿倍比羅夫の姿もありました。斉明女帝が筑紫の朝倉宮で急死するという不吉な前兆があったものの、中大兄皇子は海外派兵を強行します（六六三）。

六月、決戦が始まります。地上戦では倭国軍の指揮官である上毛野君稚子（かみつけののきみわくご）らが新羅の二城を奪うなど健闘しますが、その最中に百済復興軍を率いてきた鬼室福信が、豊璋王子に謀反を疑われて斬られてしまいました。

このばかげた内紛は、当然、百済人兵士の士気に影響します。豊璋が鬼室福信を斬った瞬間に、百済復興軍は勝機を失いました。

白村江の戦いの略地図

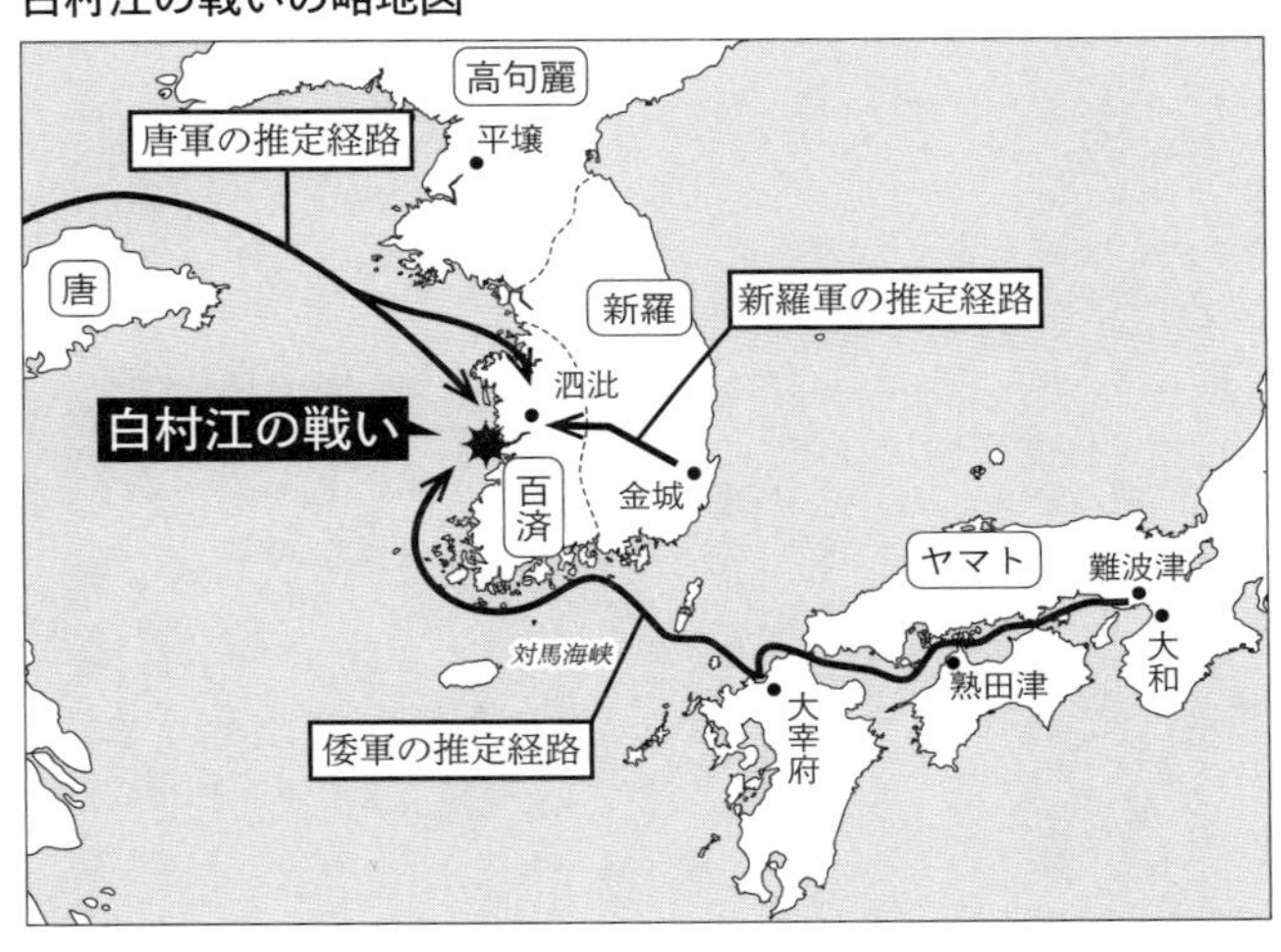

同年八月、白村江（はくすきのえ）で唐の水軍とヤマトの水軍がぶつかりました。唐軍は左右から倭国の船を攻撃、倭国軍は、たちまちに敗勢に陥りました。一〇〇〇隻の軍船のうち四〇〇隻が炎上し、水に落とされ溺死する者が多かったと伝えられています。

どうにか生き残った艦船が、敗残兵と百済人亡命者を乗せて帰国します。朝鮮半島南部には、かなりの倭人がいたはずですが、敗戦のどさくさに乗じて撤収したと考えられます。阿倍比羅夫の最期はわかっていません。

この白村江の敗戦でヤマト艦隊は壊滅、百済は完全に滅亡し、朝鮮半島南部に対する倭国の影響力は完全に消滅し、対馬海峡が国境になりました。唐・新羅連合軍は、返す刀で高句麗に攻め込み、これを滅ぼします。そのあと領土配分をめぐって唐と新羅が争い、最終的に平壌以南の朝鮮半島を新羅が統一しました。

戦争は難民を生み、難民受け入れは今も昔も大問題です。百済難民の数ははっきりしませんが、『日本書紀』の記録だけでも数千人、名もなき庶民まで含めると、実際には数万人に及んだかもしれません。

ヤマトは百済の王侯貴族をそのままの地位で遇しました。彼らはヤマト貴族とも通婚しており、桓武天皇の母親も百済系渡来人です。百済王（くだらのこにしき）という一族は豊璋王子の弟を始祖とします。『新撰姓氏録（しんせんしょうじろく）』という平安時代の貴族の名簿によれば、貴族の三分の一が中国や朝鮮半島からの渡来人系で、その三分の一が百済系でした。

もし、阿倍比羅夫の粛慎遠征が失敗し、逆に百済救援が成功していたら――

日本国家の形は今と違ったものになっていたでしょう。朝鮮半島に領土を維持するためには大陸国家との緊張が続きますから、東北遠征を断念せざるを得ず、東北・北海道には別の統一国家が成立していたかもしれません。結果的に朝鮮半島から手を引いたことで、日本列島の統一が可能になったのです。

敗戦後、中大兄皇子（天智天皇）は白村江の唐軍の日本列島侵攻に備えた防衛態勢を作りあげました。百済人の土木技術者を動員して九州から瀬戸内にかけて朝鮮式山城を建設し、東国の農民を徴発して防人（さきもり）として防衛に当たらせたのです。首都を内陸の大津に移したのも防衛上の理由です。「敵に学べ」と唐の律令制や長安城の都市計画も貪欲に取り入れました。

大陸では、旧高句麗領をめぐる唐と新羅の対立が始まっていました。白村江の屈辱をはらすチャンス到来です。唐は倭国と和解して新羅を圧迫しようと考え、使節・郭務悰に二〇〇〇人の護衛をつけて博多の大宰府に派遣します。講和をちらつかせつつ、軍事圧力をかけてきたのです。

このタイミングで天智天皇が病に倒れます。郭務悰は一〇代半ばの大友皇子を手なずけ、大津の宮廷は唐との同盟に傾きます。ところが天智の弟である大海人皇子はこれに反発し、大津宮を出奔して吉野に逃れます。

六七二年、天智天皇が没すると、大友皇子を擁する親唐派と、大海人皇子が率いる反唐派との古代最大の内戦――壬申の乱が勃発。東国の諸豪族を味方につけた大海人皇子が大津宮を攻略、大友皇子を自害に追い込み、天武天皇として即位しました。

これによりヤマトは唐と絶縁し、遣唐使も三〇年間断絶します。天武天皇は、対外的な国号を「倭国」から「日本国」に改め、新羅と和解して唐を牽制し、律令国家体制の完成を急ぎます。天武改革は、妃の持統天皇、孫の文武天皇に受け継がれ、七〇一年の大宝律令の発布で完成しました。

「大王」の称号を「天皇」に改めるのもこの時代です。「皇」の字を使うことで、中華皇帝とは対等である、と主張しているわけです。

翌七〇二年に再開された遣唐使が、はじめて唐に対して「日本国」の国号を使いました。唐

渤海と新羅

側は日本列島に別の国ができたのかと混乱し、『旧唐書』では倭国伝、日本伝が別々になっています。

日本という国号は大陸から見て「日出ずる国」を意味しています。

唐の則天武后から見れば「倭王ごときが、無礼である」となりますが、このときも結局、うやむやになりました。

旧高句麗領に渤海という強力な国が誕生したからです。唐の則天武后はこの渤海独立問題への対応に追われ、日本の無礼は不問に付したのです。

白村江の戦いと壬申の乱は、「日本国を誕生させた戦い」ということができます。白村江の戦いは軍事的には大敗でしたが、その後の国際情勢の急変、天武天皇の巧みな外交によって、唐による占領をまぬがれ、中華帝国からの完全独立を達成したのです。

第3章

中世の戦争と兵農分離

中世とはいつを指すのか?

古代帝国が崩壊してから、近世主権国家が生まれるまでの長い動乱の時代を「中世」といいます。

西欧では、西ローマ帝国が崩壊した五世紀から、英仏百年戦争が終わる一五世紀あたりまでが中世です。

もともと西洋史の概念だった「中世」を日本に当てはめると、古代律令国家が崩壊した平安時代半ばの一〇世紀あたりから、織田信長・豊臣秀吉が戦国時代を終わらせる一六世紀までが中世です。

いずれも、強力な中央集権国家と法の秩序が崩壊して、地方を自立的な領主が治め、私闘を繰り返した時代、というのがおおまかな中世のイメージです。

ところが、中国史に「中世」を当てはめようとすると、うまくいきません。帝国崩壊後の動乱の時代といえば、漢帝国崩壊後の「魏晋南北朝」(三〜六世紀)、唐帝国崩壊後の「唐末五代」(九〜一〇世紀)と二回あるからです。

	中国		日本	
前三～後三世紀	秦・漢帝国（古代帝国）			
三～六世紀	魏晋南北朝（動乱①）			
六～九世紀	隋・唐帝国（帝国再建）		七～一〇世紀	飛鳥～平安時代（律令国家）
九～一〇世紀	唐末五代（動乱②）			
一〇～二〇世紀	宋・元・明・清（帝国再建）		一〇～一六世紀	平安～戦国時代（武家政権）

このように、中国における「中世」は二回あったと私はみています。一回目の「中世」である魏晋南北朝を統一した隋・唐帝国のシステムを日本が導入したのが律令国家体制（日本の古代国家）であり、それが挫折したのが唐末五代の内乱です。日本では平安中期から長く続いた無政府状態に武士が台頭しました。

中国では一〇世紀に宋帝国が再統一して強力な官僚国家体制を構築し、これが元朝・明朝・清朝と一〇〇〇年にわたって継承されます。日本や西欧諸国では中世が終わり、中央集権国家（絶対主義、織豊政権）が成立するのは一六世紀ですから、中国より六〇〇年も長く動乱が続いたのです。このため、職業的な戦士階級――西欧の騎士階級、日本の武士階級が生まれ、社会を動かすことになりました。

中世における戦争のルール

ゲルマン法では、私人の身体・財産・名誉が侵害された場合、被害者が属する氏族は、実力をもって加害者に報復すること（血の報復）が義務とされました。報復された側は、今度は被害者となって再び報復します。こうして私闘が繰り返され、慢性的に戦争状態が続いたのです。彼らは国家から一定の俸給をもらう官僚ではなく、自分の領地を経営する領主として、農民を使役して自活していたのです。私領を脅かす敵が現れれば剣を抜いて戦い、農民を保護しました。農民は、領主の保護を受ける見返りに、領主に年貢を納め、労役に服したのです。プロの戦士階級がいるかいないかという問題は重要です。それによって戦争のルールが左右されるからです。

中国の場合は、職業的な兵士（傭兵）と徴兵された兵士（農民兵）がいましたが、都市全体が城壁に囲まれていたため、都市の住民は戦闘に参加せざるを得ず、落城したときには住民も無差別に殺されました（これを「屠城（とじょう）」といいます）。戦闘員と非戦闘員の区別がないのです。古代ギリシアの戦争も中国型で、メロス島の成年男子が「屠城」されたのは、彼らが戦闘員だったからです。

西欧諸国や日本では、戦闘は幼少期から訓練を積んだ騎士階級・武士階級がやるもので、民衆の多くは避難し、ときには高みの見物を決めこんでいました。戦闘に勝利した領主は、敗者の領地を奪いますが、そこに住む人民まで殺戮してしまっては領地経営ができなくなります。中世は「暗黒時代」といわれましたが、それなりのルールはあったわけです。インドでも、ヒンドゥー教徒のそれぞれの身分の義務を記した『マヌ法典』に次のような規定があります。

八七　王はその人民を保護し、……（敵より）挑戦せられたる時は、クシャトリヤ（戦士）の義務を想起し、戦闘を回避する勿（なか）れ。

九一　（敗走中）高處に攀登する者、去勢者、合掌（し懇願）する者、毛髪をふり乱（し遁走）せる者、坐す者、「吾は汝のものなり」と言ふ者は（これを攻撃する勿れ。）

（『マヌの法典』第七章　岩波文庫 P.189）

中世社会が無差別の殺戮を抑制できた理由として、領主階級の経済的得失のほかに思想的要因があります。

戦乱が続いた西欧諸国では、人々はキリスト教に救いを求めました。まもなくやってくるという「最後の審判」ですべての苦しみは終わり、イエス・キリストの救いを得られると説く教えは、この時代にヨーロッパ人に深く浸透し、伝統的な多神教を駆逐していきました。

キリストの一番弟子であるペテロが、皇帝ネロによる迫害で殉教した地であるローマのヴァチカンの丘は、イエス殉教の地であるエルサレムに次ぐ聖地とされました。ローマ・カトリック教会の成立です。

その指導者であるローマ教皇は、「地上における神の代理人」と位置付けられ、西欧各国の王たちの上に君臨しました。王や貴族がカトリック教会に反逆する場合には、教皇は「破門」という最終手段を取ることができました。

「破門」とは、キリスト教徒コミュニティーからの排除、徹底的な「村八分」を意味します。いっさいの人間関係を絶たれ、生活の糧を失い、死んでも墓に入れません。夫婦親子とは絶縁され、主従関係も絶たれます。

聖職者の任免権（叙任権）をめぐってカトリック教会と対立した神聖ローマ皇帝（ドイツ王）ハインリヒ四世が教皇グレゴリウス七世に破門された結果、ドイツ諸侯たちは皇帝ハインリヒを見捨て、別の皇帝を立てようとしました。ハインリヒは、教皇が滞在するカノッサ城を単身訪れ、城門の前に三日間、立ちつくして許しを請い、ようやく破門を解かれます（カノッサの屈辱、一〇七七）。

このような絶大な権威を持つに至ったカトリック教会は、領主階級の私闘を抑制し、教会や聖職者、巡礼者、女性や子供など非戦闘員を殺傷することを禁止する布告（神の平和令）をたびたび出しています。これは一〇世紀に南フランスで始まり、ドイツ諸国に拡大しました。違反者は破門により罰せられたので、一定の効果がありました。

常備軍の廃止と民兵組織「武士団」

平安時代の日本でも、別の形で「平和令」が出されています。

七九二年、平安京の建設で財政難に陥った桓武天皇は、徴兵された農民兵からなる常備軍（軍団）の廃止に踏み切りました。蝦夷の抵抗が続く東北地方（陸奥・出羽）と、大陸からの外敵侵入に備える九州などをのぞく全国で、武装解除してしまったのです。

戦闘が続いた東北でも、征夷大将軍・坂上田村麻呂が率いる朝廷軍が、岩手県中部を拠点とする蝦夷の首長・阿弖流為（アテルイ）と母礼（モレ）を降伏させ、蝦夷の組織的な抵抗はここに終わりました。

同時期に徴兵軍団を廃止した中国の唐王朝が、強大な騎馬軍団を要する北方民族ウイグルの侵攻に悩まされ、傭兵軍団を再編成せざるを得なかったのとは対照的です。大陸から隔絶した日本列島という地政学的メリットが、日本の武装解除を可能にしたのです。

次の嵯峨（さが）天皇は八一八年、律令に定められた国家権力による死刑制度を事実上廃止し、重罪人は流刑としました。日本古来の神道が持つ「浄め、祓（はら）い」思想に、仏教の殺生（せっしょう）禁断思想、自然災害を怨霊（おんりょう）のしわざと考える御霊（ごりょう）信仰——祟りを封じ込める技術が陰陽道（おんみょうどう）——が融合した結果、強烈な「ケガレ思想」が生まれたことが、その背景にあるようです。

縄文時代以降、奈良時代までの日本人は普通に肉食をしていました。しかし平安貴族は「死のケガレ」「血のケガレ」を強迫神経症的に忌み嫌うようになりました。この結果、「四つ足」の肉を食べなくなり、屋敷内で人が死んだり出産をしたりすると屋敷が「ケガレる」と恐れ、使用人に病人や妊婦が出ると暇を取らせました。

皇居周辺や神社境内の清浄維持にはとくに神経過敏となり、鳥獣の死骸や行き倒れ人の遺体を処理する専門職が被差別身分の起源となります。処刑場や皮革の処理場として河原が使われた結果、彼らは「河原者（かわらもの）」と称されました。人が集まる橋のたもとでは見世物の興行が行われ、庭師や能役者など芸能をなりわいとする人々も「河原者」と呼ばれました。

嵯峨天皇の死刑廃止は、あくまで国家権力による死刑の廃止です。警察機能が麻痺してしまった結果、関東では、開拓農民が自分の土地を守るため武装するようになります。また、坂上田村麻呂の朝廷軍に降伏した蝦夷（俘囚）も各地に入植し、和人に騎馬戦法を伝えました。これが、武士の起源です。

彼らは私闘を繰り返し、プロの戦闘集団としての実力を蓄えていきます。一方、中央政府では藤原氏が娘を天皇に嫁がせて高位高官を独占しつつありました。政争に敗れ出世の望みを失った皇族や貴族は、国司（県知事）という名目で地方に左遷され、あるいは実益を求めて自らの意志で地方へ降り、在地の武士団から「貴種」としてもてはやされ、婚姻関係を結び、やがては武士団のボス（棟梁（とうりょう））として担がれ、桓武平氏、清和源氏などの武士団を形成していくのです。
藤原氏の中央政府はこの動きを黙認し、これらの民間武装集団に治安維持を丸投げしていました。

将門の乱と純友の乱の衝撃

桓武天皇の曾孫である高望王(たかもち)は、上総介(かずさのすけ)（千葉県中部を管轄する副知事）として関東へ下り、その息子たちは関東各地の武将の娘を娶(めと)り、桓武平氏を名乗りました。のちに関東の独立を図って反乱を起こす平将門は高望王の孫にあたります。

平将門の乱は、桓武平氏内部の所領争いに端を発し、朝廷が派遣した武蔵介（埼玉県と東京都の副知事）・源経基の横暴に苦しむ武士団の訴えを聞いた将門が仲介に入ったところ、都に逃げ帰った経基が「将門謀反」と朝廷に訴えたことから始まりました。

経基側から将門側に寝返った皇族の興世王(おきよ)が、「一国を盗るも、坂東（関東地方）を盗るも同じこと」と将門をそそのかします。乗せられた将門は関八州の国府(こくふ)（県庁）をつぎつぎに制圧し、上野(こうずけ)国府（群馬県庁）で日本国からの独立を宣言、「新皇(しんのう)」と称しました。

常備軍を持たない朝廷は、関東各地の武将（私兵のボスたち）に将門追討を呼びかけます。

純友の乱と将門の乱

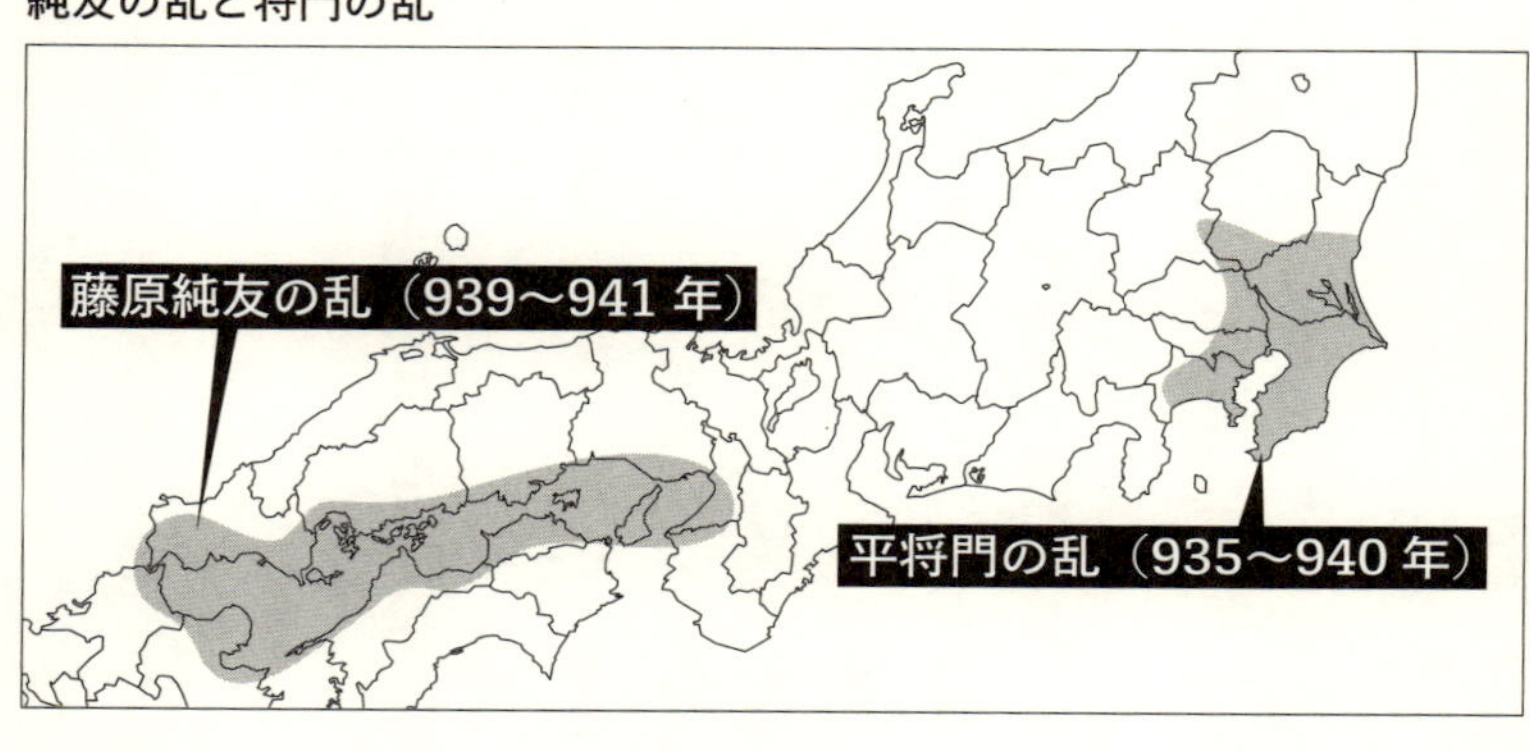

将門の従兄である平貞盛は、朝廷側について将門を討伐したことで平氏の面目を保ち、その息子は伊勢に移って海賊衆を手なずけ、伊勢平氏を名乗ります。この一族の中から、武家で最高位の太政大臣になる平清盛が現れるのです。

将門の乱と同じ頃、瀬戸内では藤原純友が乱を起こしました。藤原氏内部の権力闘争に敗れた純友は、伊予掾（愛媛県副知事補佐）として四国へ下向し、瀬戸内の海賊を取り締まる任務につきました。

ところが海賊たちに気に入られた純友は、豊後水道の日振島に土着し、海賊の首領になってしまうのです。将門とは連絡はなかったようですが、東西で同時に起こった反乱は、都の貴族たちを震撼させました（承平天慶の乱）。

海軍も持たない朝廷は、別の海賊集団に純友討伐を丸投げし、ことなきを得ました。したがって純友の乱平定後も、海賊衆の瀬戸内支配は一層強化されました。彼らはのちに平清盛に忠誠を誓い、日宋貿易に参加するのです。

これまで常備軍を持たない国家が、いかに内乱を平定してきたかを見てきました。それでは、常備軍なき国家が海外から侵略を受けた場合はどうなるか？

それを示す好例があります。刀伊(とい)の入寇(にゅうこう)です。

刀伊の入寇にみる「平安時代」の現実

渤海は、現在のロシア沿海州から北朝鮮、中国東北部を支配した大国です。高句麗の遺民が建てた国で、狩猟をなりわいとしつつ、唐から律令国家体制を学び、新羅に対抗するため日本に数十回にわたって朝貢使節を送り、毛皮を献上しました。

しかし唐の衰えとともに、渤海・新羅も衰退していきます。新羅の北部では高句麗系の住民が独立して高麗(こうらい)を建国しました。

日本で将門の乱が起こった頃、モンゴル高原を契丹(きったん)という強力な騎馬民族が統一し、渤海を攻め滅ぼしました。渤海に属していた狩猟民族——女真(じょしん)族はバラバラになり、一部は高麗(こうらい)に合流し、沿海部の部族は海賊と化しました。これが刀伊の正体です。「とい」という言葉は、「東夷(とうい)」からきたという説があります。

藤原道長が三人目の娘を後一条(ごいちじょう)天皇に嫁がせ、「この世をば　わが世とぞ思ふ」という有名な和歌を詠んだまさにその頃、刀伊の艦隊が日本海沿岸を南下していました。

道長の甥・藤原隆家は、幼少期から武闘派として知られ、兄の恋敵であった花山法皇の牛車を襲撃し、法皇の袖を射抜く事件を起こしたほどの乱暴者でした。

叔父・道長との権力闘争にうんざりしていた隆家は、大宰権帥を志願して北九州に下ります。九州防衛軍司令官に当たる官職ですが、貴族の間では左遷ポストとして知られていました。藤原氏と対立した菅原道真は、右大臣（副総理）から大宰権帥に左遷されたことを恨んで怨霊になったほどです。

刀伊の入寇

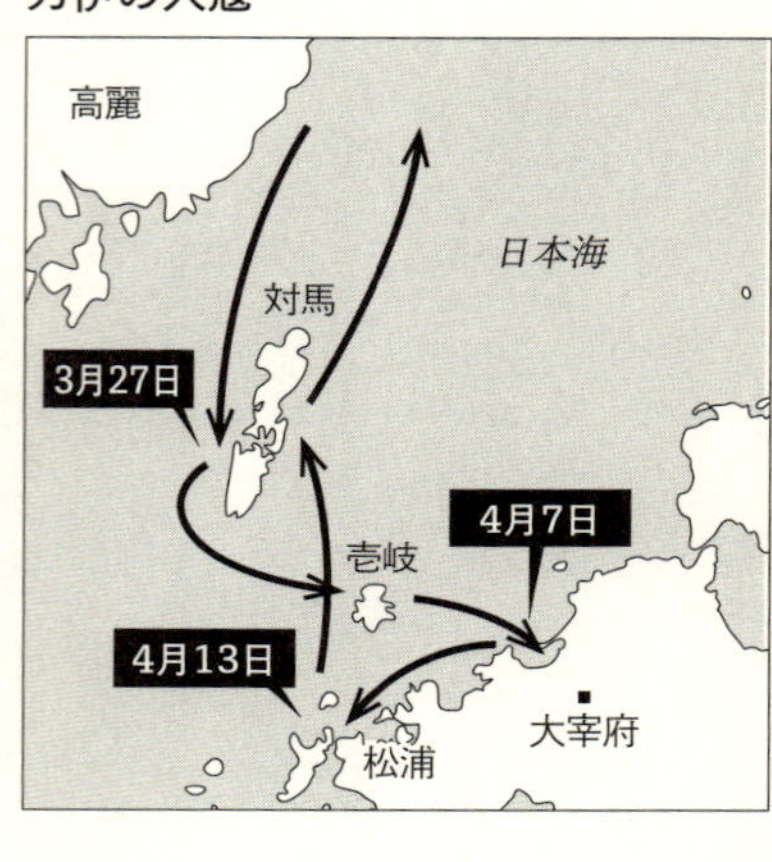

刀伊の入寇（一〇一九）という国家危機に際し、歴史の偶然とはいえ藤原隆家のような武闘派が大宰府を守っていたことは幸いでした。

約五〇隻の船団に三〇〇〇人ほどの刀伊が分乗して朝鮮海峡を渡り、対馬と壱岐に上陸して約四〇〇人の島民を殺し、一二〇〇人以上を奴隷として拉致し、両島はほぼ無人となりました。日本人が大事に飼っていた農耕用の牛馬を刀伊が殺してむさぼり食ったことが、異様な光景として語り伝えられています。

勢いに乗った刀伊は博多湾（福岡県）に上陸し、藤原隆家が緊急招集した九州の武士団と交戦します。日本側の激しい抵抗にあった刀伊は、拉致した日本人とともに撤収し、その後は二度と姿を見せませんでした。

その後、高麗の水軍が刀伊の艦隊と交戦して日本人拉致被害者を奪還し、大宰府に送還してきました。

報告を受けた朝廷の議論は、隆家らに恩賞を与えるかどうかで紛糾します。歌人として有名な藤原公任（きんとう）は「朝廷からの追討の命が下る前に隆家らは戦った。これは私闘であり、恩賞には値しない」と論じました。

これに対して藤原実資（さねすけ）は、「四〇〇人が殺され、千数百人が拉致された。これを撃退した隆家らに恩賞を与えなければ、今後戦うものは誰もいなくなる」と反論します。

朝議は実資の意見を採択し、隆家と武士団には恩賞が与えられました。しかし朝廷は、その後も外国から侵攻された際の対策をなんら立てることなく、刀伊の入寇は忘れさられ、元寇を迎えることになります。

モンゴル帝国のユーラシア統一戦争

世界各地に生まれた文明が地球規模で一体化したのは一六世紀の大航海時代ですが、それよりも早い一三世紀には、ユーラシア大陸がはじめて統一されました。モンゴル帝国です。騎馬軍団の機動力を最大限に発揮した天才チンギス・ハンに率いられたモンゴル軍は、最初にシルクロードが通る中央アジアのオアシス都市を制圧して軍資金を確保しました。

東アジアでは女真族が建てた金王朝が黄河流域まで侵攻、漢人王朝の南宋を圧迫しており、日本では鎌倉に武家政権が成立していました。イスラム世界ではアッバース帝国が解体されて地方政権の分立抗争が続いていました。これに乗じたローマ教皇は聖地エルサレムの奪回を呼びかけ、フランスを中心とする西欧諸国は十字軍を結成し、シリアに攻め込んでいました(後述)。

モンゴルには長子相続の習慣がなく、最も優れた息子がハン位を継承します。このため、一族の間で内紛が常態化し、帝国は常に解体の危機をはらんでいました。二代ハンのオゴタイは金を滅ぼし黄河流域まで進出、服属を拒否した高麗に侵攻します。

オゴタイの地位を脅かしたのは兄の子バトゥでした。オゴタイはバトゥをヨーロッパ遠征軍の司令官に任命し、モンゴル本土から遠ざけることで内紛を回避します。軽騎兵の集団戦法を得意とするモンゴル軍にとって、鈍重な重騎兵のヨーロッパ軍は敵ではありませんでした。ロシアの中心地だったキエフを攻略したモンゴル軍は、ハンガリーとポーランドを蹂躙し、ドイツ(神聖ローマ帝国)に迫ります。

皇帝フリードリヒ二世が不在だったため、シュレジエン侯ハインリヒの率いるドイツ・ポーランド諸侯連合軍がリーグニッツ近郊でモンゴル軍を迎撃します。敵の本陣への正面突破を繰り返すだけのドイツ・ポーランド連合軍に対し、モンゴル軍は変幻自在の動きをみせて翻弄し、壊滅させました（一二四一）。

一連の作戦で欧州諸国は一五万の騎士を失い、再起不能となりました。バトゥはウィーンに迫りますが、叔父のオゴタイ・ハンが急死したため撤収し、ロシアの平原に自分の国（ウルス）を建てました（キプチャク・ハン国／バトゥ・ウルス）。

恐慌状態から立ち直った欧州諸国は、このあとモンゴルとの同盟に動きます。世界最強のモンゴル軍と手を組むことにより、対イスラムの十字軍を有利に展開しようと考えたのです。フランス王ルイ九世が派遣した使節ルブルックと会見した四代モンケ・ハンは、弟のフラグにイスラム諸国への遠征を命じます。

フラグの軍勢はイスラムの都バグダードを攻略し、エジプトのマムルーク朝に進軍、シリアのダマスクスを攻略します。一二万の騎兵を動員したマムルーク朝の国王（スルタン）バイバルスは、ダマスクス近郊のアイン・ジャールートでモンゴル軍に勝利します（一二六〇）。兄モンケ・ハンの死の報を受けたフラグはシリアから軍を撤収し、イランに自分の国を建てます（イル・ハン国／フラグ・ウルス）。

四代モンケの後継者の地位をめぐり、弟のフビライと従兄のハイドゥが対立、モンゴル人同士の長い内戦が始まります。五代ハンに即位したフビライの支配はモンゴル帝国の東半分にしか及ばなくなったため、フビライは中華皇帝としての正統性を求め、国名を中華風に「元」（大元ウルス）と改め、大都（北京）に遷都します。

これ以後、フビライはもう一つの中華帝国である南宋の包囲作戦に全力を傾け、西はチベット（吐蕃）、大理（雲南）、ビルマ（パガン朝）に派兵し、東は朝鮮半島の高麗を服属させました。この南宋包囲作戦の一環として行われたのが、日本遠征――日本側はこれを「蒙古襲来」（江戸時代後期以降は「元寇」）という――だったのです。

フビライの日本遠征と南宋遠征

最初フビライは、高麗と日本を服属させて、その水軍を動員して南宋を海上封鎖する計画だったようです。内陸国家のモンゴルは、自前の水軍を持ちません。

高麗は大陸とは地続きですから、三〇年間に六回もモンゴル軍の侵攻を受け、国内は徹底的に破壊・略奪され、数百万の人民が拉致されました。江華島に逃げ込んでいた高麗王は、ついにモンゴルの軍門に降り、フビライに臣従しました。これは形式的な冊封関係ではなく、モンゴル軍の駐留を受け入れ、毎年、莫大な貢納金が課されました。高麗は事実上、モンゴル帝国の一部となったのです。

幼少の高麗王子は人質として大都の宮廷へ送られ、モンゴル語を学び、フビライ・ハンの娘を后（きさき）としました。成人して高麗へ戻った王子（忠烈王（ちゅうれつおう））は、モンゴル風ファッションに身を包み、頭髪を剃って辮髪（べんぱつ）にしていたため、高麗の人々は涙しました。この忠烈王が義父のフビライの歓心を買うため、日本遠征を進言したのです。朝鮮民族は、強大な敵に同化することによって生き延びてきたのです。

フビライは高麗経由で日本に使者を送ります。

> 高麗は東の従属国となった。日本は高麗と親しく、中国にも通行してきたが、私が即位してからは一人の使者も送ってこない。事情がよくわかっていないのであろう。よって使者を遣わし、国書を与える。今後は友好関係をむすびたい。武力を用いることは望まない。
>
> （東大寺蔵「蒙古國牒状」／著者が口語訳）

という脅迫文のような国書を持ってきました。

南宋との貿易を推進し、宋の商人を大輪田泊（おおわだのとまり）（現神戸港）に招いて情報を収集していた平清盛とは対照的に、鎌倉幕府がモンゴルについて積極的に情報を集めていた形跡はありません。

関東の武士団が樹立した鎌倉幕府は、海上交通や外交交渉にそもそも無関心でした。地政学の用語を使えば、平氏政権がシーパワー政権とすると、鎌倉幕府はランドパワー政権だったのです（小著『超日本史』ＫＡＤＯＫＡＷＡ参照）。

黙殺されたフビライは、高麗の忠烈王に軍艦一〇〇〇隻の建造を命じます。

「あるいは南宋、あるいは日本、わが命に逆らえば、征討す」

モンゴル・高麗連合軍は、かつての刀伊の入寇と同じルートをたどり、対馬と壱岐を略奪し、博多の街を焼き払います。日本の武士団は徹底抗戦を続けたため、深入りして犠牲者が出ることを恐れたモンゴル軍は、一夜で撤収しました。本土決戦は一日で終わったのです。これが文永の役（一二七四）です。

再び服属を求めてきたモンゴルの使者は鎌倉へ送られ、執権・北条時宗の命により処刑されました。若き執権・北条時宗は、モンゴル帝国との全面戦争を決意したのです。時宗の頭の中にユーラシアの地図はなく、北方の蛮族、刀伊の仲間程度にしか思っていなかったのでしょう。

この間、モンゴルは南宋を滅ぼします。南宋の滅亡は自ら招いたものでした。前の唐王朝が軍閥の台頭で滅んだという苦い教訓から、宋王朝は文治主義と称して軍人の政治権力を奪い、科挙（学科試験）で選ばれた文官に軍の指揮を任せたのです。今でいう文民統制（シビリアン・コントロール）を徹底したわけです。

この結果、軍は弱体化し、契丹・金・モンゴルから絶え間なく侵略を受け、南宋は周辺諸国に歳幣と称して毎年、莫大な経済援助を与えることで、かろうじて平和を維持してきました。カネで平和を買ってきたのです。

しかしフビライが求めたのは歳幣ではなく、唯一の中華皇帝としての地位でした。南宋は、存在そのものを否定されたのです。

軍人たちは徹底抗戦を主張しますが、都の官僚たちは軍の台頭を恐れ、必要な軍需物資の供給さえしぶりました。この期に及んでまだ文治主義をやっていたのです。

長江中流の要塞都市・襄陽では、呂文煥将軍が率いる南宋軍が立てこもり、モンゴル軍の投石機による猛攻撃に耐えていました。籠城は五年目に入り、南宋政府に援軍の派遣を要請しても黙殺され、食料も底をつき、全滅を覚悟したそのとき、敵のフビライから投降を促す書簡が届きます。

「呂文煥将軍、あなたはよく戦った。投降すれば、元の武将として厚遇する」

呂文煥は襄陽の城門を開き、投降しました。フビライは敵将呂文煥をねぎらい、約束通り元の将軍として抜擢し、南宋攻めを命じます。これを機に、南宋軍将兵がなだれを打って元に投降し、南宋の首都、臨安が陥落します。南宋最後の皇帝は少年で、側近に守られて海上へ逃れましたが、広東沖の崖山の戦いに敗れて、海中に身を投じました。南宋の滅亡です（一二七九）。

フビライは作戦を変更し、日本遠征に南宋軍を動員することにしました。日本征服で東アジアが統一できるからですが、この遠征にはもう一つの目的がありました。旧南宋軍の兵士を放っておくと、いつ反乱を起こすかわかりません。これを日本へ送ってしまえば、反乱のリスクを減らすことができます。このため、旧南宋軍の兵士たちは、鍬（くわ）を持って出征しました。そのまま開拓民として日本に定住するためです。

日本がモンゴルに蹂躙されなかった理由

一度目（文永の役）は威力偵察でしたが、二度目（弘安の役、一二八一）は全面戦争です。フビライは軍を二手に分けます。東路軍（モンゴル・高麗軍）四万は朝鮮半島から南下、江南軍（モンゴル・旧南宋軍）一〇万は東シナ海を渡り、北九州で合流して京都・鎌倉に攻め込むというプランでした。

ところが江南軍の出発が遅れたため、先発した東路軍四万が対馬・壱岐を蹂躙し、博多湾に上陸しました。

鎌倉幕府は博多湾岸に延長二〇キロメートルに及ぶ防塁を設け、敵の上陸を阻止しました。武士団の士気と戦闘力は非常に高く、おびただしい犠牲者を出した東路軍は壱岐に撤収します。江南軍の到着を待つことにしたのです。

六月、ようやく江南軍が平戸に入港し、東路軍と合流して唐津湾の鷹島に移動します。七月、海賊衆の松浦（まつら）党があやつる艦隊に分乗した日本の武士団は鷹島におそいかかり、もともと戦意の低い江南軍が鷹島で身動きが取れなくなったところを、暴風雨が襲ったのです。遠征軍の艦船の大半が沈没し、司令官たちは船を確保すると兵士を置き去りにして逃げ出しました。逃げ遅れた兵士のうち、モンゴル兵と高麗兵は斬られ、生き残った旧南宋兵三万は帰国を許されました。

弘安の役（第二回元寇）

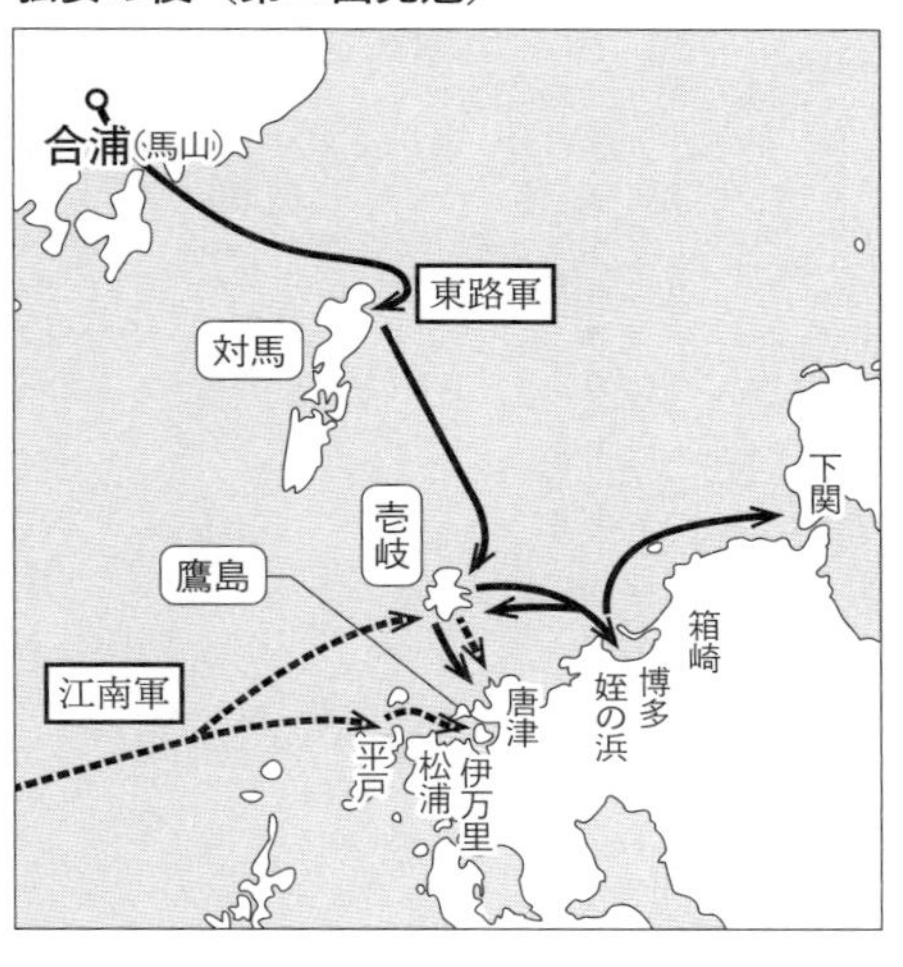

こうして日本は東アジアでは唯一、モンゴルに征服されずにすみました。先祖伝来の所領を守るために戦ってきた鎌倉武士たちは、はじめて日本国家を守るための戦いに動員されたのです。モンゴル軍が海戦に不慣れだったことに加え、鎌倉武士の奮闘を暴風雨が後押しした結果、建国以来最大の危機を脱しました。

しかしあくまで防衛戦争だったので、鎌倉幕府が新たに領土を獲得したわけではありません。奮闘した武士には恩賞が与えられず、当然のごとく武士の不満は高まり、鎌倉幕府の統制は崩れていきました。

結果的に西日本一帯に幕府がコントロールできない武装集団（悪党）が誕生することになりました。彼らの一部が海賊化し、モンゴル帝国や高麗沿岸部と密貿易や略奪行為を行いました。これが倭寇の始まりです。

海上武装集団・倭寇の跳梁が、鎌倉幕府、モンゴル帝国双方の弱体化につながったことは間違いありません。

モンゴルに屈した旧南宋では、モンゴルを「夷狄」＝蛮族とみなし、その支配を脱して中華文明を復興しようという「華夷の別」を説く朱子学が流行しました。南宋からの亡命者が日本にこれを伝えた結果、日本を神国とみなす思想が生まれます。北畠親房は『神皇正統記』を「大日本は神国なり」と書き始めました。これが江戸時代に水戸学となり、幕末の尊皇攘夷思想に受け継がれ、明治維新の原動力となるのです。

フビライの死後、旧南宋の漢人たちも反乱を起こし（紅巾の乱）、北京に米を運んでいた海運業者たちも武装集団化して反乱に加わります。南京で朱元璋が明を建国し、大都・北京に攻め込んでモンゴルを長城以北に撤収させました。ロシアのキプチャク・ハン国からはモスクワ大公国（のちのロシア帝国）が独立し、モンゴル帝国は崩壊していったのです。

第4章

大義に支配された宗教戦争の時代

マサダの戦いにみる宗教戦争の苛烈さ

「戦う人」である騎士階級が一定のルール（騎士道）に基づいて勝敗を決し、一般民衆の無差別殺戮を回避する、というのが中世の戦争でした。戦争ですからもちろん死傷者は出ますが、指揮官クラスの貴人は生け捕りにし、身代金を支払わせて釈放する、というのも一般的なルールでした。

しかし例外があります。「神の敵」である異教徒や異端者と戦い、神のために死に、天上での永遠の命を得られるという「聖戦（ホーリー・ウォー）」の場合です。

宗教戦争の苛烈さは、古代のユダヤ王国で記録されています。唯一の神であるヤハウェを信仰し、神の裁きである「最後の審判」ではユダヤ人だけが救われ、天国に導かれると固く信じたユダヤ人は、いかなる異民族の支配も受け付けず、抵抗を続けてきました。

ローマ帝国に併合されたユダヤ王国では、皇帝ネロの時代（一世紀）に大規模な独立運動が起こりました。首都エルサレムがローマ軍の攻撃で陥落したあと、異教徒ローマ人に屈することを拒否した約一〇〇〇人のユダヤ兵が、妻子を連れてエルサレム郊外のマサダ要塞に立てこもりました。マサダは周囲を絶壁に囲まれた丘であり、難攻不落でした。

ローマ軍は二年がかりでマサダの丘を囲む谷間に大量の土を運んで通路を作り、総攻撃を開始しました。ところが抵抗はまったくありません。要塞の中に踏み込んだローマ兵が見たものは、集団自決したユダヤ人のおびただしい遺体でした。

ユダヤの男たちはまず妻子を殺し、次に円陣を組んでくじを引き、くじに当たった者から仲間の手で殺していきました。そうして、最後に残った者は自害し、ローマ兵に捕らえられて奴隷として売られるという屈辱を回避したのです。

『ユダヤ戦記』の著者フラウィウス・ヨセフスはこう伝えます（フラウィウス・ヨセフス『ユダヤ戦記』3　ちくま学芸文庫）。

「生き残っていたのは二人の女と、五人の子供だけだった」

第二次世界大戦末期の沖縄戦でも、女性や子供を巻き添えにした集団自決の悲劇が起こりました。敵を悪魔化し、それに屈するくらいなら死を選ぶ。こういう心理状態は、いつでもどこでも起こりうるわけですが、これに宗教が絡むと人は死を恐れなくなり、むしろ天上界、来世での永遠の命を求めて、進んで死地に赴くようになります。

このような悪魔化された敵に対する攻撃性が外に向かえば、民衆を巻き込んだ容赦なき殲滅戦が展開されます。十字軍がその代表的な例です。

「武装巡礼団」だった十字軍

カトリック教会の神学者、たとえばトマス・アクィナスは『神学大全』の中で、「正戦論」を説きました。「君主が発動し、不正が行われたなど正当な理由があり、正義を実現するなど正当な意図がある場合のみ、その戦争は正当である」というのです（柴田平三郎『トマス・アクィナスの政治思想』岩波書店）。しかしこれはカトリック教徒間の戦争にのみ適用され、異教徒との戦いには適用されなかったのです。

西暦一〇〇〇年は、キリストの生誕から一〇〇〇年が経過したことを意味します。『新約聖書』の末尾の「ヨハネの黙示録」は世界の終末を描く予言の書です。

それによると「キリストの千年支配」が終わると神は「最後の審判」を下し、不信心者（異教徒や異端者）や罪人を、悪魔とともに地獄に落とし、その業火で永遠に焼くというのです。

これを免れるためには、「贖罪（しょくざい）」とか「免罪」と呼ばれる行為をしなければなりません。教会に財産を寄進し、聖地を巡礼し、「信仰の敵」と戦わなければならないのです。

イエスは「隣人を愛せ」「異邦人でも救われる」と説きましたが、イエス・キリストの地上における代理人を自称するローマ教皇が率いるカトリック教会は、「信仰の敵を滅ぼせ」と説いたのです。ここに「正戦」（正義のための戦争）は、「聖戦」（神のための戦争）に転化します。

「聖戦（ジハード）」はイスラム教徒の専売特許ではないのです。

十字軍とは、武装巡礼団でした。カトリック教会を護持するための「聖戦」に参加した者は、これまでの罪が清められ、天国への道が約束されたのです。一〇九五年、ローマ教皇ウルバヌス二世は母国フランスのクレルモンに諸侯・騎士たちを招集し、このように呼びかけました。

> 東方の地で神に呪われたおぞましき異教徒のトルコ人たちが、聖地エルサレムを強奪したのを諸君は知っているか。奴らは神を侮辱し、教会を焼き尽くし、人々を蹂躙し、男を殺し、女を陵辱し、悪の限りを尽くしている。これを見すごしておいてよいものか。東方の兄弟たちの苦難を我らが素知らぬ顔で見捨てておくことは神の意志にかなうことか。いや、否である。今こそ我々は立ち上がらねばならぬ。等しく神の御加護を受ける兄弟同士で相争うときではない。即座に休戦し、共に手を携え、かの地の血塗られし異教徒どもから聖地を取り戻すべく戦わねばならぬのだ。神の御心は我らと共にある。立ち上がれ、神の勇者たちよ。
>
> （『十字軍大全』ギルベール『フランク人による神の御業』二　東洋書林）

聖地エルサレムがイスラム教徒に奪われたのは、このクレルモン演説が行われる四〇〇年前であり、キリスト教徒の安全も一定の条件のもとに保証されてきました。この演説が行われた直接のきっかけは、トルコ人のセルジューク朝が東ローマ帝国に侵攻し、小アジア（現在のトルコ）を奪ったことにあります。そもそもエルサレムは関係ないのです。

東ローマ皇帝からの援軍要請を受けたウルバヌス教皇がフランス諸侯に従軍を呼びかけたわけですが、「東ローマ帝国を救うため」ではフランス人は奮い立ちません。そこでウルバヌス教皇は「神に呪われたおぞましき異教徒」「血塗られし異教徒ども」と敵を悪魔化し、この戦いを聖地エルサレム奪回の「聖戦」と意義づけて、参加者の贖罪を約束したのです。

「神の御加護を受ける兄弟同士で相争うときではない。即座に休戦し」とは、カトリック教徒間の私闘をやめよ、という意味です。

▲十字軍によるエルサレムの占領（1099年7月15日）

一〇九九年、第一回十字軍がエルサレムに入城しました。このとき市内の神殿の丘で起こった出来事について、当時の記録はこう語ります。

――われわれの主イエス・キリストが……十字架上で受難された時刻が近づいたとき、……町を守備していた者たちは全員城壁沿いに町から敗走した。フランク兵は彼らをソロモンの神殿まで追撃して殺害したり、切り付けたりした。そこでの殺戮は、フランク兵たちが踝（くるぶし）まで敵の血のなかに浸かるほどのものであった。

（レーモン・ダジール他著『フランク人の事績 第一回十字軍年代記』著者不明「フランク人および他のエルサレムへの巡礼者の事績」鳥影社 P.97）

神殿で約一万人が首を切られた。もしあなたたちがそこに居合わせていたならば、あなたたちの足は大腿部まで殺害された者たちの血のなかに浸かったであろう。これ以上何を語ったらよいか。敵の誰も命の助かった者はいなかった。女も子供も容赦されなかった。

（前掲書 フーシェ・ド・シャルトル「エルサレムへの巡礼者の物語」P.299）

異端者に対する十字軍

このような呵責なき攻撃性は、ヨーロッパ内部の敵にも向けられました。

キリスト教は、ユダヤ教から分かれた宗教です。イスラム教とは兄弟の関係にあり、これら三つの宗教は一神教です。神が一人ですから他の神々は一切認めず、その神のまつり方をめぐって正統だ、異端だ、と宗派争いを繰り返してきました。

ローマ帝国末期に、父（唯一神ヤハウェ）と聖霊（神が聖母マリアに宿ったもの）と子（として生まれたイエス・キリスト）を同じものとする三位一体説が正統とされ、これに異を唱える諸宗派は異端として弾圧されました。

カタリ派（アルビジョワ派）は中世の南フランスに出現したキリスト教異端で、ペルシアから伝わったマニ教の影響を受けていました。

マニ教は善悪二元論です。光の神が創造した世界を、闇の神（悪魔）が汚していると考えます。光の神が創造した魂は、闇の神が創造した肉体に閉じ込められていると説き、肉食の禁止、断食の奨励など、徹底的な禁欲を説くのもマニ教の特徴です。

カタリ派（アルビジョワ派）は、「神は二人いる」と説きました。

『新約聖書』の神キリストは光の神である。しかし『旧約聖書』の創世記によれば、神ヤハウェは泥（アダモ）から肉体を創ってアダムと名付け、その脇腹の骨から女を創ってイヴと名付けた。この汚れた肉体を創造したヤハウェとは何者か？

悪魔（サタン）である。三位一体説は悪魔崇拝であり、教皇は悪魔の代理人である――

彼らは、トゥールーズ伯など南フランスの有力諸侯に保護され、カトリック教会とフランス王の権威に公然と挑戦しました。

教皇インノケンティウス三世は激怒し、フランス王に異端討伐を命じました。北フランスの諸侯を主体とするアルビジョワ十字軍は、ヨーロッパ内部の敵に向けられた十字軍であり、エルサレムで起こったのと同様の惨劇が南フランスの諸都市を襲ったのです。

一二〇九年、十字軍がカタリ派（アルビジョワ派）の拠点ベジエを攻略します。ベジエの住民には多数のカタリ派（アルビジョワ派）と少数のカトリック教徒がおり、十字軍が突入すると市内は混乱状態に陥り、アルビジョワ派住民とカトリック教徒の住民とを区別するのは不可能でした。どうやって異端を区別すべきか、と問う兵士たちに対して、現場で指揮をとった教皇特使アルノー・アマルリックはこう答えます。

「すべてを殺せ。神は、おのれの民を知りたもう」

異端であれば地獄行きだし、カトリック教徒であれば天国へ行ける。あとは神に任せてとりあえず殺せ、という意味です。一万数千人と推定されるベジエ住民の大半が殺され、生き残ったのは数百人でした。

▲異端者の火刑

一二四四年、最後の拠点モンセギュール城の陥落によって組織的な抵抗は終わりました。しかしカトリック教会は追撃の手を緩めず、隠れアルビジョワ派の密告を奨励しました。密告された者は異端であると「自白」するまで拷問され、「自白」のあとは火刑（火あぶり）となります。この宗教裁判という

▲コンスタンツ公会議で尋問されるフス

システムが導入されたのも、アルビジョワ戦争からです。

神聖ローマ帝国（ドイツ）の一部だったチェコ（ボヘミア）では、先住民のチェコ人と、ドイツ人移住者との対立が続いていました。チェコ人の神学者フスは、プラハ大学の学長にまでなった人物ですが、カトリック教会が異端討伐の十字軍を送る費用を捻出するため贖宥状（免罪符）を販売したことを批判します。

「教会の名のもとで剣を挙げる権利は教皇にも司教にもなく、敵のために祈り、罵るものたちに祝福を与えるべきである」

結果的にフスは、教皇の権威を否定した異端者として告発され、拘束されました。皇帝ジギスムントはフスに弁明の機会を与えるとしてコンスタンツ公会議に召喚し、身の安全も保証しましたが、コンスタンツに着いたフスは投獄され、一方的な宗教裁判で異端宣告を受け、火刑に処されました。

これを聞いたチェコの人々は激昂し、皇帝に対して武装蜂起しました。このフス戦争は最初のチェコ独立運動となり、皇帝が派遣した十字軍を撃退します。その後、フス派は急進派と穏健派とに分裂、主導権を握った穏健派が、皇帝の支配を受け入れるかわりにフス派の信仰を黙認してもらうという形で妥協します。

フスの火刑から約一〇〇年後に、チェコの北のザクセンで、マルティン・ルターという修道士がフスと同じく贖宥状（免罪符）批判を始めます。この宗教改革の炎が北ヨーロッパ一帯に広がり、ローマ・カトリック教会の権威は失墜していくのです。フスが播いた種は、こうして実を結んだのです。

スペインの「正義」――対異教徒戦争

ミニ十字軍であるレコンキスタ（国土回復運動）でイベリア半島からイスラム教徒を排除したスペイン人は、その勝利を神に導かれたものと確信し、大航海時代になると対異教徒戦争を海外へ輸出しました。アメリカ大陸におけるアステカ王国、インカ帝国に対する苛烈な征服戦争は、先住民の大量死と奴隷化をもたらしました。

スペイン王の要請を受けた法学者ルビオスは、スペインによる新大陸（インディアス）征服の正当性を論じています。

ルビオスは、神の代理人であるローマ教皇の至上権を前提に、教皇アレクサンデル六世の「贈与大勅書」（一四九三）によってスペイン王は新大陸の支配権を授与されたのであり、先住民（インディオ）はこれに従う義務がある、と回答しました。

　これに基づき、スペイン人は征服に先立ち、先住民に対して「降伏勧告状」なるものを読み上げることを義務づけられました。

「降伏勧告状」とは、唯一の神ヤハウェによる天地創造、ヤハウェが受肉したキリスト、その後継者である聖ペテロと歴代ローマ教皇の権威について述べ、次に教皇アレクサンデル六世が「贈与大勅書」で新大陸の支配権をスペイン王に授与したこと、したがって宣教師を受け入れ、スペイン王の支配に服すべきことを勧告する文書です。

　これをいきなりスペイン語で読み上げ、理解できない先住民が呆然としていると、「抵抗の意を示した」とみなして襲いかかるのです。

　自身も征服戦争に従事したドミニコ会修道士ラス・カサスは、「贈与大勅書」による新大陸征服を認めつつも、先住民に対する迫害を「神の法に反する」としてスペイン国王カルロス一世に告発しました。

　一方、教皇庁に仕えた哲学者セプールベダは、奴隷制を容認するアリストテレス哲学を援用して、先住民の奴隷化を正当化しました。

家畜にとって、人間の支配に従うのがより善いことであり、有益なのです。……思慮分別や才能に優れた人々は、……生まれながらにして主人であり、……愚鈍で理性に劣る人々は生来の奴隷です。……生まれながらにして奴隷である人々にとって、自然本性からして主人である人々に仕えるのは正しいばかりか、有益でもあります。……愚か者とは、……野蛮で非人間的な人々のことだと考えられています。……もし彼らが人間的で徳高い人々に支配されるのを拒めば、武力によって彼らを強制的に服従させることが許されます。

（セプールベダ『第二のデモクラテス』岩波文庫 P.107～108）

論争がエスカレートした結果、スペインの征服戦争を批判するラス・カサスと、これを擁護するセプールベダとの間で、公開討論が行われました（バリャドリード論戦、一五五〇～五一）。

セプールベダは、古代の哲学者アリストテレスの奴隷論を援用して「先住民は野蛮人、生まれつきの奴隷であり、彼らに人肉食などの悪魔の習慣をやめさせ、キリスト教文明に浴させるための戦争は正当である」と主張します。

これに対してラス・カサスは、「独自の文明を持っていた先住民は野蛮人ではなく、スペイン人による征服は不当である」と応戦しました。

ラス・カサス側が論戦を制した結果、国王カルロス一世は先住民の奴隷化を禁じる勅令を発しました。しかし次のフェリペ二世は、このような議論そのものを封殺してしまいます。ヨーロッパで宗教戦争の嵐が巻き起こったからです。

西欧諸国が形成していく国際法が、「野蛮な」非西欧世界との戦争にも適用されるべきかどうか。この議論については第6章でまた考えましょう。

第5章

ウェストファリア体制と「徳川の平和（パクス・トクガワーナ）」

戦争がビジネスになった三十年戦争

一六〜一七世紀のヨーロッパでは泥沼の宗教戦争が続きました。

スペイン王と神聖ローマ皇帝を兼ねたハプスブルク家を中心とするカトリック（旧教）勢力に対し、イギリスやオランダ、ドイツの諸侯らのプロテスタント（新教）勢力が抵抗し、血で血を洗う殺し合いを続けた時代です。いずれの側も自らを正統派キリスト教徒、相手方を異端とみなして、「聖戦」を展開したのです。

スペインの飛び地だったオランダでは、宗教改革者カルヴァンの思想が市民の間に浸透していました。カルヴァンは教会への寄進は魂の救済に役立たないと断じ、禁欲的に働くこと自体が、神の御意志にかなうことだと説きました。

大航海時代、アジア・アフリカに大船団を派遣して経済発展にいそしんでいたオランダ人にとって、カルヴァンの教えは身にしみたのです。

スペイン王フェリペ二世は、「カトリック教会の守護者」を自任し、異端撲滅に乗り出します。国際貿易港アントワープはスペイン軍に攻略され、カルヴァン派もカトリック教徒も見境なく殺されました。アルビジョワ十字軍の狂気が繰り返されたのです。生き残ったカルヴァン派は北部のアムステルダムへ亡命し、北部の七州がスペインからの独立を宣言します（オランダの建国)。

なお、カトリック住民だけが残った南部一〇州は、のちにベルギーとして独立します。

フランスでは、国王アンリ二世が槍試合で事故死したことによりヴァロワ朝が不安定化し、スペインの支援を受けて王位を狙うカトリックのギーズ家と、カルヴァン派(ユグノー)のブルボン家との対立が激化しました。

一〇代の王シャルル九世の摂政となった母后カトリーヌ・ド・メディシスは、ギーズ家・ブルボン家の内戦による共倒れを画策し、ユグノー戦争が勃発します。ブルボン家が優勢となったのを見たカトリーヌは、ブルボン家のアンリを娘婿に迎え、結婚式のためパリに集まったユグノーの指導者を一網打尽にして殺戮しました(サン・バルテルミの虐殺)。

虐殺を逃れたアンリは、地方の軍勢を集めてパリに攻め込み、内戦に勝利してブルボン朝を開きます。しかし彼の王位を認めたのは少数のユグノーだけで、人口の大半を占めるカトリック教徒は従いません。そこでアンリは自らの信仰を捨ててカトリックに改宗した上で、ユグノーにも信仰の自由を認めるナントの勅令を発し、ようやく内乱は終結しました(一五九八)。

神聖ローマ帝国(ドイツ)では、ハプスブルク家の皇帝がカトリックの信仰を強制したことに対し、再びチェコ人が反乱を起こし、これをザクセン公らルター派諸侯が支援したことから三十年戦争が始まります。皇帝側にはスペイン、新教徒側にはデンマーク、スウェーデン、フランスが援軍を送り、まさに欧州大戦になりました。

この戦争では大砲、鉄砲などの火器が本格的に使われ、兵士の多くは没落した騎士階級である傭兵となりました。彼らは特定の主君のためではなく、カネのために戦い、裏切りや寝返りが続発しました。休戦期間には収入がなくなる傭兵は盗賊団に変身し、民衆に対する虐殺と略奪が繰り返されました。中世の騎士道精神は忘れ去られ、戦争がビジネスになったのです。

最終的にハプスブルク家は惨敗し、一六四八年のウェストファリア条約で三〇〇の諸侯・都市が主権国家として独立を認められました。ハプスブルク家の神聖ローマ皇帝は存続を許されましたが、もはや自領のオーストリアを治めるだけの存在となり、彼が治める神聖ローマ帝国（中世ドイツ帝国）は、解体されたのです。

「主権国家」間の絶え間ない戦争が「戦時国際法」を生んだ

「主権」とは、ユグノー戦争中にフランスの法学者ジャン・ボダンが唱えた概念で、何者にも従属しない最高権力を意味します。中世以来、ローマ教皇や神聖ローマ皇帝といった超国家的な権威があったことを否定し、国家の君主が最高権力を持つ、と決めたのです。

同時にこれは、主権国家の内部での私闘を禁じ、主権者が軍事力を独占していく過程でもありました。

これ以後、欧州では世俗化が進み、国家が教会を管理する国教会制度により、カトリック教会は政治権力を失っていきました。

ウェストファリア条約以後、欧州全体をまとめる帝国は存在しなくなり、各国の君主がそれぞれ「主権」を持ち、対等な外交関係を結ぶというルールが生まれました（ウェストファリア体制）。

今の世界も、国連総会を例にとると各国一票ですから、ウェストファリア体制の枠組みが続いているわけです。

世界の他の地域、たとえば中東ではオスマン帝国、インドではムガル帝国、東アジアでは中華帝国（明・清）が君臨し、他の小国は帝国に朝貢するという形で安定した国際秩序を維持してきました。帝国は、臣下となった小国に朝貢を要求する一方、恩恵として莫大な金額の下賜（お返し）を与え、必要に応じて軍事援助も与えました。日本の豊臣秀吉が朝鮮に攻め込んだとき、朝鮮王から援軍要請を受けた明の万暦帝は朝鮮に出兵し、秀吉軍と戦っています。「世界の警察」、国際平和維持軍の役割を帝国が担ったのです。

欧州の場合、「各国対等」というと聞こえがいいですが、要は超国家的な帝国が不在となったため、国家間で戦争が起こっても調停者がいないのです。ですからウェストファリア条約後も絶え間なく戦争が続き、やがては世界大戦へ至るのです。

これを見通していたのがオランダの法学者フーゴー・グロティウスです。彼は主権国家の法の上に自然法（神の法）があると仮定しました。

HVGONIS GROTII
DE
IVRE BELLI
AC PACIS
LIBRI TRES.
In quibus ius Naturæ & Gentium: item
iuris publici præcipua explicantur.

MOENO-FRANCOFVRTI,
Typis & ſumptibus Wechelianorum, Danielis & Dauidis Aubriorum & Clementis Schleichii.
ANNO M. DC. XXVI.

▲『戦争と平和の法』

▲フーゴー・グロティウス

自然法は、人間の生命・自由・平等・財産を保証する法のことです。国家と国家がぶつかり、国家の法の保護を受けられない戦争状態においても、自然法が守られるような仕組み、国際的な取り決めをすべきだとグロティウスは説いたのです（『戦争と平和の法』一六二五）。

また、国家主権が及ばない「公海」という概念を唱えたのもグロティウスです（『海洋自由論』一六〇九）。スペインとポルトガルの世界分割協定（トルデシリャス条約）を否定し、オランダ船の航行の自由を擁護したのです。公海を私物化して軍事基地を建設し、航行の自由を脅かす大国が今もありますが、すでに一七世紀にこの問題は決着がついているのです。

凄惨極まりない宗教戦争を経験し、ウェストファリア体制下で戦争を常態化させてしまったヨーロッパ人が、最後にたどり着いたのが国際法という知恵だったのです。
しかし、グロティウスの時代に国際法が整備されたわけではなく、さらにたくさんの戦争を経て、個々の条約や戦時慣習法の積み重ねの結果、徐々に国際法ができあがっていったのです。これらの戦時国際法の集大成が、第一次世界大戦の直前にハーグ万国平和会議で結ばれたハーグ陸戦条約（一八九九）なのです。

日本版宗教戦争のルーツは鎌倉仏教にあった⁉

日本の宗教は多神教です。神道も、仏教も、無数の神仏をまつります。インドのヒンドゥー教もそうですが、多神教の世界では他の宗教に対して寛容で、起源の異なる神々が融合したりします。日本では仏教伝来のとき、古来の神道を奉じる物部氏と仏教導入派の蘇我氏が武力衝突していますが、その後両者は共存し、仏教側は古来の神々を仏の化身とし、神道側は仏を神々の化身とみなす神仏習合が進みました。

七福神という民間信仰があります。七福神のうち、日本古来の神は恵比寿だけで、大黒天と毘沙門天、弁財天はヒンドゥー教の神々（マハーカーラ、ヴァイシュラヴァナ、サラスヴァティ）、福禄寿、寿老人、布袋は中国の道教、仏教の神です。

マハーカーラは「偉大な黒」を意味するヒンドゥーの暗黒神で、恐ろしい形相をしています。

これを漢字で表すと「大黒」。「だいこく」は「大国」に通じるので、日本では出雲大社の御祭神である大国主と習合されました。因幡の白兎の神話で、大国主が兄たちの荷物を持たされていることから、大黒天は財宝の神となり、米俵に乗って福袋を持つ姿になったのです。

このように多神教は何でもありの世界ですので、宗教対立はほとんど起こりません。仏教が日本に根付いたのは、土着の民間信仰とうまく融合したからです。このごちゃ混ぜ日本仏教の頂点に君臨したのが、天台宗の比叡山延暦寺でした。平安時代末期、延暦寺は奈良興福寺とともに僧兵を抱えて武装し、朝廷に対して実力をともなう政治的要求を繰り返しました。これを「強訴」といい、延暦寺は日吉大社の神輿、興福寺は春日大社の御神木（榊の枝に鏡をつけたもの）を掲げて京の都に入り、デモンストレーションを行いました。公家たちは神威を恐れておびえ、要求の多くは通ったようです。

一方で、政治要求を繰り返して民衆を救おうとしない比叡山に対する批判から、鎌倉時代には日本仏教の改革運動（日本版宗教改革）が起こります。

法然は比叡山で中国浄土教を学び、阿弥陀仏に救済を求め、「南無阿弥陀仏」の念仏を唱える浄土宗を開きました。「南無」とは「おすがりする」という意味です。難しい経典を読まなくても六文字の念仏を唱えれば救われるというので、浄土宗は民衆に歓迎されました。

弟子の親鸞はこれを先鋭化させました。彼は阿弥陀仏を絶対化し、人間は自分の意志で救われようなどと思ってはならず、すべてを阿弥陀仏に委ねる「絶対他力」を説きました。もはや僧侶が戒律を守ることさえも意味がなくなり、肉食妻帯を認めます。実は三〇〇年後にルターが同じことをいっています。ルターも人間の自由意志による救済を否定し、カトリックの戒律を破って妻帯しました。

親鸞の教団は、浄土真宗とか一向宗と呼ばれます。一向宗の特徴は、その一神教的性格にあります。阿弥陀仏だけを信仰して他の神仏は排斥するのです。したがって一向宗が広まった地域では神仏習合が徹底的に否定され、民話や昔話の類もほとんど残っていません。

室町時代、第八代法主（ほっす）の蓮如（れんにょ）は、話し言葉で書いた手紙（御文（おふみ））によって民衆を教化し、巨大な教団を組織しました。応仁の乱で室町幕府が事実上崩壊し、大名が割拠する無政府状態の中で、一向宗は「国人（こくじん）」と呼ばれた下級武士にも浸透し、各地に政治的な自治共同体を組織します（一向一揆（いっこういっき））。

一四八八年、加賀（石川県）の守護大名・富樫政親が立てこもる高尾城を一向一揆が包囲し、政親を自害させます。これ以後、信長に滅ぼされるまでの約一〇〇年、一向宗門徒による自治が行われ、加賀は「百姓の持ちたる国」と呼ばれました。

一向一揆で戦いの際に掲げられた旗があります。

「進まば往生極楽、退（しりぞ）かば無間地獄（むげんじごく）」

極楽は阿弥陀仏が住まう理想世界、無間地獄はそこに落ちたら二度と生まれ変われない地獄の最下層です。信徒は念仏を唱えながら進軍し、死を恐れず戦いました。門徒にとってこれは、

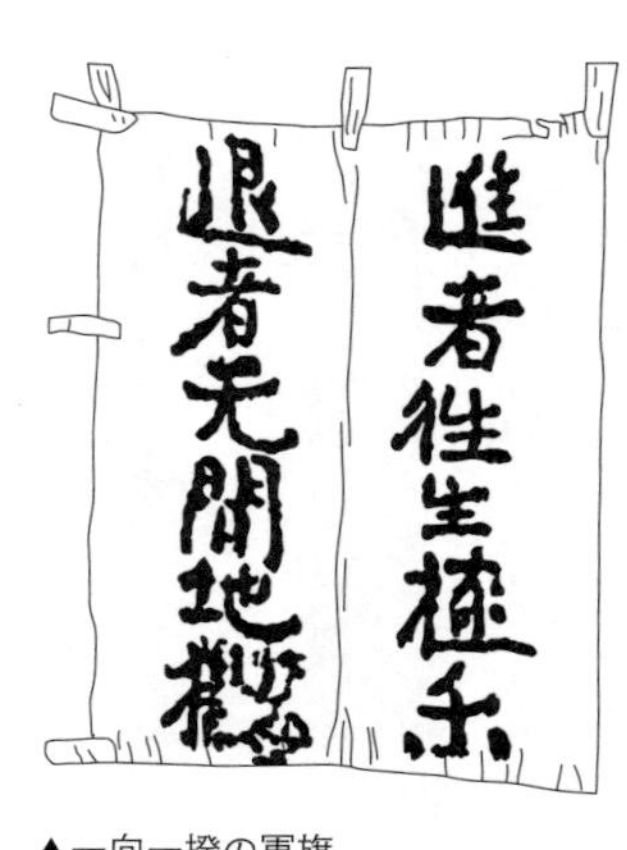

▲一向一揆の軍旗

仏敵に対する「聖戦」だったのです。

日蓮も鎌倉時代に比叡山で学び、法華経（妙法蓮華経）だけを真の経典とみなして「南無妙法蓮華経」の題目を唱えれば救われると説きました。これも一神教的ですので、一向宗と法華宗がぶつかると、厄介なことになります。

一向宗が農村部に広まったのに対し、法華宗は都市部に広まりました。応仁の乱で荒廃した京都では、法華宗徒が教団国家を組織しました。彼らは守護大名の細川氏と結び、一向宗の山科本願寺を焼き討ちして、一向宗門徒を京都から追放します。さらには日本仏教界の総本山的地位にあった比叡山延暦寺に論争を挑んで論破し、恥をかかせました。

激怒した延暦寺は、近江（滋賀県）の守護大名・六角氏の援軍を得て京都に侵攻し、法華宗徒が住む下京を焼き払いました（天文法華の乱／日蓮宗の側では「天文法難」といいます）。

一方、京を追われた一向宗門徒は、大坂に要塞のような石山本願寺を築きました。堺の港を通じてポルトガル人がもたらした鉄砲が伝わると、紀伊国（和歌山県）の門徒が雑賀衆と呼ばれる鉄砲隊を組織し、一一代法主・顕如が率いる石山本願寺は、戦国大名と並ぶ武装勢力となりました。鉄砲はすぐに国産化されましたが、火薬の原料となる硝石が国産化できなかったため、その輸入港である堺は重要だったのです（小著『超日本史』KADOKAWA第10章参照）。

比叡山と一向一揆を灰燼に帰した織田信長

このような、日本版宗教戦争に終止符を打ったのが織田信長でした。信長自身はのちに自らを神格化したように伝統信仰には無頓着で、神罰・仏罰を恐れることなく宗教勢力と戦いました。

一五七一年、信長は三万の兵で比叡山延暦寺を包囲します。延暦寺は僧兵を要する武装集団で、浅井・朝倉・六角など反信長勢力と結託していました。延暦寺側はあわて、信長に黄金を贈って攻撃中止を懇願しますが信長は拒否。法螺貝と鬨の声を合図に、山麓の日吉大社と坂本の町を焼き払い、逃げ惑う人々を八王子山に追い立てて虐殺、さらに比叡山に登って根本中堂など多くの伽藍を焼き払いました。

山下の老若男女はあわてふためき、右往左往して逃げまどい、取るものも取りあえず、みなはだしで八王寺山（日吉大社の北方、奥宮がある）に逃げのぼり、あるいは社内に逃げこむ。それを追うようにして、兵が四方からときの声をあげながら攻めたてる。僧俗・児童・学僧・上人すべて捕らえてきては首をはね、信長公にお目にかける。これは叡山でも知られた高僧・貴僧・学

僧などといちいち報告するのであった。

このほかにも美女・小童らを数えきれぬほど捕らえて、信長公の御前へ連れて参る。「悪僧は首をはねられてもいたし方ありません。わたくしどもはお許しください」と口々に哀願するのも、なかなかお許しにならず、ひとりひとり首をうち落とされた。目もあてられないありさまであった。数千の死体があたりかまわずころがり、まことに哀れななりゆきであった。

（太田牛一『現代語訳信長公記（全）』巻四　ちくま学芸文庫 P.150）

イエズス会宣教師ルイス・フロイスは、犠牲者一五〇〇人と伝えています。灰燼に帰した延暦寺は、のちに秀吉によって再建されますが、二度と再び政治権力を握ることはありませんでした。日本のヴァチカン（ローマ教皇庁）とでもいうべき延暦寺の焼き討ちは、単に一寺院の焼滅というだけにとどまらず、日本における政治権力の、宗教権威からの完全な独立、すなわち政教分離体制の確立を意味します。カトリック教会の権威が残る欧州で政教分離が実現するのは、フランス革命を経た一九世紀のことです。

さて、延暦寺と結ぶ近江の浅井家、越前の朝倉家を滅ぼした信長は、次に伊勢長島の一向一揆に矛先を向けます。

本願寺の顕如は全国の門徒に檄文を送り、仏敵・信長に対する戦争を呼びかけました。伊勢の門徒は信長の弟・信興の城を攻撃し、自害に追い込みます。

木曽川の三角州の島々を堤防で囲んだ輪中(わじゅう)が一揆勢の本拠地でした。信長は数万の一揆勢を大艦隊で包囲し、兵糧攻めにしました。

二カ月後、飢饉に苦しむ一揆勢が開城に応じると、信長は舟で退去する人々に一斉射撃を加えた上、対岸の砦に立てこもっていた二万人を、砦もろとも焼き殺しました。男女子供を問わない殺戮――「根切り」が行われたのです。

加賀と越前の一向一揆に対しては柴田勝家を派遣してこれを平定させ、信長自身は堺を降伏させて火薬の原料である硝石を確保し、一一代顕如が立てこもる一向宗の総本山、大坂本願寺を攻撃します。本願寺包囲作戦は、断続的に一〇年間続きました(石山合戦/大坂本願寺戦争、一五七〇~八〇)。

現在の大阪城の場所にあった石山本願寺は、西側が大阪湾の海岸でした。石山本願寺が一〇年間の包囲に耐えられたのは、山陽の戦国大名毛利家と、毛利家の配下で瀬戸内の交通を掌握する村上海賊の支援を受けられたからです。

志摩(しま)(三重県)の九鬼水軍を配下に収めた信長は、大砲を搭載した装甲艦を作らせ、木津川口の戦いで毛利・村上水軍を撃破します。海上からの食糧の供給を断たれた顕如は、長島一向一揆の二の舞になることを恐れ、朝廷の斡旋に応じて信長と和議を結びます。顕如の大坂からの退去を条件に、門徒は殺戮を免れました。本願寺の陥落は全国の門徒に衝撃を与え、一向一

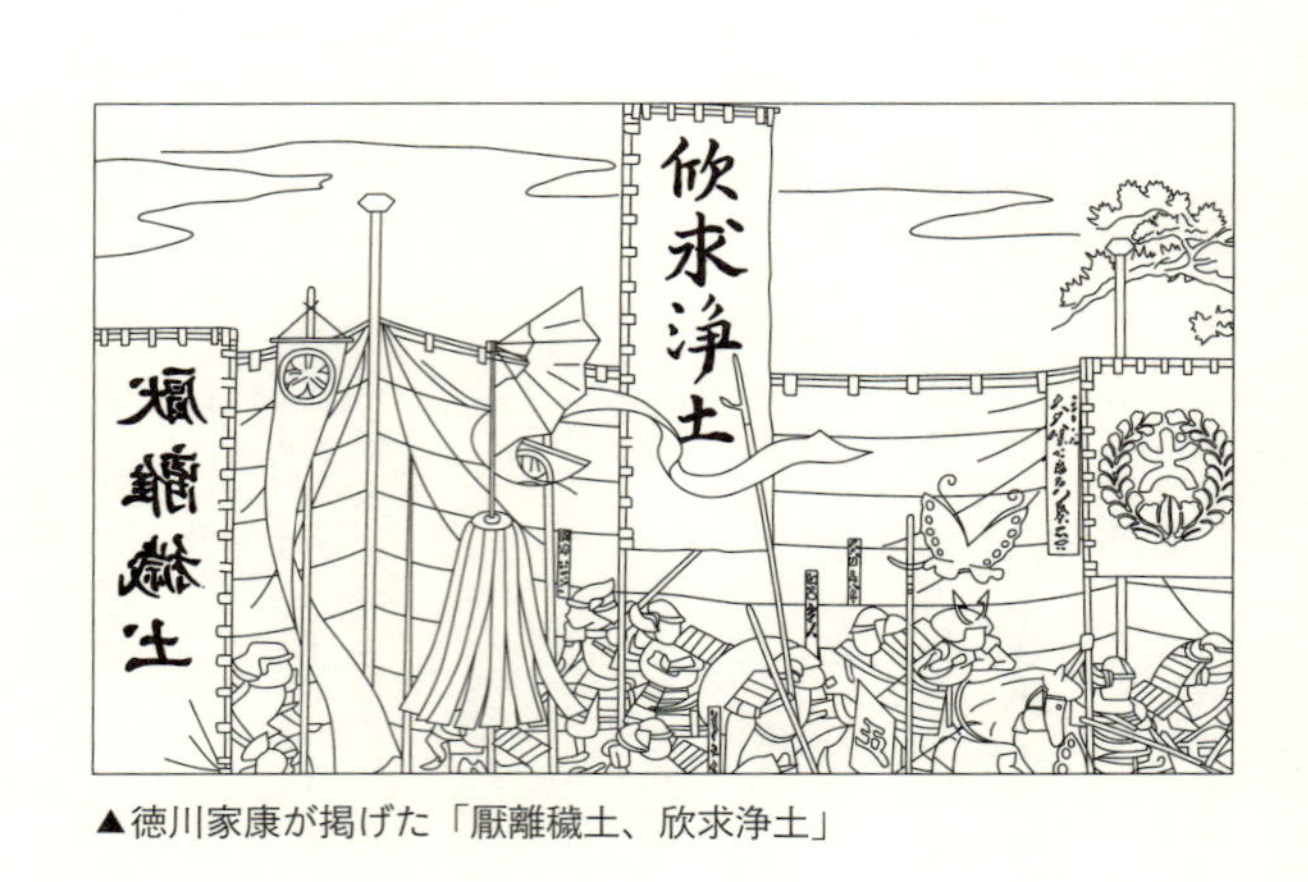

▲徳川家康が掲げた「厭離穢土、欣求浄土」

撲は終息に向かいました。本願寺は開城直後の失火で全焼し、跡地には秀吉が大坂城を築造します。

紀伊（和歌山）の鷺森に隠棲した顕如の子息で一二代法主・教如は、信長との和議に不服で、本能寺の変のあとは秀吉に面従腹背の態度をとったため、秀吉はその弟で穏健派の准如を一三代法主としました。

教如が率いる強硬派はその後、徳川家康に接近して保護を取り付け、京の七条烏丸に寺領を寄進されて東本願寺を建立。門徒は二派に分裂します。

徳川家は代々、法然の浄土宗を崇敬していました。家康は若かりし頃、主君の今川義元が桶狭間の戦いで織田信長に討ち取られたとき、徳川家の菩提寺である三河（愛知県）の大樹寺で切腹を試みますが、「穢れた戦乱の世を終わらせ、生きて平和な世を作れ」と住職に説得されて思いとどまります。

これ以後、家康は「厭離穢土、欣求浄土」の八文字を馬印に掲げるようになりました。法然に影響を与えた恵心僧都源信の『往生要集』の冒頭の言葉です。伝統宗教に無関心だった信長や秀吉と違い、家康は浄土宗の思想に共感していたのです。

家康も三河の一向宗（浄土真宗）には手を焼きましたが、教団の廃絶ではなく、政治的に無力化することでその存続を図りました。教如を手なずけて、一向宗を東西に分裂させたのも、その一環でしょう。

秀吉の朝鮮出兵のヒントを与えたイエズス会

スペインとポルトガルが結んだ世界分割協定（トルデシリャス条約）に基づき、カトリック教会の布教区域も二つに分割されました。アジア・アフリカのポルトガル勢力圏はイエズス会、アメリカとフィリピンはフランチェスコ会が布教を担当したのです。日本はポルトガル勢力圏とされたため、イエズス会創設メンバーのザビエルが送り込まれました。

延暦寺と一向宗に手を焼く信長は、対抗勢力としてイエズス会を保護し、安土城下に教会と初等神学校（セミナリオ）の設立を許しました。有馬晴信（ありまはるのぶ）、大友宗麟（おおともそうりん）ら九州の諸大名は、硝石をもたらすポルトガルとの交易拡大を目的に、キリシタン（カトリックの日本名）に改宗し、領内の神社仏閣を邪教として破壊しました。

キリシタン大名の出現は、中国布教を最大の目標とするイエズス会を勇気づけます。アメリカ大陸でスペインがアステカやインカを滅ぼし、住民をカトリック化したように、中国人をカトリック化する手っ取り早い方法は、明朝を滅ぼすことでした。

大国・明朝の征服には、アジアの同盟国の援軍が必要になります。そこでまず日本人を改宗させ、カトリック化した日本軍を中国に攻め込ませる、というプランが生まれました。このことは、イエズス会宣教師からスペイン国王宛の書簡に明記されています（小著『超日本史』KADOKAWA第11章参照）。

イエズス会巡察使（東アジア統括部長）ヴァリニャーノは、仏教弾圧者の信長に接近しますが、彼が安土城で自らを神として崇拝させているのを見て失望し、信長を「信仰の敵」と認定します。本能寺は京の南蛮寺（カトリック教会）の敷地の隣にあります。信長の死にイエズス会がどう関わったのかは、よくわかりませんが、これを歓迎したのは間違いないでしょう。

しかし信長の後継者となった秀吉は九州平定に乗り出し、伴天連(バテレン)追放令を発します（一五八七）。伴天連とは、宣教師(パードレ)のことです。

「日本は神国たる処、キリシタン国より邪法を授けられるとは、まったくあるまじきことである」で始まる伴天連追放令を出した動機は、この追放令および同時に出された日本人向けの布告（覚(おぼえ)）に明記されています。

- キリシタン大名は、神社仏閣を破壊している。
- キリシタンは一向宗と同じである。一向宗は、加賀や越前に寺領を形成して税を納めず、統一の障害となってきた。
- 日本人を奴隷として海外に売っている。
- 農耕用の牛馬を食用にしている。

秀吉はほぼ同時に海賊停止令、刀狩令を出しています。前者は、倭寇の流れを汲む海上武装勢力の存在を禁じ、後者は農民の帯刀を禁じて一揆を防止するものです。兵農分離が徹底され、秩序は急速に回復されていきました。

イエズス会はスペインからの援軍に期待しますが、翌一五八八年、スペインの無敵艦隊がドーヴァー海峡でイギリス海軍に敗れ、スペイン王フェリペ二世は艦隊を失ってしまったのです。

九州平定で秀吉のもとに一元化された巨大な兵力は、対外膨張へ投入されます。その矛先は、明朝が治める中国と、スペイン領フィリピンでした。

明に朝貢していた朝鮮は、秀吉軍の領土通過を許さず、日朝は開戦しました。釜山に上陸した秀吉の日本軍は、半月で漢城(ソウル)、二カ月で平壌(ピョンヤン)をおとします。朝鮮王からの援軍要請を受け、ポルトガル製の大砲を配備した明軍が出兵し、日本軍の前進はようやく止まりました(文禄(ぶんろく)の役、一五九二～九三)。

朝鮮占領で気をよくした秀吉は明の皇女を日本の正親町(おおぎまち)天皇に嫁がせるとの条件で和平交渉

に応じますが、明側が秀吉を「日本国王」として臣下扱いしたため交渉は決裂、戦争が再開されます。今回は朝鮮南部の占領にとどまり、結局、秀吉の死により日本軍は撤収しました（慶長の役、一五九七〜九八）。

明朝征服計画はもともとイエズス会が立案したもので、ルイス・フロイスによれば、信長も同じ計画を持っていました。あるいはヴァリニャーノが信長に吹き込んだのかもしれません。

本能寺の変で信長が倒れたため、明朝征服計画を秀吉が引き継ぐことになったのですが、それを可能にした軍事力を彼が手にしたことが重要です。秀吉が朝鮮に送り込んだ日本軍は二〇万人、唐津の名護屋城に待機させた予備軍が一〇万人です。

同時期の欧州の戦争、たとえばスペインに対するオランダ独立戦争で、欧州最強といわれたスペインが動員できた兵力は一万〜二万でした。植民地フィリピンには数千のスペイン兵しかおらず、鉄砲で武装した三〇万の秀吉軍に対抗するのは不可能でした。秀吉からの服属要求に対し、フィリピンを統治するスペイン人の総督ゴメスは、大坂城に使者を送って秀吉に貢ぎ物を納め、恭順の意を示しています。

秀吉亡き後、後継者を決める関ヶ原の戦い（一六〇〇）では、秀吉の遺児・秀頼を擁する石田三成の西軍八万人と徳川家康の東軍一〇万人が激突しました。

大坂の陣（一六一四〜一五）では、秀頼が立てこもる大坂城を、家康軍二〇万人が包囲し、猛烈な砲撃を加えて落城させました。

この頃ヨーロッパで始まった三十年戦争の最大の決戦、リュッツェンの戦い（一六三二）ではスウェーデン軍二万人が、神聖ローマ帝国軍二万人を破っています。

日欧で使っている武器はほぼ同じでしたが、兵力のケタが違うわけです。

関ヶ原の戦いの直前、家康は九州に漂着したオランダからやってきた商船リーフデ号を救助し、乗組員のオランダ人ヤン・ヨーステン、イギリス人ウィリアム・アダムズを厚遇して外交顧問に採用します。

両者は欧州における宗教戦争について説明し、カトリックのスペイン・ポルトガルを警戒すべきこと、新教（プロテスタント）国は日本に宣教師を送り込まないことを説明したはずです。なお、当時はスペイン王がポルトガル王を兼ね、両国は一体化していました。

こうして英・蘭両国に通商許可が与えられ、イギリスが東アジアから撤収して以後は、オランダが対日貿易を独占することになるのです。

わが国最後の宗教戦争となった島原の乱

秀吉は布教を禁じましたが、宣教師の滞在と貿易は従来通り許可したので、ポルトガルはその後も宣教師を潜り込ませていました。秀吉・家康に滅ぼされたキリシタン大名の家臣たちは武器を隠して帰農し、信仰も維持していました。

肥前（長崎県）の島原では、キリシタン大名有馬晴信に代わって新たな領主・松倉家が乗り込み、圧政を敷きました。

これに耐えかねた有馬家旧臣の浪人たちが、天草四郎という神がかりの少年を首領に担いで一揆を起こします（島原の乱、一六三七〜三八）。

原城に立てこもった一揆軍はスペイン・ポルトガルからの援軍を期待しますが、ポルトガルはスペインからの独立戦争を起こしており、両国とも日本派兵のゆとりはなかったのです。

原城沖に現れた軍艦は、幕府から要請を受けたオランダ船で、一揆軍に対して砲撃を加えました。援軍が来ないと知った一揆軍は戦意を失い、原城は陥落します。天草四郎ら首謀者の首は、長崎のポルトガル商館前に並べられました。

この島原の乱は日本最大の一揆であると同時に、最後の宗教戦争でした。これを鎮圧した三代将軍家光はポルトガル船の来航を全面禁止し、「鎖国」を完成させます（一六三九）。ポルトガルはそれでも諦めず、マカオから使節を送ってきますが、家光はこの使節団を全員処刑し、見せしめとしました。ポルトガル国王が交渉のために派遣した軍艦は長崎港で包囲され、強制的に退去させられます。

二〇〇年間の「鎖国」を可能にしたのも、江戸幕府の圧倒的な軍事力なのです。

幕府は禁制としたキリシタンや日蓮宗過激派（不受不施派）を弾圧するため、全人民を合法的ないずれかの宗派に所属させ、寺に戸籍（宗門人別改帳）の管理を委ねる寺請制度を定めました。仏教寺院を幕府権力の末端機構とし、僧侶を官僚化したのです。「うちは○○宗だから」という習慣は、この時に生まれました。行政機構化された仏教は魂を失い、いわゆる葬式仏教としてのみ存続したのです。

なぜ江戸時代は二五〇年も平和が維持されたのか？

諸大名のあり余る軍事力を、秀吉は海外派兵で消耗させせようとしました。家康は海外派兵ではなく、国内で消耗させるシステムを考案します。これが「参勤交代」と「手伝普請（てつだいぶしん）」です。大坂落城の直後に発布した家康の「武家諸法度」（一六一五）ではじめて定められた参勤交代は、家光時代に制度が整いました。関東の大名は半年交代、それ以外は一年交代で江戸と国元とを往復して将軍に拝謁し、妻子は人質として江戸屋敷に住むことを強制されました。

「手伝普請」とは、公共事業（普請（ふしん））を諸大名に請け負わせることで、江戸城下町の造営、寛永寺や日光東照宮の造営、河川の護岸工事などに諸大名が動員されました。労働力の提供のみならず、費用も大名の負担となります。

幕府の命令を拒否すれば、改易（領地没収）もしくはお家断絶となりますので、諸大名は泣く泣くこれに従いました。参勤交代と手伝普請で諸大名は慢性的な財政赤字を抱えるようになり、幕府に反抗する気概さえ失っていったのです。

このような巧妙なシステムが機能したのも、「逆らえば、叩きつぶす」という幕府の無言の圧力があったからです。

世界史的に見てもまれな二五〇年間の平和はこうして実現しました。古代ローマ帝国が、その圧倒的な軍事力で地中海の平和を保ったことを「ローマの平和（パクス・ロマーナ）」といいますが、日本では「徳川の平和（パクス・トクガワーナ）」が実現したのです。

徳川の平和とウェストファリア体制。同じ宗教戦争の泥沼から生まれた平和構築のシステムですが、両者は対照的です。欧州の場合は圧倒的な勝者がいないまま三十年戦争が終結し、神聖ローマ帝国が崩壊しました。欧州各国の王や諸侯は主権を持つようになり、異端とされたカルヴァン派でさえ、政治的独立を認められました。これがオランダとスイスで、日本でいえば一向宗が加賀の独立を認められたようなものです。

こうして、絶対者なき欧州では、どんぐりの背比べのように各国が並び立ち、戦争が絶え間なく続きました。これを緩和する知恵として国際法が生まれたことは、第4章でお話ししました。

日本では、江戸幕府という中央権力が武家諸法度で諸大名をたくみに統制し、内戦を回避してきました。対外的に見ても、日本の独立をおびやかす国がしばらく現れなかったため、国際法を整備する必要がなかったのです。

日欧で、似ている点もあります。一七世紀以降、世俗化（脱宗教化）が進んだことです。もはや宗教で殺し合うことはなくなったのです。世俗化ができずに多くの紛争を抱えているイスラム諸国を見れば、この違いは明らかです。イギリスや北欧諸国ではカトリックから分離した国教会が成立し、聖職者が官僚化しました。これは江戸幕府の寺請制度、葬式仏教とよく似ています。

人々のエネルギーは来世の幸せから現世の幸せへ、信仰から生産へと向かいました。教会への寄進や巡礼ではなく、日々まじめに働くことで神の救済を実感するという新教徒（プロテスタント）（ルター派・カルヴァン派）の禁欲主義が資本主義を生んだことは、ドイツの社会学者マックス・ウェーバーが論証しました。

しかし人間は、食うためだけに生きているのではありません。ちっぽけな個人の生を超えた、何か大きなもの、形のないもののために生き、死ぬことを美しいと感じるものなのです。「神なき時代」に生まれた新しい理想、それがナショナリズムでした。このナショナリズムが、フランス革命とナポレオン戦争を引き起こし、その余波が日本にまで及んで明治維新に至り、「徳川の平和」を崩壊させるのです。

次章ではその流れを見ていきましょう。

第6章

国民国家の成立と「戦争の民主化」

古代ギリシア人にとっての「国家意識」

「お国(くに)のために戦う」という発想は、いつ頃始まったのでしょう?

人間の想像力には限りがあります。自分や家族を守るために戦う、先祖伝来の土地を守るために戦う、主君を守るために戦う……目に見える人やモノを守るために戦うのなら理解できます。しかし「国」とは何でしょう?

日本語(ヤマト言葉)の「くに」とは、故郷や出身地を意味します。「お国はどちらですか?」と聞かれて、「日本国です」と答える人はまずいないでしょう。

古代においても、支配層や知識人は国家意識を持っていたと思います。白村江の戦いに軍勢を送る中大兄皇子の胸中には、「祖国ヤマトを守る」という気概があったと思います。しかし、動員された兵士たちの胸中はどうだったでしょう。

白村江の敗戦のとき、筑紫(つくし)の住人・大伴部博麻(おおともべのはかま)という兵士が唐軍の捕虜になり、長安へ送られました。

唐の日本侵攻計画を知り、帰国を急ぐ遣唐使四人の渡航資金を得るため、博麻は自らの身を奴婢(ぬひ)として売り、その資金で四人を帰国させたのです。

その博麻が、三〇年後にようやく帰国します。伝え聞いた持統女帝はこれを喜び、「朝(ちょう)を尊び国を愛し、己(おのれ)を売りて忠を顕(あらわ)せることを嘉(よみ)す」という勅語とともに土地と位階を与えています（『日本書紀』巻三十　持統天皇四年十月二十二日）。ここでいう「国」とは日本国のことで、これが「愛国」という言葉の初出です。

その一方で、『万葉集』には九州防衛の防人(さきもり)として動員される兵士の、望郷と慟哭の歌が多く残されています。彼らは地方長官や地元の豪族の命令で動員されただけで、祖国愛に燃えていたわけではないでしょう。

中国でも、オリエントでも、古代における戦争とはこのようなものでしたが、ギリシアはやはり特別です。指導者が兵士一人ひとりに戦争目的を明示し、そこには明確な国家意識があったのです。

第2章で紹介したアテネの歴史家トゥキュディデスは、スパルタとの大戦争の第一年目（前四三一）の冬に行われた戦没者追悼式における将軍ペリクレスの演説を紹介しています。

> われらの政体は他国の制度を追従するものではない。ひとの理想を追うのではなく、ひとをしてわが範に習わしめるものである。その名は、少数者の独占を排し多数者の公平を守ることを旨として、民主政治と呼ばれる。わが国においては、……すべての人に平等な発言がみとめられる。

……たとえ貧窮に身を起こそうとも、国に益をなす力をもつならば、貧しさゆえに道を閉ざされることはない。……

かくのごときわが国のために、その力が奪われてはならぬと、いまここに眠りについた市民らは雄々しくもかれらの義務を戦いの場で果たし、生涯を閉じた。あとに残されたものもみな、この国のため苦難をもすすんで耐えることこそ至当であろう。

かれらは公の理想のためにおのが生命をささげて、おのが名には不朽の賞讃を克(か)ちえたるのみか、衆目にしるき墓地に骨をうずめた。……かれらの英名は末ながく、わが国に思いをいたすものの言葉にも行ないにも、おりあるたびに語り伝えられる。

（『戦史』巻二 P.66、P.70、P.72）

古代アテネで、庶民レベルまで国家意識が浸透していたのはなぜか？

ペリクレスの追悼演説でも言及されていますが、彼らには等しく参政権を与えられ、彼ら自身が都市国家運営の担い手だったからです。一八歳以上の成年男子で構成される民会こそが国家の最高機関であり、開戦も、講和も、民会での承認（挙手による多数決）が必要だったからです。

指導者は市民の賛同を得るため開戦（あるいは講和）の必要を熱く語りました。市民は国家の運命をわが身同様に考えて真剣な討議を繰り返し、いざ開戦となれば、まさに「お国のため」に死地に赴いたのです。

武士の官僚化、傭兵の主流化——日欧戦士の比較

中世以来、戦争は職業軍人（貴族／騎士階級）の仕事とされました。

たしかに、一四世紀の英仏百年戦争では、イギリスの農民兵を主体とする弓兵が騎士を圧倒し、一五世紀のイタリア戦争では、大砲と鉄砲が普及して騎馬戦法は過去のものになりました。しかし絶対主義の時代に各国は、没落騎士を傭兵として採用し、銃兵隊を組織したので、基本的に兵農分離は維持されたのです。

日本でも、兵力の主力は騎兵から歩兵（足軽(あしがる)）に移りました。

騎馬戦法が主流だった平安・鎌倉時代までは、腰に吊るす長身の太刀(たち)と弓矢が主な武器でした。しかし南北朝の騒乱以後は、帯に差して抜きざまに相手を斬る短身の刀(かたな)が主流になります。鉄砲が伝来した戦国時代には足軽の鉄砲隊が破壊的な威力を発揮するようになります。これにともなって身分が流動化し、秀吉のように農民が武士になったり、主君を失った武士が帰農することも普通でした。しかし一揆を恐れた秀吉の刀狩令によって、日本も兵農分離の方向に戻ります。

大坂の陣による「徳川の平和」は、戦士階級たるべき武士を戦場から遠ざけました。徳川家は鉄砲・大砲の生産を制限したため、軍事技術の革新は止まりました。武士階級は幕府や諸藩

▲三十年戦争時の歩兵

▲江戸時代の足軽

に仕える官僚となり、主に事務処理を仕事として俸禄を受け取りました。刀は武士階級の魂とされ、心身の鍛錬として剣術の稽古が奨励され、宮本武蔵のようなプロの剣豪も出現しましたが、実際には一度も刀を実戦で使うことなく人生を終える武士が大半だったのです。

肥前（長崎県）鍋島藩士・山本常朝（じょうちょう）の『葉隠（はがくれ）』はこのような時代に書かれたものです。「武士道と云ふは死ぬ事と見つけたり」という言葉であまりに有名となり武士道の本と思われがちですが、その内容の大半は、「上司からの酒の誘いの断り方」「あくびのごまかし方」など、官僚生活で習得した処世術を記したものなのです。

ウェストファリア体制下で、主権国家同士の戦争が続いた欧州では、そのたびに傭兵隊が動員されました。傭兵の多くは、外国人のプロ集団でした。スイス人やジェノヴァ人の傭兵が各国の君主にいわば「派遣社員」として雇われました。山岳地帯のスイスは冬になると仕事がなくなるため、男たちは手っ取り早い出稼ぎの手段として傭兵を選んだのです。ローマ教皇庁やフランス・ブルボン朝の軍隊には、スイス人傭兵が雇われました。『アルプスの少女ハイジ』のおじいさんも傭兵だったという設定になっています。

戦場では傭兵同士が戦います。彼らは今仕えている君主のためでなく、故郷に仕送りをするため戦うのですから、死んでしまっては元も子もありません。君主も、カネのかかる傭兵を戦争で消耗させることを望みません。

したがって、傭兵同士の戦争は、なるべく死者が出ないように限定的なものとなります。あの城を落としたらおしまい、この街を落としたらおしまい、とあらかじめ決めておくのです。捕虜は虐殺したりせず、身代金を支払わせて釈放します。ゲームのような戦争です。

フランス革命が引き起こした「戦争の民主化」

このような牧歌的な戦争を一変させたのがフランス革命でした。

ブルボン朝の禁令にもかかわらず、オランダやイギリスで生まれた自然法思想、人権思想が秘密出版物や口コミで貴族や富裕市民の間に広がっていきました。政治参加を要求した彼らは一七五年間開かれなかった三部会（国会）の再開を国王ルイ一六世に要求し、優柔不断な王が

▲ヴァルミーの戦い：フランス国民軍の進軍

これに応じると、憲法制定を求めました。重税に苦しむ下層市民が武器庫兼牢獄として使われていたパリのバスティーユを襲撃し（一七八九）、民衆の暴動が全国に波及してブルボン朝絶対主義は崩壊します。

青年貴族ラ・ファイエットが、革命の主導権を握りました。彼が起草したフランス人権宣言は、「いかなる主権の原理も本質的に国民に存する」と国民主権の原理を規定します。フランス語の「国民（Nation）」とは、「生まれ」「お国」を意味するラテン語のNatioを語源とします。しかし革命に参加したフランスの各地方、各身分を統合する概念として、「国民」という意味が付与されたのです。この「国民意識（Nationalism）」の形成こそが、世界史におけるフランス革命の最大の意義なのです。

ラ・ファイエットは、イギリス型の立憲君主制と貴族の大土地所有の温存を図りました。しかし共和政と貴族制度の全廃を要求するロベスピエールらジャコバン派が、民衆の圧倒的な支持を得て第二革命（八月十日事件、一七九二）に成功し、ルイ一六世以下の貴族を捕らえてギロチンで処刑し、共和政を樹立しました。

各国の君主は革命の波及を恐れ、軍事介入に踏み切りました。パリへ向かって進軍する外国軍隊の前に立ちはだかったのは、ジャコバン派政権の呼びかけに応じてフランス全土から集まった、民衆出身の義勇兵でした。彼らはまともな訓練も受けておらず、武器も寄せ集めでしたが、すでに「フランス国民意識」を抱き、「祖国フランスを守る」という気概に溢れていたのです。

ヴァルミーの戦いは、フランス軍五万と、プロイセン傭兵軍三万四〇〇〇との戦いでした。三〇〇人の死者を出したフランス国民軍が「国民万歳！」を叫びながら前進を続けると、ブラウンシュヴァイク公が指揮するプロイセン軍は一八〇名の死者を出しただけで撤収したのです。傭兵の士気の低さが原因です。プロイセン軍に従軍していたゲーテは、こう記しました。

「ここから、そしてこの日から、世界史の新しい時代が始まる」

この戦果を目にしたジャコバン政権は、全国民の成人男性に権利としての参政権と、義務としての徴兵制を導入します。古代アテネのような民主主義と国民皆兵のシステムがよみがえったのです。

世界を塗り替えたナショナリズム

こうして生まれたフランス国民軍の司令官となったのが、天才ナポレオン・ボナパルトでし

▲講演するフィヒテ

た。ナポレオン軍は各国の傭兵隊に連戦連勝し、西はスペインから東はロシアまで攻め込みます。戦死者は国家によって栄誉を讃えられ、パリには戦勝記念碑と戦没者追悼施設を兼ねて、エトワール凱旋門が建設されました。

ナポレオン軍の侵略に衝撃を受けた欧州各国は、傭兵軍から国民軍への転換を迫られ、その先頭を切ったのがプロイセンでした。

三十年戦争で小国家群に解体されたドイツは、容易にナポレオン軍の占領下に置かれました。プロイセン王国の首都ベルリンでは、ベルリン大学教授で哲学者のフィヒテが市民向けの連続講演を行います。そのタイトルはこうでした。

「ドイツ国民に告ぐ」――

バラバラの小国に分断されたドイツにおける「Natio（ナツィオン）（国民）」とは何か？

「それは言語だ」とフィヒテはいいます。「ドイツ語を話す我々」がドイツ国民であり、外国の干渉を廃して、政治的にも経済的にもドイツを統一すること、そのための思想の戦いをはじめよう、と彼は訴えたのです。

外国はドイツ諸邦を巧みに操って相互を敵と考えさせ、自らは彼らを救う盟邦であるかの如くに感じさせた。……いかなる原因から起こった戦争もドイツの土地で、ドイツの血を流して戦われ、諸外国の勢力の変動により、本来それとは無関係なドイツ国民が犠牲を払わされたのである。……ドイツ人の幸福を高め、欧州諸国民の幸福を高めるべき第一の手段は、我ら自身の統一を図ることであり、我ら自身の独立を図ることであり、第二の手段は商業上の独立を図ることである。……

我らは被征服者である。我らがこれ以上に軽蔑されるかどうか、誇りを失うかどうかは、我らの心一つにかかっている。武器の戦争は終わったが、今度は思想の戦いが始まる。新来の客に、祖国と友人に対する忠実なる愛着心、正義、義務感、市民として、家庭人としての道徳的模範を示そうではないか。（フィヒテ『ドイツ国民に告ぐ』岩波文庫P.286、P.287、P.291／著者が口語訳）

この講演は大きな反響を呼び、プロイセン王国は農奴制を撤廃して国民軍を創設、各国も続きます。こうして生まれたドイツ諸国民の軍隊は、フランス国民軍に勝利し（諸国民戦争）、ナポレオン戦争を終わらせたのです。

プロイセン王国の軍人クラウゼヴィッツは、敗戦国となった祖国プロイセンからロシアへ亡命します。ロシア軍士官となったクラウゼヴィッツは、ナポレオンのモスクワ遠征を迎え撃って勝利し、ワーテルローの戦いにも参戦、宿敵ナポレオンの敗北を見届けたあと、大著『戦争論』の執筆に取りかかりました。
「戦争とは、政治的意図を遂行する手段に過ぎない」という有名な定義をしたあと、戦争には三つの傾向があり、それぞれ担い手が異なる、とクラウゼヴィッツは続けます。

(1) 敵への盲目的な憎悪……国民（末端兵士）
(2) ゲーム感覚……将校（職業軍人）
(3) 政治の道具……政治家

絶対君主が傭兵を使って繰り広げた戦争は、(2)と(3)の限定戦争でした。しかしフランス革命で国民皆兵の軍隊が生まれた結果、(1)の側面が戦争を左右することになり、士気旺盛なフランス国民軍にプロイセンの傭兵隊は蹴散らされたのだというのです。

ヨーロッパの第一流の諸国家にしてからが、彼（ナポレオン）の一撃のもとに破壊されたのである。……一八一三年にプロイセンは、危急に際して国の総力を結集すれば、民兵によって国の常時の兵力を六倍にも増大し得るし、……民兵は国内のみならず国外の戦闘においても使用され得ることを示した。すべてこれらの事例は国家の権力、戦争遂行に必要な諸力および戦闘力を担

うものは、実に国民の勇気と意志にほかならぬことを余すところなく示しているのである。

（クラウゼヴィッツ『戦争論〈上〉』3－17 岩波文庫 P.339）

その後、ウィーン体制という絶対主義への揺り戻しを経て、半世紀のちにプロイセンのビスマルクによるドイツ帝国（一八七一）が実現します。イタリア諸国でもナポレオン戦争を機にナショナリズムが芽生え、統一戦争（リソルジメント）を経てイタリア王国が成立（一八六一）。ヨーロッパの中央部に、ドイツ・イタリアという新たな国民国家が出現したのです。

ちょうどこの頃、地球の反対側では、アメリカのペリー艦隊四隻が日本に来航し、砲艦による恫喝を行いました。

これを目撃して衝撃を受けた長州藩士・吉田松陰（しょういん）は、幕府や諸藩の枠を越えた「日本国民」意識の覚醒を呼びかけます。松陰は幕藩体制の転覆を図る危険人物として江戸で処刑されますが、彼の私塾・松下村塾（しょうかそんじゅく）に集った若者たちが、やがて薩摩藩や朝廷の革新派と手を組んで、明治維新の原動力となったのです。

医者から軍学者に転じた長州藩士・大村益次郎は西洋式軍隊の編制につとめ、長州軍と薩摩軍を中核とした日本帝国陸海軍が発足します。身分制度は撤廃され、学制が敷かれて義務教育が始まり、小学校から「日本国民」意識を育み、「お国」とは故郷であると同時に「日本国」を意味するようになりました。二〇歳以上の男子には徴兵が課され、「お国のために死んだ」兵

▲パリのエトワール凱旋門：真下に無名戦士の墓がある

▲東京の靖国神社：戦没者の魂（英霊）を慰霊する施設。墓地ではない

士は栄誉を讃えられ、そのための追悼施設として、東京・九段に靖国(やすくに)神社が創建されました。

日本は、非西欧世界ではじめて国民軍の創設に成功し、帝国主義の時代に列強の侵略を排して独立を維持することができたのです。中国（清朝）や朝鮮、東南アジア諸国、インド、イラン、トルコ（オスマン帝国）はこれに失敗し、列強の植民地や勢力圏として分割されました。

日清戦争、日露戦争の勝利で日本は列強の一員として認められ、第一次世界大戦後は、国際連盟の四大国（常任理事国）となったのです。同時に日本は、台湾・朝鮮・太平洋諸国を支配する宗主国の立場になりました。

一九三〇年代の世界恐慌で自由貿易が停止すると、広大な植民地を持たない日本・ドイツ・イタリアが軍事的拡張を開始し、国際連盟秩序を破壊する側にまわりました。この結果、引き起こされた第二次世界大戦でこれら枢軸国は惨敗し、敗戦国、侵略国の汚名を着せられることになります。

他方で、ナショナリズムはアジア・アフリカ諸国に広がりました。ガンディーが指導したイギリス支配からのインド独立運動、ホー・チ・ミンが指導したフランス支配からのベトナム独立運動、スカルノが指導したオランダ支配からのインドネシア独立運動、蔣介石が指導した日本軍の占領に対する中国の抵抗運動、これらの指導者は、ある者は日本をモデルとし、ある者は日本の占領に抵抗しつつ、植民地支配を脱することに成功したのです。ナショナリズムがなければ、これらの地域は今も植民地や従属国のままだったでしょう。

日本もまた、欧米列強の圧力に抗して自国の独立を守るためにナショナリズムは必要でした。次章では、近代日本が行った戦争を概観し、いったいどこで道を間違えたのかを、国際法の観点から考えてみましょう。

第7章

『万国公法』と植民地支配

国際法の構築に影響を与えた思想家たち

一世紀の間、西欧諸国を苦しめた不毛の宗教戦争――その深淵をのぞき込んだヨーロッパ人は、神のためではなく人間のために生きることを決意しました。

最後の宗教戦争である三十年戦争の結果生まれたウェストファリア体制では、各国は主権国家として完全な独立を認められ、内政の不干渉と対等な外交関係という大原則を定めました。さらに条約という形で国家間の関係を維持し、一定のルールのもとに戦争の被害を抑制しようとしました。

- そもそも主権国家の成立要件とは何か?
- A国からB国が独立を求める場合、何を条件として独立を認めるのか?
- 革命で政権が交代した場合、前の政権が結んだ条約は有効なのか?
- 戦争はどのように開始し、どのように終わらせるのか?

幾多の戦争と講和の積み重ねにより、これらの細かいルールが、国際慣習法としてヨーロッパで集積されたものが国際法（万国公法）なのです。

第5章で紹介したグロティウスの唱えた近代国際法を具体的に構築した人物が、一八世紀のスイスの法学者でドイツのザクセン公に仕えたエメリヒ・ヴァッテルでした。

ヴァッテルは『国際法』（一七五八）を著し、「無差別戦争観」を提唱したことで知られます。これは無差別に他国を侵略していい、という意味ではありません。

個人が神から与えられた自然権の一つとして生存権を持ち、正当防衛の権利を持つように、あらゆる国家はウェストファリア体制下で対等な主権を持ち、自衛の権利を行使できる。国家が生き残るために発動する戦争にはもはや「正義」も「不義」もなく、「正戦論」自体が無意味である、という意味です。

突きつめればすべての戦争は合法であるが、その被害を最小化するため戦争のルール（戦時国際法）を定め、ルール違反を罰するしかない、というのがヴァッテルの無差別戦争観なのです。

戦時国際法は、三十年戦争のようなだらだら続く戦争を回避するため、時間的・空間的に戦争を制限し、戦闘員（兵士）と非戦闘員（捕虜・一般市民）とを明確に区別します。このため、開戦と停戦を明確に宣言し、戦闘員には軍服の着用を義務付け、降伏の意思表示の方法や、捕虜の扱いを明文化しました。

フランス語で書かれたヴァッテルの『国際法』は英語に翻訳され、アメリカ合衆国の建国の

▲エメリヒ・ヴァッテル

LE DROIT
DES GENS,
OU
PRINCIPES
DE LA
LOI NATURELLE,
Appliqués à la conduite & aux affaires des
Nations & des Souverains.
PAR M. DE VATTEL.
Nihil est enim illi principi Deo, qui omnem hunc mundum regit, quod quidem in terris fiat, acceptius, quam consilia coetusque hominum jure sociati, quæ civitates appellantur. Ciceb. Somn. Scipion.
Nouvelle Edition Augmentée, Revue & Corrigée.
Avec quelques Remarques de l'Editeur.
TOME PREMIER.
A AMSTERDAM,
Chez E. van Harrevelt.
MDCCLXXV.

▲『国際法』

父であるジョージ・ワシントン、ベンジャミン・フランクリンらに影響を与えました。彼らはイギリスに対する独立戦争の過程で、アメリカを主権国家として承認させるためにヴァッテルの『国際法』を援用したのです。

なお、ワシントンはニューヨーク社会図書館から『国際法』を借りたまま亡くなり、二二一年後の二〇一〇年に「返却」されて話題になりました。

建国間もないアメリカ合衆国は、ナポレオン戦争に巻き込まれます。欧州大陸をフランスのナポレオンが席巻すると、敵対するイギリスがアメリカ合衆国と欧州諸国との通商を妨害したため、米英戦争（第二次独立戦争）が勃発したのです。

ナポレオン戦争はフランスの敗北で終わり、ウィーン議定書（一八一五）でヨーロッパの秩序が再建されました。これと同時に、条約の締結手続きや特命全権大使・公使の常駐など、外交儀礼（プロトコル）がほぼ確立されました。

ニューヨーク海事審判所の判事で、のちに合衆国の駐プロイセン全権大使も務めたヘンリー・ホイートンは『国際法原理』（一八三六）を著し、ウィーン体制下の国際法を集大成しました。

この本は各国語に訳され、特筆すべきはアヘン戦争（一八四〇～四二）後の東アジア各国が主権国家体制に参入する際のガイドブックとして学ばれたのです（後述）。

アヘン戦争における「文明の衝突」

「主権国家は対等」という近代国際法の原則を打ち立てた西欧諸国ですが、非西欧地域にある国々にもこの原則を適用したのでしょうか。

近代国際法は、あくまで三十年戦争後の欧州世界（キリスト教世界）で形成されていった慣習法です。

イスラム世界にはオスマン帝国を盟主とし、『コーラン』のイスラム法に基づく国際秩序がありました。イスラム法が適用される世界を「平和の家（ダール・ル・イスラム）」、非イスラーム世界を「戦争の家（ダール・ル・ハルブ）」と呼んで区別し、「平和の家」内部での戦争が抑制される一方、イスラム法を拒む「戦争の家」に対する戦争は、聖戦（ジハード）として正当化されました。

東アジアには中華帝国（明・清）を盟主とする冊封体制（華夷秩序）に基づく国際秩序があ

りました。ここでは帝国の支配が及ぶ文明圏を意味する「中華」の周辺に、定期的に朝貢してくる朝鮮・琉球・ベトナムなど「冊封国」が点在し、その外側には文明が及ばない「化外（けがい）の民」が広がっていました。

ちなみに「中華」とは文明という概念であり、民族概念ではありません。清朝を建てた満洲人はもともと狩猟民族で「化外の民」でしたが、中華文明を受容することにより中華帝国の後継者となったのです。文明とは、具体的には漢文の読み書き能力を意味しましたので、台湾先住民も欧米人も等しく「化外」とされました。

一九世紀半ば以降、蒸気船と機関銃で武装した西欧諸国は、アジア・アフリカ諸国の開国（貿易自由化）と植民地化のため、艦隊を派遣しました。

清朝中国からの茶の輸入で貿易赤字を累積していたイギリスは、自由貿易によるイギリス製綿布の輸出拡大と対等外交を求め、マカートニーを全権大使として清朝に派遣しました。

しかしイギリスを単なる朝貢国とみなす清朝の第六代皇帝乾隆帝は、イギリスの要求を一蹴しました。乾隆帝がイギリス王ジョージ三世に与えた国書には、「化外の民」に対する中華皇帝の意識がはっきり表れています。

> 天朝（清朝）の物産は豊かにして足りないものはなく、外夷の物産は必要ない。ただ天朝が産する茶葉・磁器・生糸は西欧各国やあなたの国の必需品であるから、特別の恩恵を与えて思いや

り、……余沢にあずかることを認めている。いま、あなたの国の使者が定例外のことを多く乞い願うのは、遠来の客人に恵みを与え、四方の蛮夷をいつくしむ天朝を仰ぎ見るべき態度に大いに反する。

（『清実録高宗純皇帝実録』三五、十五葉／著者が口語訳）

交渉が決裂すると、イギリス商人はインド産アヘンを清朝に密輸し、利益の回収を図りました。これを知った清の第八代皇帝道光帝は、欽差大臣（皇帝代理）の林則徐（りんそくじょ）を広州に派遣し、イギリス商館のアヘンを没収して廃棄処分にしました。アヘンは清朝では禁制品でしたから、これを没収するのは主権国家としての正当な権利です。林則徐はヴァッテルの『国際法』の部分漢訳本を入手しており、西欧諸国にも「道理」が通用すると甘く見ていました。

報告を受けたイギリスのパーマストン外相は、下院で演説します。

中国政府の意図が（アヘン禁止という）道徳的慣習の成長を促すものであったと心から信じているいると真顔で言えるかどうか問いただしたい。中国国内でなぜ芥子（けし）の栽培が禁止されなかったのかを問うことが、こうした仮説への反論となる。問題は（アヘン代金としての）銀地金の輸出、（アヘン栽培業者の）農業利害の保護であるというのが、事実である。……

（ロンドンの中国貿易商人）の利益こそが危機に瀕しており……この人々が、自発的に、（自由貿易推進という）政府の諸目的が遂行されなければ、中国におけるイギリスの通商は終焉を迎えるだろうと主張しているのである。

武力の示威が、さらなる流血を引き起こすことなしに、われわれの通商関係を再興するという願わしい結果をもたらすかもしれないと、すでに表明されている。このことにわたくしも心から同意するものである。

（歴史学研究会編『世界史史料』6 岩波書店 P.150）

イギリス下院は開戦を決議し、蒸気船を主力とする艦隊がはじめて中国に派遣されました（アヘン戦争）。イギリス艦隊が一方的に艦砲射撃を加えながら長江を遡上し、南京に接近すると、道光帝は講和に応じ、イギリス軍艦上で南京条約（一八四二）を結びました。

香港がイギリスに割譲されたのはこのときで、広州など五港の開港を認めさせました。開港場には外国人居留区として租界が設けられ、諸外国が警察権を握りました。さらに追加条約で、イギリスは以下の条項を欧米各国に認めさせました。

- 欧米各国の領事裁判権を認める……清朝は外国人の犯罪を取り締まれない。
- 清朝は関税自主権を失う……輸入品にかける関税率を相手国と協議する。

それでも清朝から見れば、アヘン戦争は北京から遠い南方の地で起こった「夷狄（いてき）の反乱」であり、対等外交については頑として認めませんでした。広大な中国で開港場が五カ所というのも少なすぎ、イギリスはさらなる武力行使の必要を感じていました。

▲アロー号事件（1856）：イギリスで描かれた政治宣伝用の挿絵

一八五六年、広州沖で海賊船アロー号が清朝官憲に拿捕されます。拘束された乗組員一二名は中国人でしたが、イギリス領香港の船籍を示すため船尾に英国国旗ユニオン・ジャックを掲げていたのです。

実はアロー号は船籍登録期限が過ぎており、ユニオン・ジャックを掲げること自体が違法だったのですが、清朝の官憲がこれを引きずり下ろしたとの報を受けたイギリスの広州領事パークスは、「英国国旗に対する侮辱である」として謝罪を要求。清朝側がこれを拒否すると、香港総督ボーリングは現地のイギリス艦隊を動員して広州一帯の砲台を占領します。

首相となっていたパーマストン卿は本国から五〇〇〇人を増派し、フランスも共同出兵しました。北京の外港である天津（てんしん）を占領した英・仏連合軍は、外国公使の北京常駐、賠償金の支払い、キリスト教の布教の自由などを認める天津条約を強要しました。大使・公使の相手国首都への常駐は、英・仏はもはや朝貢国ではなく、清朝と対等に扱われることを意味します。イギリスは、清朝をウェストファリア体制に引き込もうとしたのです。

条約は、双方の全権代表が二通に署名し、それぞれ持ち帰って本国政府の承認（批准）を経たのち、批准書の交換という形で締結されます。

批准書の交換のため再び天津に姿を現した英・仏連合艦隊に対し、清朝は上陸を妨害し、砲撃を加えました。ここに交渉は決裂し、エルギン伯が率いる英・仏軍は上陸して北京を占領します。北京近郊にあった西欧式の離宮・円明園が徹底的に略奪され、火をかけられたのはこのときです。軍事施設でもない円明園の破壊と略奪は明らかな国際法違反で、略奪したフランス軍と火をかけたイギリス軍が双方で非難し合いますが、結局、責任はうやむやになりました。

第九代皇帝咸豊帝は満洲の熱河に逃亡し、ロシア公使の仲裁で北京条約（一八六〇）が結ばれました。天津条約の再確認に加え、天津の開港と、香港に隣接する九竜半島南部のイギリスへの割譲を認めさせました。清朝皇帝ははじめて西欧諸国の国家元首と対等な外交関係を結び、これまで朝貢使節を接受していた礼部に代わって、外務省に相当する総理各国事務衙門（総理衙門）が新設されました。各国の特命全権公使が北京に常駐し、清朝皇帝に面会できるようになりました。

なお、欧米列強同士では特命全権大使を交換しましたが、清朝や日本に対しては公使を派遣しました。駐日公使が駐日大使に格上げされるのは、日本が日清戦争に勝利した後のことです。日本との開国交渉に手こずっていたアメリカの駐日公使タウンゼント・ハリスは、アロー戦争の経緯を江戸幕府に報告し、イギリス軍が軍事介入する前に日本が開国することをすすめます。大老・井伊直弼（なおすけ）はこれを受けて日米修好通商条約に調印（一八五八）、日本は開国へと舵を切ったのです。

アジア・アフリカは国際法の枠外だった

ところで英・仏連合軍が中国で行った一連の戦争行為は、近代国際法にかなうものだったとは思えません。これをどう説明するのでしょう？

実は、アジア・アフリカ諸国は「非文明国」であるから、近代国際法の「適用範囲外」とみなされていたのです（小林啓治『国際秩序の形成と近代日本』「近代国際社会から現代国際社会へ」吉川弘文館）。

英エディンバラ大学のジェームズ・ロリマーは、西欧諸国がアフリカの分割、植民地化を露骨に進めていた時代に国際法の適用範囲を整理した学者です。彼は『国際法原理』（一八八三

～八四）でこう書いています。

政治的現象としてみると、人類は、現時点において、三つの同心円的世界に分かれる。すなわち、文明化された（civilized）人類、未開の（barbarous）人類、野蛮な（savage）人類である。

この三つの同心円に……対応するのが、まさしく文明国の手中にある承認の三つの段階である……。

完全な政治的承認の範囲は、ヨーロッパの現存するすべての国家に及ぶ……。

部分的な政治的承認は、……トルコ、ヨーロッパの属国とならなかったアジアの古い歴史ある国家、ペルシアや中央アジアのいくつかの国家、中国、タイ、日本に対するものである。

残余の人類が、自然的あるいは単なる人間としての承認の対象となる……。

国際法学者が直接の対象としなければならないのは、第一の同心円だけである。……国際法学者は、実定国際法を野蛮な人類に対して、あるいは未開の人類にすら適用してはならない。

（ロリマー『国際法原理』：山内進『文明は暴力を超えられるか』筑摩書房 P.299）

中国人は欧米人を「礼」の及ばない「化外の民」とみなしましたが、欧米人もまたアジア諸民族を国際法の及ばない「未開の人類」とみなしていたのです。

白村江の敗戦以来、中華帝国の冊封体制に入らず独立を維持してきた日本ですが、ペリー来航以後は欧米の圧力にさらされました。清朝のように欧米諸国に蹂躙させないためには、「野蛮国」「未開国」とみなされないようにし、「文明国」の一員として認められる必要がありました。

その第一の手段はもちろん海軍力ですが、第二の手段は、欧米諸国が作り上げたルールである近代国際法をわがものとすることだったのです。

東アジア再編を促した伝説の名著とは？

一九世紀前半（ウィーン体制期）の国際法を集大成したのがアメリカの国際法学者ヘンリー・ホイートンです。主著の『国際法原理』は、アヘン戦争後、欧米諸国の脅威に直面した

▲ヘンリー・ホイートン

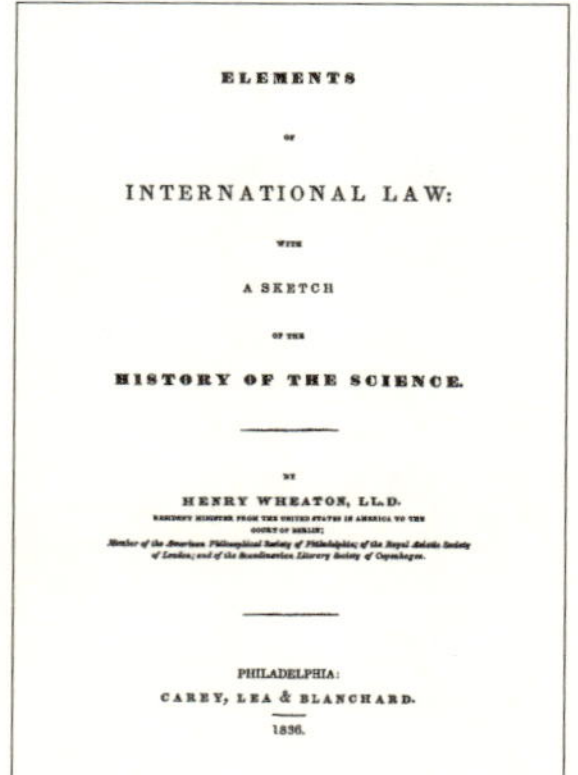

ELEMENTS

OF

INTERNATIONAL LAW:

WITH

A SKETCH

OF THE

HISTORY OF THE SCIENCE.

BY

HENRY WHEATON, LL.D.

RESIDENT MINISTER FROM THE UNITED STATES IN AMERICA TO THE COURT OF BERLIN;

Member of the American Philosophical Society of Philadelphia; of the Royal Asiatic Society of London; and of the Scandinavian Literary Society of Copenhagen.

PHILADELPHIA:

CAREY, LEA & BLANCHARD.

1836.

▲『国際法原理』

▲ウィリアム・マーティン

▲外交官養成学校・同文館

東アジア諸国で翻訳紹介され、国際法の権威として大きな影響を与えました。アヘン戦争後、清朝との条約締結交渉に苦戦した各国は、清朝の官僚に西欧の国際法を認知させることで、交渉を円滑にしようと考えました。

米国人宣教師ウィリアム・マーティンはアヘン戦争後に上海へ渡り、中国語をマスターしました。アロー戦争中は天津条約の起草にあたり、戦後、清朝が北京に開いた外交官養成学校・同文館の教授となり、のちに校長に就任します。

ホイートンの『国際法原理』は、このマーティンが漢訳して『万国公法』というタイトルで刊行され（一八六四）、全国の官僚・軍人に配布されました。清朝の側でも、「夷狄（いてき）の法をもって夷狄を牽制する」という戦略に転換したのです。

『万国公法』の内容は、以下の通りきわめて実務的で、実際の外交交渉にすぐに役立つものでした（加藤周一・丸山眞男編『日本近代思想大系15　翻訳の思想』岩波書店）。

1．国際法の意味を説き、法源を明らかにし、大要を論ず
1．国際法の意味と起源を明らかにする
2．国家の自治権、自主権を論ず

2．各国の自然権を論ず
1．国家の自衛権、自主権を論ず

2. 法律の制定権を論ず
3. 各国の平等権を論ず
4. 各国の所有権を論ず
5. 平時における国家間の外交権を論ず
1. 公使の権利を論ず
2. 通商条約締結の権利を論ず
6. 交戦規定を論ず
1. 開戦を論ず
2. 敵国との交戦時の権利を論ず
3. 局外中立の権利を論ず
4. 講和条約を論ず

『万国公法』の頒布と同時に清朝の改革派（洋務派）の官僚たちは、積極的な外資導入と欧米技術の導入による富国強兵に乗り出しました（洋務運動）。

これは日本の明治維新と同時期に行われた近代化運動で、鉄道の敷設や北洋艦隊の創設（軍艦の多くは英国製）など一定の成果をあげました。アジア最強を自負した北洋艦隊は、日清戦争で壊滅することになります。

勝海舟も坂本龍馬も『万国公法』を読んでいた

ペリーが二度目に来航した一八五四年、江戸幕府はついに日米和親条約を結んで開国しました。

ペリーは九隻の艦隊（うち蒸気軍艦三隻）を率いて江戸湾に入り、祝砲と称して大砲を連射し、沖合には五〇隻、本国にはさらに五〇隻の軍艦が待機していると大ボラを吹きましたが、実際には当時まだ小国だったアメリカは日本との戦争を恐れており、大統領フィルモアはペリーに武力行使を禁じていました。

アメリカの要求は、①自由貿易、②漂流民の保護、③捕鯨船の寄港地の確保、の三点でした。幕府は①は拒絶し、②は従来通りであると認め、③は長崎に加えて下田と箱館を開きました。これでペリーは引き下がり、事なきを得たのです。つまりこの段階で幕府は自由貿易＝「開国」を認めていません。

ところが四年後、アメリカの態度は急変しました。この間、アロー戦争で清朝が大敗したからです。

下田に着任した貿易商出身の駐日公使ハリスは、北京を占領したイギリス軍が日本に迫る前に、アメリカと条約を結んで開国すべきだと論じました。自分の手を汚さず、イギリスという

「虎の威」を借りたわけです。

日米修好通商条約（一八五八）は、以下の二点から不平等条約といわれます。

- アメリカの領事裁判権を認めた……幕府はアメリカ人の犯罪を取り締まれない。
- 日本は関税自主権を失った……輸入品にかける関税率を相手国と協議する。

いずれも、アヘン戦争後イギリスが清朝に認めさせた条項です。同じような規定を持つ条約を英・仏・露・蘭とも結び、合わせて安政の五カ国条約といいます。とくに関税自主権の喪失は、関税率を二〇％（のち五％）に制限されたことから、安価な輸入品が流れ込み、日本の国内産業にとっては大きな打撃となりました。

海軍力で侮られたから、不平等条約を結ばされた——

幕府は海軍力の強化と国際法の受容を最優先の課題と認めました。

二度目のペリー来航の翌年（一八五五）、幕府は友好関係にあったオランダの協力を得て、長崎出島の近くに海軍伝習所を設置しました。

▲長崎海軍伝習所（右奥は出島のオランダ商館）

これは幕府の海軍士官学校であり、軍艦の操練や航海術はもちろん、西欧医学も学ばせました。幕臣の勝海舟、榎本武揚（たけあき）がここで学んでいます。

また、練習艦として最新鋭の蒸気軍艦三隻をアメリカに発注しましたが、南北戦争が激化したアメリカに断られたため、発注先をオランダに変更しました。

- 観光丸（三五三トン／大砲六門）
- 咸臨（かんりん）丸（六二〇トン／大砲一二門）
- 朝陽丸（三〇〇トン／大砲一二門）

日米修好通商条約の批准書交換のため、外国奉行（外務大臣）新見正興を正使とする日本使節団が米艦ポーハタン号で渡米します（一八六〇）。

その護衛艦として幕府の咸臨丸が同行し、勝海舟ら海軍伝習所の卒業生、元漂流民で英語通訳のジョン万次郎、蘭学者で英語を学んでいた福沢諭吉が乗船しました。往路は米国人艦長ブルックが操船しましたが、復路は勝海舟ら日本人だけで操船しています。

アメリカを見て衝撃を受けた勝海舟は、幕府内の改革派の急先鋒となります。一方で、開国に反対する尊王攘夷派のテロも頻発し、横浜ではイギリス人が殺傷される生麦事件が起こり、勝も命を狙われます。

攘夷派の土佐藩士・坂本龍馬は、勝の暗殺を計画して面会を果たしましたが、逆に勝から米国事情を聞かされると攘夷の不可能を悟り、門弟になってしまいます。漢語訳『万国公法』が日本にもたらされたのは一八六五年頃で、勝も龍馬もすぐに手に入れています。

大坂湾防衛の必要を感じた勝は、将軍徳川家茂(とくがわいえもち)に上奏して神戸に海軍操練所を建設。こちらは幕臣のみならず、「オールジャパン」で海軍士官を養成することを目的としたため、土佐藩士や長州藩士もここで学びました。ここで操船技術を学んだ坂本龍馬は、長崎で日本初の総合商社である海援隊を設立します。

海軍力と国際法が、日本を列強の侵略から防衛するためにどうしても必要な二つの武器でした。海軍伝習所が海軍の創設を目的としたように、国際法の受容を目的とした洋学研究機関を幕府が創設しました(一八五六)。

これが蕃書調所（のち開成所と改称）で、東京大学の源流の一つです。はじめは長崎経由で入ってくるオランダ語文献の翻訳を業務としていました。しかし、一九世紀の世界の覇権はイギリスが握っており、国際法に関する文献も英文が多くなっていました。大政奉還が行われた慶応三年（一八六七）、蕃書調所はホイートンの漢語訳『万国公法』を出版しています。

蕃書調所には幕臣のほか、諸藩の藩校で蘭学を学ぶ優秀な学生も入学を許されました。津和野藩士の西周は教授手伝となりました。海軍伝習所が軍艦を発注した際、伝習所の榎本武揚らとオランダに留学、ライデン大学で経済学と外交史を教えるフィッセリングに師事し、二年間にわたりオランダ語で講義を受け、膨大なノートをとりました。

▲西周：偉大な翻訳者

帰国した西周は、一五代将軍慶喜の命を受け慶応四年／明治元年（一八六八）に『畢洒林氏万国公法』を刊行します。これが、日本語訳された最初の万国公法で、ホイートンの『万国公法』と比べてより実務的な内容になっています。

ところで、洋書の日本語翻訳における西周の功績は絶大なものです。

哲学、科学、芸術、知識、概念、理性、定義……これらの単語は江戸時代の日本語にはなく、豊富な漢籍の知識を持つ西周が新たに考案したものなのです。

彼が漢語に翻訳したことで、漢字文化圏の人々にも理解可能な概念となったのです。植民地化された東南アジアの国々では、大学の講義は独立後も英語やフランス語、オランダ語で行われています。今日、日本人が日本語で西欧の文献を読めるのは、西周ら幕末明治期の優れた翻訳者のおかげです。これらの和製漢語は日本語として定着しているのみならず、中国にも逆輸出されて西洋思想の普及に貢献しました。

日本初の海難審判「いろは丸事件」

長崎で海援隊を組織した坂本龍馬は、蒸気貨物船いろは丸（英国製／一六〇トン）を借り受け、輸入兵器を搭載して長崎港から大坂港へ向かいました。その途中、夜の瀬戸内海でいろは丸は紀州藩の軍艦・明光丸（英国製／八八七トン）と二度にわたり衝突し、沈没しました。

紀州藩の要人を長崎に送る途中だった明光丸は、鞆（とも）の浦（うら）港での海援隊との賠償交渉を打ち切って出航してしまいます。龍馬らは長崎までこれを追いかけ、土佐藩の支援を受けて長崎奉行所で談判に及びます。

紀州徳川家は、尾張家・水戸家と並ぶ徳川「御三家」であり、幕藩体制の秩序のもとでは、

いろは丸事件の針路図

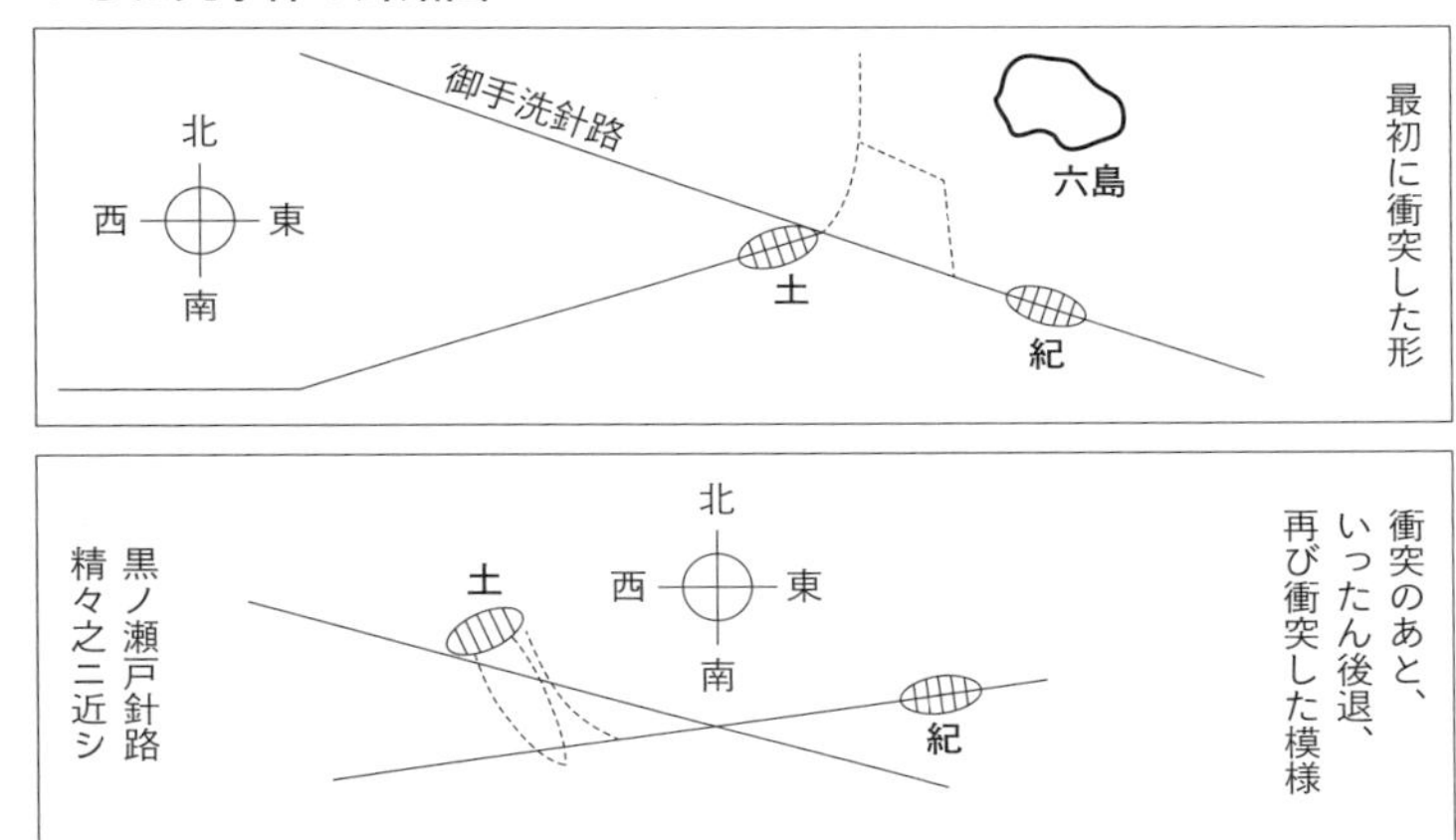

▲土：土佐藩のいろは丸、紀：紀州藩の明光丸
『坂本龍馬といろは丸事件』（二葉印刷有限会社）

外様大名の土佐藩には太刀打ちできません。

そこで龍馬は長崎に停泊中の英国軍艦艦長に仲介させ、国際法（万国公法）の海上衝突予防規則（一八六三年施行）による中立的な裁定を求めたのです。

海上衝突予防規則では、船同士の衝突を回避するため、右に舵を切ること（面舵（おもかじ））が義務付けられています。したがって、左に舵を切ったいろは丸に過失があります。

しかし、明光丸が夜間に見張りを立てなかったこと、また最初の衝突後、操船を誤って二度も衝突させたことの方が過失が重いと英国人艦長は判断。国際法遵守に気を使う長崎奉行もこの意見を採用し、紀州藩の加害責任を認めて賠償金を支払わせたのです。

万国公法を使えば、幕藩体制も揺るがすことができる——と確信した龍馬は、薩長同盟の締結を仲介し、新政府の構想を練りますが、その成果を見ることなく暗殺されました。

龍馬暗殺の黒幕を紀州藩とみた海援隊は、いろは丸事件の賠償交渉に当たった紀州藩士・三浦休太郎を京都の旅籠・天満屋で襲撃しました。三浦の護衛に当たっていた新選組が応戦し、海援隊と斬り合いになります。

この時の海援隊のメンバーの中に、陸奥宗光がいました。のち日清戦争期の外相として、大活躍することになる人物です。

ヨーロッパの思惑で進められたアジアの内戦

国際法は、戦争の主体を主権国家に限定しました。しかし実際には国家の内部で内戦が起こることがあります。A国の内部で反政府勢力Bが武装蜂起し、A国政府と内戦に突入した場合、これを国家間の戦争と認定すれば戦時国際法が適用され、諸外国はBに対しても自国民の保護を要求することができます。

その一方で、外国XがBを援助して軍事介入することを、A国政府は認めないでしょう。そこで国際法は以下のように規定しています。

(1)　外国がBを「交戦団体」と認定することにより、戦時国際法が適用される。

⑵ この場合、外国は次の三つの立場を取り得る。
●Aとの国交を維持してBを承認しない。
●Aと断交して、Bを国家承認する。
●中立国として、A・Bいずれにも加担しない。

アメリカ合衆国（一三植民地）がイギリスからの独立を宣言した時（一七七六）、欧州諸国はまさにこの選択を迫られました。イギリスとの国交を維持すれば、アメリカを「反乱地域」とみなし、貿易もできなくなります。アメリカを国家承認すれば、イギリスを敵に回し、イギリス海軍の攻撃を受ける危険が出てきます。中立を保てば、双方と貿易ができ、双方に自国民の保護を求めることができます。結局、欧州諸国の大半は中立を選択しましたが、大国フランスがアメリカ承認に踏み切ったため、流れが変わりました。

内戦が逆に植民地化を招いた典型的な例がインドでしょう。

インド亜大陸を支配したイスラム教徒のムガル帝国が衰退すると、インド中部のデカン高原でヒンドゥー教徒のマラーター王国が独立します。名目的な君主として存続したムガル皇帝は、マラーター王を帝国軍司令官に任命して実権を譲りました。さらに帝国各地には大小の諸侯（ラージャ）が乱立していました。

ムガル皇帝を天皇、マラーター王を将軍、諸侯を大名と考えれば日本人にも理解できるでしょうが、天皇と将軍の宗教がそもそも異なり、マラーター王も宰相（大老）の行動をコントロールできないというカオスな状況です。

イギリスはすでにベンガル地方（現在のバングラデシュ周辺）を支配下に収めていましたが、マラーター王国で起こった内戦（マラーター戦争）に介入します。

マラーター王ダウラトのもとで実権を握る宰相バージー・ラーオ二世は、敵対する諸侯のホールカル家との内戦に敗れると、イギリスの援助を求めて同盟を結び、勝手に領土を割譲しました。マラーター王ダウラトはこれを認めず、イギリス軍と交戦しますが敗北。さらなる領土割譲と、イギリス軍の駐留、外交権の制限を認める条約に調印し、保護国（藩王国）に転落しました（一八〇二）。

イギリスのインド侵略は、このように現地政権同士の内戦に介入するという形で繰り返され、ついには広大なインド亜大陸を支配下に収めたのです。

ベトナムでは、阮朝の王位継承争いにフランスが直接介入しました。

四代嗣徳帝が子に恵まれず没すると、王妃と密通して実権を握った摂政の阮文祥が、嗣徳帝の甥たちを傀儡（操り人形）として擁立しては廃位するということを繰り返し（うち三人は殺害）、政治が乱れます。この間、ベトナム政府のキリスト教弾圧と宣教師殺害を口実にフランスのナポレオン三世がベトナムに出兵、南部のコーチシナを併合します（サイゴン条約、一八

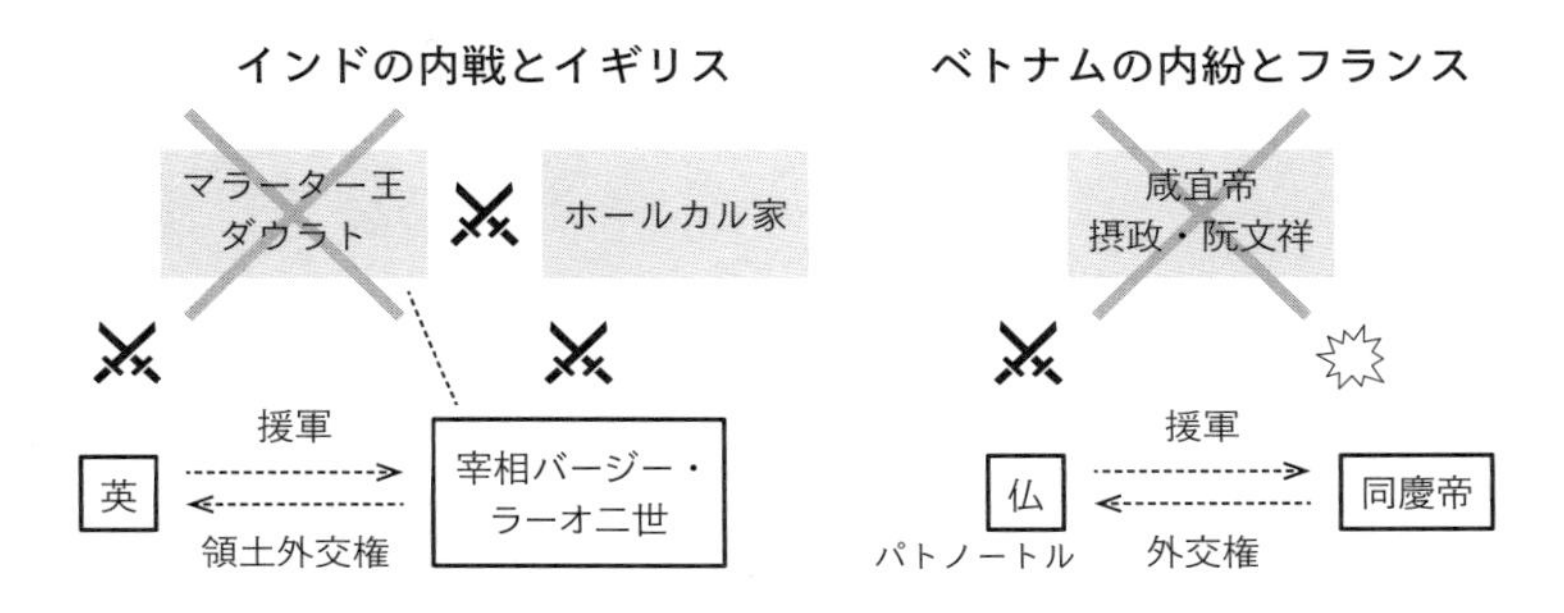

六二）。

摂政の阮文祥は一三歳の咸宜（かんぎ）帝を擁立して徹底抗戦の勅令を出させ、首都フエを離れます。フランス軍はフエを制圧、フランス公使パトノートルが咸宜帝の兄である同慶（どうけい）帝（二二歳）を擁立してフエ条約（一八八四）を結ばせ、フランス軍の駐留を認めさせました。ベトナムはフランスの保護国とされたのです。

この時代、アジア諸国に派遣されていた「公使」は特命全権公使ですから国家元首の名代であり、軍隊を動員することもできたのです。

地方で抵抗を続けた咸宜帝は捕縛されて仏領アルジェリアへ流刑となり、阮文祥は南太平洋の仏領タヒチに流刑となりました。フランスのベトナム支配は、ホー・チ・ミンの独立宣言（一九四五）まで続きました。

アヘン戦争の敗北で混乱が続く清朝でも、大規模な反乱が起こりました。

太平天国の乱です。

科挙受験生の洪秀全（こうしゅうぜん）が三度目の受験に失敗したあと神がかりになり、「上帝のお告げ」と称して挙兵し、「滅満興漢」（満洲人の清朝打倒、漢人王朝の樹立）を叫びました。たちまち数万の民衆が集まり、清朝第二の都・南京を制圧、独立国・太平天国を建てたのです。

「耶蘇（やそ）（イエス）の弟」を自称した洪秀全に「どうやらキリスト教徒らしい」と欧米諸国は期待し、イギリスの香港総督ボナムが南京に出向いて外交関係の樹立を試みました。清朝が認めようとしない対等外交とより多くの開港を、太平天国が認めるかどうか打診したのです。太平天国を主権国家として対等な条約が結べるなら、これと同盟して清朝を攻撃するという選択肢もイギリスにはありました。

中国の内乱と英・仏

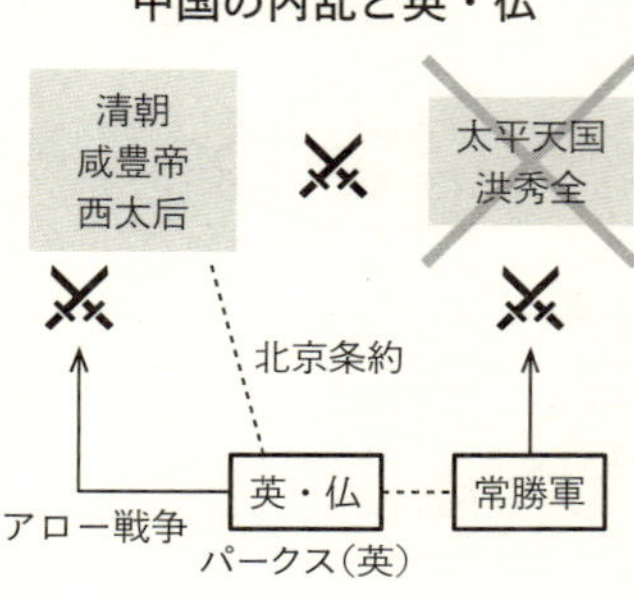

しかし結果は期待はずれでした。洪秀全を支えた五王の一人でボナムと会見した東王・楊秀清（ようしゅうせい）は、英国使節団を朝貢使節として扱ったのです。側近の一人・洪仁玕（こうじんかん）だけは香港でスウェーデン宣教師に学んだため西欧文明に理解があり、アメリカ合衆国に範をとった新国家の建設と欧米との対等外交を提案しましたが、伝統的な華夷思想にどっぷり染まっていた他の幹部たちにはまったく理解されませんでした。

清朝とのアロー戦争が英・仏連合軍の北京占領で終了し、北京条約で対等外交と一一港の開港を認めさせることに成功したため、列強は清朝と結んで太平天国を制圧する側に回りました。上海の租界を防衛するため米国人ウォード、英国人ゴードンが中国人傭兵を訓練した「常勝軍」が南京包囲作戦に加わり、絶望的状況の中で洪秀全が病死、太平天国は崩壊しました(一八六四)。

江戸城無血開城を国際法の視点から再評価する

この直後に、日本でも内乱が発生します。明治新政府軍と幕府軍との戦い——戊辰(ぼしん)戦争(一八六八〜六九)です。

アロー戦争に衝撃を受けた大老・井伊直弼が、孝明天皇の勅許を得ずに不平等条約(安政の五カ国条約)の調印に踏み切り、反対派を粛清しました(安政の大獄)。一橋慶喜(のちの一五代将軍)は蟄居(ちっきょ)(幽閉)、吉田松陰は斬首(ざんしゅ)されました。このような強権発動は逆に日本国内の尊王攘夷派を憤激させ、井伊直弼の暗殺(桜田門外の変)など政府要人や外国人へのテロが頻発しました。これ以後幕府内でも攘夷派が台頭し、孝明天皇の妹・和宮が一四代将軍家茂に嫁ぎ、上洛した家茂は「攘夷決行」を天皇に誓います。

せっかく日本を開港させた諸外国にとっては居留民の生命に関わる由々しき事態で、とくに薩摩藩主の父・島津久光(しまづひさみつ)の行列の前に乗馬で侵入したイギリス人四人が殺傷された生麦事件は、

日本の内乱と英・仏

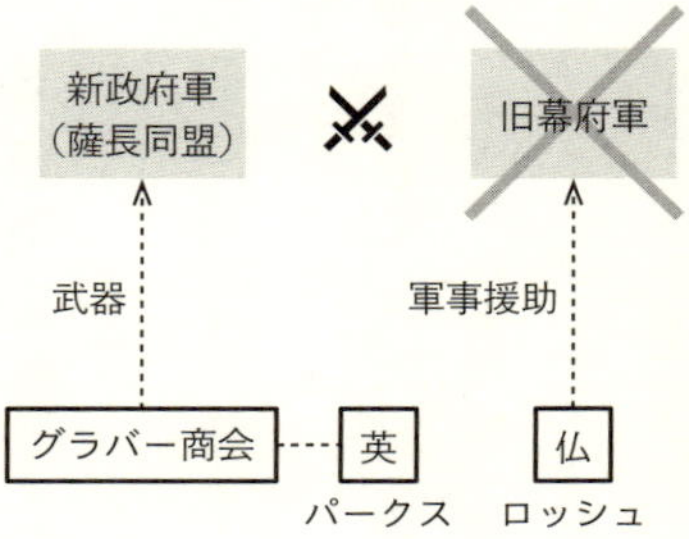

新政府軍
（薩長同盟）
旧幕府軍
武器
軍事援助
グラバー商会
英
仏
パークス
ロッシュ

主権国家として黙認すべからざる事態です。

英国国旗が引きずり下ろされただけでアロー戦争を起こしたイギリスが、自国民を斬り殺されて黙っているはずがありません。

駐日代理公使ニールは犯人引き渡しと賠償を求めて自ら艦隊を率いて薩摩に来航、薩摩藩が要求を拒否したため攻撃を開始します（薩英戦争、一八六三）。薩摩藩の旧砲の四倍の飛距離を持つ英艦のアームストロング砲は鹿児島城下を火の海にしますが薩摩藩は屈しません。艦砲射撃のあと、鹿児島に上陸した英国兵にとって、抜刀したサムライと戦うのは恐怖だったでしょう。たまたま台風の接近もあり、ニールは和議に応じたのです。

イギリスとの交渉に当たったのは大久保利通（としみち）と重野安繹（しげのやすつぐ）の二人です。大久保は西郷隆盛と並ぶ明治維新の指導者、重野はのちに西周と並ぶ『万国公法』の翻訳者として知られることになります。

大久保は、賠償金の支払い（実際には幕府が立て替え払い）、英艦の購入、貿易の開始などに応じ、これ以後、イギリスと薩摩との関係は一気に好転します。

大国清朝に圧勝したイギリス艦隊が、小国日本の一領主を制圧できずに撤収したことは、欧米各国に衝撃を与えました。

薩英戦争を報じたニューヨーク・タイムズ紙（一〇月四日の紙面）は、

「この戦争によって西洋人が学ぶべきことは、日本を侮るべきではないということだ。彼らは勇敢であり西欧式の武器や戦術にも予想外に長けていて、降伏させるのは難しい」

と論評しました。

「攘夷」は西欧の軍事力に無知なサムライによる蛮行とみなされがちですが、「日本人に手を出すと厄介なことになる」という恐怖心を植え付け、日本侵略に対する一定の抑止力を持ったことは無視できないと思います。

一八六三年、関門海峡に入った外国艦船が長州藩の下関（馬関）砲台から砲撃され、死傷者を出しました。英公使オールコックは報復として、英・仏・蘭・米の四国艦隊一七隻を編成して下関砲台を占領、破壊し（一八六四）、長州藩に公式謝罪と賠償を要求しました。

▲薩英戦争（1863）：鹿児島を砲撃するイギリス艦隊

長州藩は、吉田松陰門下生で二四歳の高杉晋作を「家老」と偽って全権代表とし、英艦ユーリアラス号上で交渉に当たらせました。高杉は下関の開港には応じたものの、賠償支払いについては、「攘夷は勅命であり、幕命である。賠償は幕府に求めよ」と拒絶します。さらに交渉決裂の場合、「領内には、主君への忠義のために身命を捨てるのを何とも思わぬ者が大勢いる」と徹底抗戦の姿勢を示しました。

イギリス側通訳アーネスト・サトウは、高杉の毅然たる態度に感嘆し、こう述懐しています。「長州人を破ってからは、われわれは長州人を好きになっていたのだ。また、長州人を尊敬する念も起こってきていた」（アーネスト・サトウ『一外交官の見た明治維新』岩波文庫）

このとき、高杉の隣に座った長州藩の通訳が伊藤俊輔（博文）、のちの初代内閣総理大臣でした。

吉田松陰の私塾・松下村塾に学んだ高杉と伊藤は生麦事件を「義挙」とたたえ、横浜に建設中だった英国公使館を焼き討ちするなどバリバリの攘夷派でした。

その後、伊藤ら五人の若い長州藩士（長州ファイブ：伊藤俊輔（博文）、井上聞多（馨）、遠藤謹助、野村弥吉、山尾庸三）は上海経由でイギリスに密航し、西欧文明を目撃していました。仲介したのは横浜のイギリス総領事とアヘン売買で巨利を得ていたジャーディン・マセソン商

▲四カ国連合軍に占領された下関砲台（1864）

▲高杉晋作（左）と伊藤俊輔（博文）

会でした。「未開国」日本の若者に「文明」を見せることで、攘夷の不可能を悟らせようとしたのです。

ロンドン滞在中に下関砲撃事件が起こったため伊藤は急遽帰国し、藩の重役たちに攘夷の不可能を説くも嘲笑されるばかりでした。結局、下関砲台が破壊されたあと、伊藤が長州藩の通訳として抜擢されたのです。

京都では、幕府・薩摩藩など「公武合体派」が権力を握り、長州藩と倒幕派の公家たちによるクーデタは失敗します（禁門の変）。「朝廷に弓を引いた」として幕府は第一次長州征伐を発動します。長州藩内も動揺し、幕府に恭順の意を示しますが、高杉晋作が率いる奇兵隊の功山寺挙兵により倒幕派政権が成立しました。

第二次長州征伐は一四代将軍・家茂の突然の病死により中止され、長州藩は生き残り、幕府の権威は失墜します。この間、坂本龍馬が奔走して薩摩の西郷隆盛らを説得、薩摩藩が倒幕に転じたことで薩長同盟が成立し、即位したばかりの明治天皇（一四歳）に慶喜（よしのぶ）追討の「倒幕の密勅」を出させ、形成は逆転します。

追い詰められた一五代将軍・慶喜は、京都・二条城で朝廷への「大政奉還」を宣言して倒幕派の攻撃をかわし、有力大名の連合政府を樹立して徳川家の実権を維持しようと画策しましたが、倒幕派の公家・岩倉具視は明治天皇の勅許を得て「王政復古の大号令」を発し、幕府の廃止と新政府の樹立を宣言しました。

慶応四年（一八六八）一月一五日（同年九月に明治と改元）、新政府は諸外国の駐日公使に新政府の樹立と、万国公法と江戸幕府が結んだ不平等条約の遵守を通告します。

京都近郊の鳥羽・伏見では、幕府軍と薩長軍の武力衝突が発生。幕府は慶喜の護衛のためオランダ製の蒸気軍艦・開陽丸（艦長・榎本武揚（えのもとたけあき））を大坂湾に入港させていました。しかし慶喜はなぜか戦闘を避け、開陽丸で江戸に逃亡します。

ほとんど抵抗を受けることなく、東海道・中山道を江戸に向かって進軍する新政府軍。しかし、百万都市江戸を攻略するのは容易なことではありません。

イギリス公使パークスは悩みます。

- 安政の五カ国条約で開国に応じた幕府を支援するか？
- 薩長による新政府を承認する代わりにより一層の開国を要求するか？

太平天国とは違い、薩長の指導部には伊藤・大久保ら国際法を理解できる人材がいる。ジャーディン・マセソン商会は子会社であるグラバー商会を通じて薩長から大量の武器の発注を受けている。

しかし、新政府に果たして統治能力があるのか。

パークスの結論は、「薩長を交戦団体と認定し、厳正中立を守る」でした。

一方、フランス公使ロッシュは慶喜に軍艦提供など軍事援助を申し入れ、幕府支援に前のめりになります。フランスはベトナムで前科がありますので、援助の代償に日本の保護国化も考えていたでしょう。パークスはロッシュを牽制して厳正中立を求める一方、大坂湾に軍艦を派遣して新政府軍を威圧します。

慶喜の側近で陸軍総裁となっていた勝海舟は、幕府軍艦一二隻からの艦砲射撃による薩長軍の分断、薩長軍による江戸攻撃の際には自ら江戸に火を放って徹底抗戦する覚悟を示しましたが、全面戦争となれば、英・仏の干渉も考えられます。

三月一五日の江戸城総攻撃直前、勝は薩長軍を率いる西郷隆盛に薩摩藩江戸藩邸での会見を申し入れます。実は二人は旧知の仲で、かつて西郷は勝から西欧型新政府の構想を聞かされていました。

「慶喜の身柄拘束、江戸城の開城、兵器の引き渡し」を求める西郷に対し、勝は、「慶喜の謹慎、江戸城の開城、兵器の引き渡し」を回答します。

▲フランス皇帝ナポレオン三世から贈られた軍服姿の徳川慶喜

西郷は、江戸城総攻撃を中止して対応を協議する一方、側近を横浜の英国公使パークスのもとに派遣し、総攻撃の場合のイギリスの対応を打診しました。

パークスの回答はこうでした。

「慶喜はすでに降伏している。これを攻撃するのは戦時国際法に反する」

「場合によっては、慶喜のフランス亡命も認められる」

西郷は勝との会談で江戸城総攻撃回避に傾いていましたが、なおも主戦論が大勢を占める新政府を説得する手段を欠いていました。イギリス公使が江戸城総攻撃に明確に反対してくれたので、西郷はむしろ安堵したのです。

四月四日、西郷らが率いる新政府軍が江戸城に入り、慶喜は新政府への恭順の意を表して水戸に謹慎しました。慶喜は、鳥羽・伏見の戦いから一貫して内戦の回避に尽力しました。そのためには、一五代将軍という絶大な権力を手放すことさえ厭わなかったのです。静岡（駿府）

に隠居した慶喜は、明治末年に貴族院議員に任ぜられ、明治天皇の崩御を見届けて大正二年（一九一三）に七七歳で亡くなりました。

榎本武揚が箱館戦争を生き延びた幸運

江戸開城後も戊辰戦争は続きました。徳川家の処分を不服とする会津藩、米沢藩など東北地方の諸藩が奥羽越列藩同盟を結び、新政府に抵抗を続けたのです。彼らと結ぶことで、東北地方に幕府政権を維持することができるのではないか、と考えたのが旧幕臣の榎本武揚でした。

榎本家は学者の家系で、父は日本全土の実測地図を作成した伊能忠敬（いのうただたか）の弟子でした。武揚は勝海舟の長崎伝習所に学んで頭角を現し、江戸・築地に幕府が開いた軍艦操練所の教官を務めつつ、ジョン万次郎の私塾で英語を学びます。

幕府初の近代的海軍創設のためオランダに派遣され、開陽丸など蒸気船三隻を発注。西周とともに国際法を学びました。この間、ビスマルクのもとで急速に台頭するプロイセンを訪問し、デンマーク戦争を観戦。ナポレオン三世のフランスでは軍事援助の交渉を行っています。

完成した開陽丸とともに帰国し、軍艦頭（ぐんかんがしら）（幕府艦隊司令官）に就任。戊辰戦争が始まると、

▲榎本武揚

大坂城の慶喜救出に向かいます。途中の瀬戸内海では薩摩藩の蒸気軍艦・春日丸と遭遇して砲撃戦になり、開陽丸の威力を示しました。日本初の蒸気船同士の海戦です（阿波沖海戦）。

ところが大坂城を脱出した慶喜一行と行き違いになり、慶喜は艦長の榎本不在のまま開陽丸で江戸へ退却します。抗戦を訴える榎本を慶喜は退け、幕府艦隊は活躍の場がないまま、江戸開城を迎えました。

江戸城無血開城の条件は武装解除でしたから、新政府は榎本艦隊八隻の引き渡しを要求します。榎本はこれを拒否し、開陽丸など軍艦四隻を率いて江戸湾を出港、奥羽越列藩同盟に合流します。自らの意思で「朝敵」となったわけです。

この時の心境を榎本は勝海舟に託した檄文でこう語ります。

王政復古は私も希望するところだが、主君慶喜に朝敵の汚名を着せ、領地を没収し、旧幕臣は居宅さえ没収された。これは薩長の私意によるもので、王政とはいえない。泣いて天皇に訴えても届かない。ゆえに江戸を去り、新政権を建て、数百年の怠惰の旧弊を一新し、皇国を世界各国に比肩しうる大国にしたい。

榎本艦隊には兵士二〇〇〇人と、フランス人軍事顧問二名、新撰組の土方歳三らが乗船していました。仙台に入港したものの、仙台藩はすでに和議に傾いており、新政府軍が仙台に入城。榎本艦隊は東北諸藩の抗戦派一〇〇〇人も加えて再び出港、松前藩を制圧して蝦夷地の平定を宣言し、箱館（現在の函館）を蝦夷政権の拠点と定めました。

箱館の五稜郭は、幕府がロシアの南下に備えて建設したヨーロッパ式の城郭です。砲撃戦に備えて天守閣を持たず、五角形の重厚な防壁を構えています。

明治元年（一八六八）一二月、榎本武揚は、士官以上の選挙によって箱館政府の総裁に就任します。英・仏は軍艦を派遣して榎本との会見を求めます。国際法に明るい榎本はこれに応じ、「日本の内戦への不干渉、英仏両国民の保護のため、蝦夷政権を事実上承認する」という言質を取りました。

しかし戦況は好転せず、旧幕府の最大の支援国だったフランスのナポレオン三世もビスマルクとの普仏戦争（一八七〇〜七一）の準備で余力がありません。

翌年五月、新政府軍が箱館市街を占領、五稜郭に立てこもる榎本に降伏を勧告します。榎本は降伏拒否の書簡とともに、肌身離さず持っていた『海律全書』上下二巻を新政府軍に贈りました。

これは榎本がオランダ留学時代にハーグ大学の恩師フレデリクスから贈られたもので、フラ

▲箱館戦争（1868～69）のイメージ：箱館は幕末に開港したので、各国領事館の国旗が掲げられた

ンス海軍大佐オルトランの著書『海の国際法と外交』を蘭語に抄訳したものです。

別本二冊、釜次郎和蘭留学中、苦学致候海律、皇国無二の書に候へば、兵火に付し、烏有と相成候段痛惜致候間、……海軍アドミラルへ御贈可レ被レ下候、以上。
（加茂儀一『榎本武揚―明治日本の隠れたる礎石』中央公論新社 P.145）

「この二冊は、私がオランダ留学中に苦学した海洋法、皇国に無二の書でございますので、兵火により焼失してしまうことを痛惜し、……海軍の参謀へ寄贈いたします」

自刃しようとした榎本ですが側近に止められて思いとどまり、新政府軍の黒田清隆

(旧薩摩藩士)と面会して正式に投降しました。黒田は敵将・榎本武揚の才能と人格に感服します。

榎本は反逆罪で極刑に処されるべきところ、黒田の助命嘆願により恩赦され、その語学能力と国際法の知識を買われて駐ロシア公使、外務大臣にまで昇進しました。ロシアとの紛争地域であった樺太(からふと)を放棄し、逆に得撫島(ウルップ)までの千島列島を日本領と認めさせたのは、榎本の功績です。

対ロシア防衛の最前線として北海道の重要性を榎本に説かれた黒田清隆は、北海道開拓使の長官として屯田兵を送り込み、開拓事業を進めました。

敵味方に分かれて戦う双方の中枢に、近代国際法の知識を持つ人物がいたことは、近代という荒波に漕ぎ出す日本にとって、まことに幸運なことでした。

第8章

ビスマルク体制と明治日本の国際デビュー

ビスマルク直伝！　日本が実践した「小国の生き残り戦略」

フランス革命とナポレオン戦争は、ヨーロッパ諸国にナショナリズムの嵐を巻き起こし、スペインからロシアまで全ヨーロッパを巻き込む大戦争でおびただしい命が失われました。戦後のウィーン会議では、戦勝四大国（イギリス・オーストリア・プロイセン・ロシア）に王政復古のフランスを加えた五大国が同盟を結んで平和を維持する「勢力均衡」と、フランス革命前の体制を正統とする「正統主義」の原則が定められ、ナショナリズムの運動は抑圧されました。

このウィーン体制を象徴する人物が、オーストリア帝国の外相（のち首相）のメッテルニヒです。ドイツ系のハプスブルク家の皇帝が、チェコ人、スロヴァキア人、マジャール（ハンガリー）人、クロアティア人の多民族国家を統治するには、ナショナリズムを徹底的に押さえ込むほかなかったのです。

しかし一度目覚めてしまったナショナリズムの炎は、消すことはできません。それは暖炉の熾火（おきび）のようにくすぶり続け、燃料が投下されればたちまち燃え上がるのです。

ペリー来航の五年前、一八四八年にそれは起こりました。

パリで始まった選挙権拡大運動が二月革命に発展し、フランスで再び王政が倒されました

(第二共和政)。革命の情報は、最新鋭の通信手段だった電信で欧州各国にリアルタイムで伝わり、ドイツ・イタリア諸国に革命が広がります。

ウィーンでも憲法制定を求める市民がハプスブルク家の宮殿を包囲します。皇帝はメッテルニヒを解任し、憲法制定を約束したのです。

ウィーン体制は音を立てて瓦解し、ドイツ全土ではじめて選挙が行われ、各国の代表がドイツ統一を議論しました(フランクフルト国民議会)。

けれども統一方法をめぐって議論は紛糾します。オーストリア皇帝とプロイセン王がドイツ皇帝の座を争い、議会はプロイセン王を皇帝に選出したものの、当のプロイセン王がイギリス型の自由主義憲法を拒絶、統一問題は振り出しに戻ります。

この直後にプロイセン王が首相に抜擢したのがビスマルクです。軍服を着た厳しい姿で有名ですが、ビスマルクは軍人ではなく外交官でした。

新興国家プロイセンの台頭を恐れたドイツの小国家群は統一に抵抗し、オーストリア帝国やフランスが介入の機会を狙っています。ビスマルクは圧倒的な軍事力を背景としつつ、大国の挑発に乗らず、外交交渉によって統一を進めました。いったん勝機が訪れればこれを逃さず、逆に敵国を挑発して相手側から開戦させ、防衛戦争と称して徹底的に叩きのめす――

こうしてデンマーク戦争、普墺戦争と勝ち進み、最後にナポレオン三世のフランスを挑発して普仏戦争に圧勝し、占領したヴェルサイユ宮殿でプロイセン王ヴィルヘルム一世を皇帝に推

▲ビスマルク

戴してドイツ帝国を建国したのです。

ビスマルクの登場は、半世紀続いたヨーロッパの勢力均衡が崩れ、弱肉強食の覇権争いの時代が始まったことを意味します。ビスマルクはドイツ中心の複雑な同盟関係を結ぶことで仮想敵国フランスを牽制しましたが、ビスマルクを失脚させたドイツ皇帝ヴィルヘルム二世は新たなパワーゲームに熱中し、やがて列強は第一次世界大戦に突入していきます。

この外交の天才ビスマルクのもとを、大久保利通・伊藤博文・木戸孝允ら日本政府首脳が表敬訪問したのは明治六年（一八七三）のことでした。

明治維新を成し遂げた日本は、敵（欧米）の内情を調べ、幕府が結んだ不平等条約の改正を交渉するため、一八七一年、岩倉具視を特命全権大使とするヨーロッパ使節団（岩倉使節団）を送り込みました。というより、大久保・伊藤・木戸や明治政府の要人の約半分が東京を留守にして、直接出向いたのです。

一〇〇名余の使節団は、六割が政府首脳と官僚、四割が留学生でした。行きは太平洋を渡り、まず米国の西海岸に上陸。大陸横断鉄道で大西洋岸に出て、そこからヨーロッパに渡りました。帰りは地中海からスエズ運河を通り、植民地となったエジプト、インド、東南アジア諸国を見て戻ってきました。

▲岩倉使節団：左より木戸孝允・山口尚芳・岩倉具視・伊藤博文・大久保利通

彼らは帝国主義列強、とくにイギリスとフランスがいかに強大な力を持っているか、アジアやアフリカがどのように虐げられているかを、つぶさに見てきました。「これは本当にマズい」と思ったわけです。

岩倉使節団は建国二年目のドイツ帝国を訪問し、ベルリンではビスマルク主催の晩餐会に招待されました。米・英・仏・露の圧力にさらされてきた日本は、これまでドイツに無関心でした。しかし大国フランスをビスマルクが打ち破り、統一国家ドイツを建設したことは、使節団に強烈な印象を与えていました。ビスマルクもこの東洋の小国に好意的で、こう語りました。

貴国と我が国は同じ境遇にある。私はこれまで三度戦争を起こしたが、好戦者なわけではない。それはドイツ統一のためだったのであり、貴国の戊辰戦争と同じ性質のものだ。英仏露による植民地獲得戦争とは同列にしないでいただきたい。私は欧州内外を問わずこれ以上の領土拡大に興味を持っていない。

（久米邦武編『特命全権大使米欧回覧実記（三）』岩波文庫 P.329）

さらに続けます。

現在世界各国は親睦礼儀をもって交流しているが、それは表面上のことである。内面では弱肉強食が実情である。私が幼い頃プロイセンがいかに貧弱だったかは貴方達も知っているだろう。当時味わった小国の悲哀と怒りを忘れることができない。万国公法は列国の権利を保存する不変の法というが、大国にとっては利があれば公法を守るだろうが、不利とみれば公法に代わって武力を用いるだろう。

（前掲書 P.329）

ビスマルクは「欧米列強は、国際法に従っているように見えるだろう。しかし、そうではない。国際法は大国が自国の利益を拡大するために使っている理屈だから、力のない国は国際法を利用できないのだ」と説いたのです。したがって、帝国主義の時代に小国が生き残るためには――

我々は数十年かけてようやく列強と対等外交ができる地位を得た。貴方がたも万国公法を気にするより、富国強兵を行い、独立を全うすることを考えるべきだ。さもなければ植民地化の波に飲み込まれるだろう。

（前掲書 P.329～330）


大久保利通はビスマルクに感化されて「大先生」と呼び、「新興国家を経営するには、ビスマルク侯のごとくあるべし。我、大いにうなずく」と記しました。

大久保暗殺の後、その遺志を継いだ伊藤博文も「日本のビスマルク」を自任しました。大日本帝国憲法の制定のためドイツ国法学を学ぶためベルリンを再訪した伊藤は、ビスマルクとも再会しています。

こうして明治日本はビスマルクのリアリズム外交を忠実に実践し、「富国強兵」の道を突き進んだ結果、日清戦争・日露戦争に勝利し、欧米諸国から列強の一員として認められたのです。

樺太と千島列島に見る日露国境紛争の歴史

島国の日本は、古代より国境紛争とは無縁でした。ところが江戸時代、ロシアとの国境問題が持ち上がりました。

樺太（サハリン）と千島列島（クリル諸島）の領有問題です。

ロシア帝国は、ウラル山脈以東の広大なシベリアを「無主地」とみなし、コサック騎兵を送り込んで少数民族に対する征服活動を続けました。

一八世紀（江戸時代中期）のピョートル大帝時代にはオホーツク海沿岸に到達し、探検家ベーリングがカムチャツカ半島、千島列島、ベーリング海峡、アラスカ、アリューシャン列島を「発見」し、これらの地域をロシア領と宣言します。カナダはすでに英領でしたが、イギリス人はまだアラスカに到達していませんでした。アラスカは一九世紀後半にアメリカ合衆国が買収するまでロシア領でした。

シベリアとアラスカの最大の産物はクロテン・ラッコなどの毛皮であり、これを太平洋ルートで日本などへ輸出し、穀物を輸入することを考えたようです。

青森の戦国大名・蠣崎（かきざき）氏は蝦夷地（えぞち）（北海道）南部のアイヌを懐柔し、彼らがもたらす毛皮・干し鮭を輸入し、日本から鉄器・コメを輸出して利益を得ていました。その子孫が蝦夷地の松前に渡って松前氏と称し、徳川家康に臣従して松前藩を開き、幕府からアイヌとの交易独占権を認められました。この結果、松前藩の御用商人がアイヌのもたらす商品を安く買い叩くようになり、アイヌ側に不満が高まります。

アイヌは、蝦夷地から樺太南部・千島列島に居住する狩猟民です。彫りの深い風貌は日本人離れしていますが、実は縄文人の遺伝子を色濃く残しています。本州人（和人）との違いは、弥生人の遺伝子を受け継いでいない点です。

一七世紀に統一が進み、静内（しずない）を境に松前藩と結ぶ西アイヌ（シュムクル）と、独立性の強い東アイヌ（メナシクル）が争ってきました。東アイヌの首長が松前藩へ武器提供を求めましたが拒否され、その帰途、天然痘で急死したことが毒殺と噂されたことから、皮肉にも東西アイヌが「反松前」で連携します。

東アイヌの首長シャクシャインが蝦夷地全土のアイヌ首長に一斉蜂起を呼びかけると、松前藩との全面戦争となりました（シャクシャインの戦い、一六六九）。しかし弓矢で戦うアイヌは松前藩の鉄砲隊に敗北、和議に応じて出頭したシャクシャインが松前藩に謀殺され、蜂起は失敗に終わりました。

これ以後、松前藩が蝦夷地への実効支配を強め、一七〇〇年には樺太を含む年貢台帳を幕府に提出しました。一七三〇年代には、得撫島（ウルップ）・択捉島（エトロフ）・国後島（クナシリ）のアイヌが松前藩に使者を送り、服属しています。

一七七〇年代、女帝エカチェリーナ二世が治めるロシア帝国は千島列島への入植を進め、松前藩領の島々にもロシア人が上陸してきました。

松前藩から報告を受けた幕府は最上徳内と近藤重蔵を千島列島へ派遣して調査させ、近藤が択捉島に「大日本恵土呂府」の木柱を立てました。現在、日本政府が「択捉島以南は日本領」と主張している根拠がこれです。

ロシアの軍人ラクスマンが日本人漂流民・大黒屋光太夫を送り届ける名目で蝦夷地の根室に来航し、通商を求めました。

一九世紀初頭、今度はロシアの軍人レザノフが長崎に来航して通商を求めますが幕府に拒否され、その腹いせに樺太と択捉島を襲撃します（一八〇六～〇七）。このとき択捉島に駐在していた幕臣・間宮林蔵は、幕命を受けて樺太を調査し、大陸との間の間宮海峡を発見します。樺太の先住民は北からニブヒ、ウェルタ、アイヌの三民族が存在しましたが、ロシアはニブヒ、ウェルタを支配下に置き、アイヌについては日本国民と認識していたようです。

ペリー来航後の日露和親条約（一八五五）――安政の五カ国条約の一つ――では、近藤重蔵が木柱を立てた択捉島以南を日本領とし、樺太の分割線については合意に至らなかったため、「日露両国民雑居の地」と定めました。

クリミア戦争（一八五三～五六）の敗戦から立ち直ったロシアは、樺太へ流刑者を送り込み、開発を本格化しました。「雑居地」がなし崩し的にロシア領となっていくことを危惧した明治政府は、国境線の確定を急ぎます。

　樺太の南北分割を主張する副島種臣に対し、防衛が困難で不毛の樺太を放棄して北海道の開拓を優先せよという開拓使次官・黒田清隆の意見が通ります。

　黒田は、箱館戦争の敵将である榎本武揚を駐ロシア全権公使に抜擢してペテルブルクに派遣し、樺太全島を放棄する代わりに千島全島を日本領と認めさせました（樺太・千島交換条約、一八七五）。

　巨大な樺太をロシアに明け渡したことには国内で批判がありましたが、黒田と榎本のリアルな決断は正しかったと思います。ロシアの圧力に抗する力は、明治初年の日本にはなかったのです。樺太問題にこだわっていれば、日露戦争はもっと早まり、日本は敗北していたでしょう。

　ロシア皇帝アレクサンドル二世は、「全ロシア皇帝は後継者に至るまで、現在自ら所有するクリル諸島を……日本皇帝に対して譲渡する」と宣言しました。

　樺太はのちに日露戦争で日本軍が占領し、ポーツマス条約（一九〇五）で北緯五〇度以南を日本領と認めさせました。

　第二次世界大戦末期、ヤルタ会談でスターリンが「千島全島と南樺太」の割譲を条件に対日参戦をアメリカと密約、長崎原爆投下の八月九日に日ソ中立条約を破って侵攻し、これらの日本領を不法占拠しました。日本はこれを認めず、日露間の平和条約はいまだに結ばれていません。

「万国公法は列国の権利を保存する不変の法というが、大国にとっては利があれば公法を守るだろうが、不利とみれば公法に代わって武力を用いるだろう」

日ソ中立条約という紙切れを最後まで信じていた大戦末期の日本の指導者たち。彼らはビスマルクが岩倉使節団に与えた教訓を忘れていたようです。

本邦初の国際裁判、マリア・ルス号事件

ペテルブルクに赴いたロシア公使榎本武揚は、もう一つの成果をあげています。南米のペルーが日本を提訴したマリア・ルス号事件の国際裁判です。

明治五年（一八七二）、ペルー船籍の貨物船マリア・ルス号は、ポルトガル領のマカオを出航してペルーへ向かう途中、横浜に入港しました。その船底には苦力（クーリー）と呼ばれた清国人労働者二三〇名が閉じ込められていました。

苦力とは借金の抵当に海外で一定期間労働することを契約した年季労働者のことです。現地で支払われる賃金は仲介業者の懐へ消え、仲介業者は利益をあげるため彼らを拘束し、食事も満足に与えず、反抗する者には拷問を加え、事実上の奴隷貿易と化していました。

横浜港で苦力数名が脱走し、英軍艦に救助を求めたことから事件が発覚します。駐日イギリス公使が日本政府に救助を要請し、外務卿副島種臣の指示を受けた神奈川県令（知事）の大江卓がヘレロ船長を起訴、裁判にかけました。

ヘレロ船長の抗弁
「そもそも清国海上での犯罪を、日本政府は裁けない」
「苦力とは自由意志による契約労働者であり、奴隷ではない」
「日本は出航を認め、出航遅延に対する補償金を支払え」

大江裁判長（県令）の判決
「人道に反する移民契約は無効である」
「出航は認めるが、乗客全員を釈放せよ」

二三〇名は無事に帰国し、清国政府は「日本の友情に感謝」しました。しかし、ペルー共和国の海軍大臣ガルシアが来日し、「日本の謝罪と損害賠償」を要求したのです。

私人間の民事裁判であれば、法に基づいて国（裁判所）がこれを裁きます。しかし主権国家間の紛争の場合、国際法を適用するにしても、誰がこれを裁くのか？　当時はまだ、国際司法裁判所は存在しません。

そこで、利害関係のない第三国で仲裁裁判を開く、という制度がありました。仲裁に入ったのがロシアのアレクサンドル二世だったのです。

日本と領土紛争を抱えるロシアが「利害関係のない第三国」か、という疑問はありますが、日本政府はこの件についても榎本公使に全権を委ねました。

一八七四年、ロシアの首都ペテルブルクで国際仲裁裁判が開廷、アレクサンドル二世が下した判決はこうでした。

「日本側の措置は国際法上妥当である。ペルー側の訴えを棄却する」

ロシアとしては日本に恩義を売って領土交渉を有利に進めようという意図が働いたのでしょう。樺太・千島交換条約の締結は、この翌年のことです。

余談ながら、日本でも「娘の身売り」という名の人身売買がありました。貧困家庭の娘を買い取った吉原(よしわら)などの遊郭では、彼女たちを遊女として売春させていたのです。ペルーの奴隷貿易を非人道的と非難した日本国内にも「奴隷制」が存在する矛盾をイギリスに指摘された日本政府は、芸娼妓解放令を発して遊女の人身売買を禁止しました(一八七二)。

紛争のたびに開かれていた国際仲裁裁判は、ハーグ万国平和会議(一八九九)で常設化され、「常設仲裁裁判所」が設置されました。これが現在の国際司法裁判所につながります。

日清領土の画定——琉球と台湾の帰属問題

アヘン戦争に始まる「西欧の衝撃」は、東アジアの伝統的国際秩序である冊封体制を揺るがしました。もともと冊封体制に入っていなかった日本が、いち早く主権国家の大日本帝国として欧米各国と対等な外交関係を結び、アロー戦争で北京を占領された清朝も、しぶしぶながらこれに続きました。

清朝の成立は江戸時代の初期ですが、日本が冊封されることを拒絶してきたため、国交を結べず、長崎での貿易だけでつながっていました。

明治政府は大国清朝との対等な外交関係の樹立を試み、花房義質を北京に送り込みます。

花房は岡山藩士出身、蘭学者・緒方洪庵の適塾に学び、幕末に欧米諸国へ遊学、在ペテルブルク代理公使として、マリア・ルス号事件の仲裁裁判と樺太・千島交換条約の締結交渉では全権公使の榎本武揚を補佐しました。

この切れ者が北京に乗り込んで李鴻章相手に交渉し、全権大使・伊達宗城（元仙台藩主）が署名したのが日清修好条規（一八七一）です（条規は条約と同じ意味）。

日清修好条規は、ともに欧米諸国から不平等条約を押し付けられていた日清両国が、対等かつ平等な外交関係を結ぶというユニークな条約で、お互いの領事裁判権を認め合う内容でした。

近代国際法では主権は排他的なものですから、主権の及ぶ範囲――国境線を確定しなければなりません。ここで問題になったのが、清朝の藩属国（冊封国）であった琉球王国と朝鮮王国に清朝の主権は及んでいるのか、ということでした。

清朝側はこれら藩属国には清朝の主権が及ぶと解釈、日本側は「冊封」とは儀礼的な君臣関係にすぎず、国際法上の主権は及ばないと解釈して平行線をたどり、日清修好条規では日・清間の国境線が確定できなかったのです。

琉球王国は一六〇九年以来、薩摩軍の占領下にあり、事実上日本の保護国でした。琉球王は清朝に対しては名目上臣下の礼をとって朝貢貿易を続け、実際には薩摩軍の駐留を受け入れるという両属体制をとってきたのです。

主権国家は国土を侵略されれば反撃し、国民の生命・財産に危害を加えられても反撃する権利を持ちます。北方領土や竹島を外国に占拠されても、国民を外国に拉致されても、憲法の規定で何も反撃できない現在の日本は、主権国家の要件を満たしていません。

明治日本は違いました。琉球を日本の領土とみなす以上は、琉球島民は日本国民であり、その生命・財産を守る義務が日本政府に生じます。

一八七一年、琉球の島民を乗せた船が嵐にあって台湾に流れ着いたところ、台湾先住民に襲われ、五四名の乗組員が殺され、積荷を奪われるという事件が起こりました。「琉球漂流民殺害事件」です。

　当時の台湾は清朝の行政下にありました。日本政府は清朝に「琉球島民は日本国民であるから、むやみに殺されたことは看過できない。清朝に謝罪と賠償を求める」と抗議しました。清朝の回答は「台湾は化外（けがい）の地であり、わが国に責任はない」というものでした。「化外の地」は「文明の及ばない地域」という意味です。当時まだ清朝高官は冊封体制の世界観を持っていたことがわかります。

「それでは」と、明治政府は台湾に軍艦を送りました。司令官は西郷隆盛の弟・西郷従道（つぐみち）です。事件を起こした先住民の村を焼き払い、報復だと宣言して戻ってきました。台湾の領土獲得を狙ったのではなく、日本国民が犠牲になったから、主権国家の当然の権利として報復を行ったのです。

　この台湾出兵（一八七四）が、近代日本の海外出兵第一号です
　清朝は猛烈に抗議しました。ところが、欧米列強の見解は「日本が正しい」というものでした。国際法に照らして何の問題もないとされたのです。

台湾出兵で琉球に対する日本の主権が国際的に認められたのを見て、明治政府は琉球国王を廃し、侯爵の身分を与えました。代わりに沖縄県令を派遣し、「沖縄県」として完全に日本に併合したのです。台湾は清朝領土のままでしたが、日清戦争で再度日本軍が占領し、下関条約

で日本領となります。

明治時代、朝鮮半島の地政学的リスク

次は朝鮮です。中国伝来の朱子学を奉じ、自らを中華文明の正統な後継者=「小中華」と自負する朝鮮王朝のエリート層（両班（ヤンバン））は、欧米人を「夷狄（いてき）」=野蛮人と蔑視し、西欧文明から何かを学ぶ、という発想を持ちませんでした。

北に隣接する沿海州はロシアに併合され、清朝がアロー戦争に大敗して洋務運動を展開し、日本がペリー来航を機に幕末維新の大転換に成功したあとも、朝鮮は眠り続けました。明治新政府の樹立の知らせと対等外交を求める明治天皇の国書の受け取りを、朝鮮の宮廷は拒絶しました。「化外の民である倭の王が、皇の文字を使うとは非礼なり」というのです。

朝鮮王国は（秀吉の出兵期を除き）日本領だったことはありません。ならば放っておけばいい——というわけにはいかない事情がありました。朝鮮の北の沿海州には、ロシアが軍港ウラジオストクを建設しました。ここは冬に氷結するので、ロシアは朝鮮半島沿岸に軍港を開こうと狙っていたのです。

朝鮮がロシアの手に落ちれば、日本に対する重大な脅威となります。ペリー来航が日本を「泰平の眠り」から覚ましたような、手荒な方法をとるしかない、という議論が日本政府内で

起こりました。

台湾出兵の成功で自信を深めた日本は、翌年、朝鮮に軍艦を派遣しました。これも朝鮮の領土を狙ったのではなく、「ショック療法」で朝鮮が主権国家であることを自覚させ、近代化を促そうとしたのです。

ソウルを流れる漢江(ハンガン)の河口にある江華島は、首都を守る防衛拠点です。この島に接近した日本軍艦・雲揚(英国製蒸気軍艦)は朝鮮側からの砲撃を受けると、直ちに応戦して江華島を占領しました。

この江華島事件に朝鮮政府は動揺し、江華島で日朝修好条規を締結しました。日本は「朝鮮の自主独立」、つまり清朝の藩属国でないことを認め、二港を開港させ、領事裁判権を握ったのです。

もちろん清朝はこれを認めず、朝鮮国内では清朝と結ぶ事大党(じだいとう)(大国に事(つか)える党派)と、日本と結ぶ自主独立派(開化派)との抗争が続きました。これに日清両軍が介入したのが日清戦争(一八九四~九五)です。

陸奥宗光という傑物と領事裁判権の壁

陸奥宗光は徳川御三家の一つ、紀州徳川家に仕える国学者の家に生まれました。父がお家騒動に巻き込まれて失脚したため一家は没落。宗光は勝海舟の神戸海軍操練所に入り、坂本龍馬に才能を見出されて海援隊に加わります。海援隊の「いろは丸」が紀州藩の船と衝突した事件では、かつての主君・紀州徳川家と対決、龍馬暗殺後は紀州藩士襲撃事件（天満屋事件、P.146参照）の首謀者としてお尋ね者になります。

維新後は新政府の外交官として対米交渉を担当しますが、薩長藩閥の専横に嫌気がさして野に下ります。同時期に下野した西郷隆盛が西南戦争を起こすと、陸奥は土佐の立志社と結んで挙兵を企てましたが、事前に計画が露見して弾圧され（立志社の獄）、陸奥は禁固五年の判決を受けて山形監獄に投獄されています。

獄中の陸奥は一刻も無駄にせず、英国の哲学者ジェレミー・ベンサムの著書を翻訳しました。陸奥の才能を惜しんだ伊藤博文が特赦を与え、近代政治システムを学ばせるため欧州へ留学させました。クーデタ成功の際には伊藤暗殺を計画していた陸奥はこの処遇に驚き、伊藤に心服するようになります。

三年後に帰国、外務省に配属された陸奥が取り組んだのが、不平等条約の改正問題でした。領事裁判権の撤廃と関税自主権の回復がその最終目標ですが、急を要するのは日本人の生命財産に関わる領事裁判権の撤廃でした。

陸奥が帰国した明治一九年（一八八六）、横浜のマダムソン・ベル汽船会社のノルマントン号（イギリス船籍）が神戸へ向かう途中、紀州沖で暴風のため座礁、沈没するという事故が起きました。

英国人船長ウイリアム・ドレークは救命ボートでヨーロッパ人の船員・乗客とともに先に脱出。甲板に取り残された日本人船客二五名と、ボイラー係のインド人・中国人船員一二名は、船とともに海中に没しました。

安政の五カ国条約では「外国人の犯罪は外国領事が裁く」という治外法権を認めています。このため神戸駐在イギリス領事トゥループが海難審判を開きますが、「ノルマントン号の船長・船員には落ち度がなく、全員無罪」という判決を下しました。このあからさまな人種差別に日本の世論は沸騰します。

▲陸奥宗光：伊藤内閣の外相。条約改正、下関条約、三国干渉に対処

日本政府は横浜駐在イギリス領事にドレーク船長を告発します。

横浜での再審の結果、「船長は乗客すべてを避難させてから退船すべし」という「船長の最後退船義務」を怠ったとして有罪判決を受け、ドレーク船長は禁固三カ月の服役刑に処せられました。

治外法権を撤廃しなければ真の主権国家とはいえないことを、ノルマントン号事件は日本人に改めて痛感させました。

井上馨(かおる)外務卿(内閣制度発足後、初代外務大臣)は、東京に鹿鳴館(ろくめいかん)という社交場を開き、極端な欧化政策で日本の「文明化」を演出し、各国公使の歓心を買うことで条約改正を進めました。しかし井上の改正案は、二年以内に領事裁判権を撤廃するかわりに、外国人判事を日本の裁判所が任用するというもので、フランス人法律顧問のボアソナードでさえ「屈辱的裁判制度」だと非難しました。猛然たる世論の非難を浴びた井上外相は、辞任に追い込まれます。

後任は、元佐賀藩士で英語に堪能な大隈重信。大隈は薩長藩閥政府に反対し、野党・立憲改進党を組織しました。伊藤総理は、野党党首の大隈を外相に抜擢したのです。

大隈案は、「外国人判事の任用を大審院(最高裁)に限る」というものでした。各国との改正条約調印にこぎつけたものの、その内容が報道されると、再び世論の激しい反発を招き、大隈外相は爆弾テロで右脚を失います。

後任の青木周蔵外相(山縣・松方内閣)は「外国人判事の採用」を白紙に戻し、対英交渉に臨みました。大日本帝国憲法の発布、帝国議会の開設、民法・商法の発布など急速に法整備を進める日本に対し、イギリスの態度が徐々に変わります。ちょうど露仏同盟(一八九一〜九七)が成立し、フランス資本でシベリア鉄道の工事が始まり、加速するロシアの極東進出を危惧する日本とイギリスが、相互に接近を始めていたこともその背景にあります。

大津事件が不平等条約改正につながった

明治二四年（一八九一）、ウラジオストクで行われるシベリア鉄道起工式に出席するため、ロシア皇太子ニコライ（のちの皇帝ニコライ二世）が来日しました。琵琶湖の遊覧を終えたニコライは、警備中の津田三蔵巡査に切りつけられ軽傷を負うという事件（大津事件）が発生します。

ロシアの圧力を恐れた政府が日本の皇室に対する大逆罪の適用による極刑を求めたのに対し、大審院の児島惟謙（いけん）院長は刑法に従って無期懲役の判決を下しました。このことは、日本の司法権（裁判所）が行政権（政府）の干渉を排除したとして各国で報道され、条約改正にはむしろ有利に働きました。

この間、金子堅太郎が欧米諸国を歴訪し、条約改正の下準備を進めていました。金子堅太郎は元福岡藩士。一八歳で岩倉使節団に随行し、そのままアメリカに留学。ハーバード大学に進んで英米法や保守思想を徹底的に学びます。このとき金子の同級生だったのが、のちの合衆国大統領セオドア・ローズヴェルトで、二人の交友はやがて日露戦争の時に威力を発揮します。

帰国すると伊藤博文に抜擢されて帝国憲法の起草に関わり、英語力を買われて条約改正の裏交渉を一任されたのです。

▲トーマス・ホランド

イギリスでオックスフォード大学の国際法の大家トーマス・ホランド教授から日本政府の広報活動の必要を説かれた金子は国際公法会（国際法学会）に入会し、ジュネーヴの定例会で演説します。これを受けて国際公法会は日本の法制度に関する特別委員会を新設、日本の法整備の実態が欧米諸国に周知されていきます。

東京では伊藤博文が総理に復帰し、陸奥宗光を外相に抜擢します。

欧州留学から帰国した陸奥は、大隈外相のもとで駐米公使（駐メキシコ公使を兼任）を務め、メキシコとの条約改正に成功しました。

「カミソリ」と呼ばれた頭脳を持つ陸奥に伊藤は対英交渉に当たらせたのです。その成果が日英通商航海条約（一八九四）であり、世界最強の大国が、日本を対等の「文明国」と認めた瞬間でした。陸奥外相は任期中に、不平等条約を結んでいた一五カ国すべてとの条約改正を達成します。

これだけでもものすごい業績ですが、陸奥はこの困難な交渉を続けながら、日清戦争から三国干渉に至るギリギリの外交交渉も担当しているのです。その間の生々しいやりとりを、陸奥は『蹇蹇録(けんけんろく)』という本にまとめています。近代日本外交史の一級史料です。

第9章

明治日本の戦争

なぜ日清戦争は起こったのか？

日清戦争とは、朝鮮における日本と清の主導権争いでした。

「小中華思想」に毒された朝鮮は旧態依然としたままで、軍事的には空白地帯といっていい状態でした。ロシアの南下を危惧した清朝と日本は、いずれも緩衝地帯である朝鮮王国に内政改革を求めます。

日本は、日朝修好条規（一八七六）で「朝鮮は独立自主の邦」と認めた上で改革を迫りましたが、清朝は、伝統的・儀礼的な冊封国（中華皇帝が臣下とみなす国）だった朝鮮を、近代国際法における従属国（保護国）に転換しようと内政干渉を強化します。

朝鮮国王・高宗の父である大院君と、王妃の閔妃一族との権力闘争が起こると、西太后の命を受けた袁世凱が清軍を率いてソウル（漢城）を占領し、大院君を逮捕して閔氏政権を復活させます（壬午軍乱、一八八二）。

二年後の一八八四年、日本と結ぶ金玉均ら朝鮮の開化派がクーデタを起こすと袁世凱は再度出兵し、開化派を徹底的に弾圧し（甲申政変）、閔氏政権を事実上、保護国化したのです。日本は、開化派を守るために清軍と戦うほどの兵力がなく、天津条約を結んで日清両軍の撤兵と、再出兵時の事前通告を定めました。

それから一〇年、閔氏政権の腐敗と独裁が頂点を極め、これに激昂した農民が大反乱を起こします（甲午農民戦争／東学党の乱）。

閔氏政権は三度清軍の出兵を求めました。これを放置すれば、朝鮮が完全に清朝の手に落ちると判断した伊藤と陸奥も、「日本人居留民保護」を名目に出兵を命じたのです。

大鳥圭介公使が率いる日本軍がソウルの王宮を包囲し、「清軍は撤兵せよ」との詔勅を高宗に出させます。これに応じない清軍に対して「朝鮮政府からの要請」という名目で攻撃を開始、日清戦争が始まりました。

「高陞号」事件——中立国の船を撃沈するのは合法か？

開戦に先立ち陸奥外相は、「七月二四日を過ぎても兵員を増派するなら、我が国に対する敵対行為とみなす」という最後通告を北京へ打電し、日本海軍には「二五日以降、攻撃可」と伝えました。ソウルの南の牙山では、上陸した清軍と日本軍とが対峙しました。

中国本土からは、援軍一一〇〇名を運ぶためイギリス船籍の商船「高陞号」がチャーターされ、清朝北洋艦隊の艦船とともに牙山へ向かっていました。

七月二五日朝、霧で視界の悪い豊島沖で日清両海軍の砲撃戦が始まります。ここに姿を現したイギリス船「高陞号」は日本軍に停船を命じられ、日本軍の巡洋艦「浪速（なにわ）」に臨検を受けます。

戦時国際法は、戦時と平時、交戦国と中立国、戦闘員と非戦闘員の区別を厳格にします。平時に戦闘を行ったり、戦時でも中立国を巻き込んだり、非戦闘員を犠牲にすれば、戦時国際法違反となります。

イギリスは中立国ですから航行の自由があります。しかし一方の交戦国のために武器や兵員を運んでいたとなれば、戦闘行為とみなされます。

「浪速」が派遣した人見善五郎大尉の聴取に対し、「高陞号」のウォルズウェー船長は「清国兵一一〇〇人と大砲一四門を運んでいる」と自供したため「浪速」はこれを拿捕し、後に続くよう命令します。

ところが、日本軍の捕虜になることを恐れた清国兵が騒ぎ出し、英国人船長らを人質にして「高陞号」を乗っ取ってしまいます。手旗信号による船長とのやり取りが続きますが進展がないまま四時間が経過します。

「浪速」は「撃沈する。脱出せよ」と送信したあと、魚雷を発射しました。

船は沈没、乗組員は海に投げ出され、船長以下三人のイギリス人は「浪速」に救助されましたが、清国兵九〇〇人が死亡しました。

イギリスの新聞がこの事件を大々的に報じ、イギリス世論は「日本の蛮行」に激昂しました。

伊藤首相と陸奥外相は動揺しました。長年の条約改正の努力の結晶である日英通商航海条約が、破棄される可能性もあったのです。陸奥外相は英国代理公使パジェットに事実関係の調査と、必要な賠償に応じることを伝えます。

国際法上の問題点は次の二点です。

(1) 事件当時、戦争は始まっていたのか？

(2) 「高陞号」は中立国の船舶といえるのか？

事件前日の二四日、陸奥外相は「七月二四日を過ぎても兵員を増派するなら、我が国に対する敵対行為とみなす」と打電していますから、これは国際法上の最後通告とみなされます。清朝がこれを無視したことで、二五日には日清両国は自動的に戦争状態に入っていました。よって(1)はクリアできます。問題は(2)です。

「高陞号」は中立国のイギリス船籍です。これに対して日本軍艦が魚雷攻撃したことに、正当性はあるのかどうか？

イギリスを代表する日刊紙であるタイムズ紙に、例の国際法学者ホランド博士とウェストレーキ博士が論説を寄稿しました。

●「高陞号」は戦時下で、一方の交戦国から要請を受けて武器と兵員を戦地に輸送していた。つまり、一方の交戦国に加担していた。

●「浪速」艦長は国際法に従って臨検を行い、同船を拿捕しようとした。ところが「高陞号」では清国兵が反乱を起こして英国人船長の行動の自由を奪い、公然と敵対行動を取った。

●よって「浪速」艦長は警告を与え、退船の猶予を与えた上でこれを撃沈した。さらに「高陞号」船長らを救出している。

「よって、『浪速』の行為は戦時国際法に合致している」とホラント博士は結論づけました。

これを機に英国世論は沈静化し、上海で開かれた英国海事裁判所も「浪速」に無罪判決を下しました。

開戦直後という非常時において、厳格に戦時国際法を遵守したとして賞賛された巡洋艦「浪速」の艦長は東郷平八郎大佐。のち日露戦争で連合艦隊司令長官を務め、ロシアのバルチック艦隊を壊滅させた人物です。

日清戦争は大きく見れば、ロシアの南下から日本を守るための予防戦争と位置づけることもできます。軍事的にも日本海軍はアジア最強といわれた清朝の北洋艦隊を黄海の海戦で壊滅させ、下関条約（一八九五）で遼東（りょうとう）半島、台湾、澎湖（ほうこ）諸島などを日本の領土に編入しました。

と同時に、日本は戦時国際法を徹底的に遵守することで、イギリス・ロシアなど他の列強を、絶対に敵に回さないようにしました。


今や欧米各国はわが軍隊の戦闘に勝利を得たるを目撃せる間に、日清交戦中においてわが軍が採用したる欧州流の作戦の計画、運輸の方法、兵站(へいたん)の施設、病院および衛生の準備、……赤十字社員の進退等、百般の制度組織すこぶる整頓し、……また外交上および軍事上の行動においてその交戦国に対しならびに中立各国に対し、一(ひとつ)も国際公法条規の外に逸出(いっしゅつ)したることなかりしを認めたるは、実に彼らに向かい非常の感覚を与えたるがごとし。……

彼らは欧州文明の事物はまったく欧州人種の占有に属し、欧州以外の国民はその意味を咀嚼(そしゃく)する能(あた)わざるものと臆想(おくそう)したり。……今回戦勝の結果により、ついに彼らをして耶蘇(キリスト)教国以外の国土には欧州的の文明生息する能わずとの迷夢(めいむ)を一覚(いっかく)せしめ、わが軍隊赫々(かくかく)の武功を表彰するとともに、わが国民一般がいかに欧州的文明を採用し、これを活動せしむる能力を有するかを発揚したるは、特にわが国民のために気を吐くに足るの快事というべし。

（陸奥宗光『蹇蹇録』／著者が口語訳）


日清戦争を「アジアの未開国同士の戦い」と冷ややかに見ていた列強は、日本軍の連勝と軍規の厳しさ、戦時国際法の遵守を見て、日本を「文明国」の一員とみなすようになったのです。

陸奥にとって終生の大事業であった不平等条約の改正が、トントン拍子でうまくいったのもこのためなのです。

朝鮮半島、遼東半島をめぐる日露の攻防

あらためて確認しますが、日清戦争はロシアの南下に備えて、その防波堤になりうる朝鮮半島を、日清のいずれが勢力圏に組み込むかという戦争でした。日本がこれに勝利したことで、朝鮮から清の影響力は一掃されました。

> 朝鮮国が完全無欠なる独立自主の国であることを確認し、独立自主を損害するような朝鮮国から清国に対する貢・献上・典礼等は永遠に廃止する。
> （「下関条約」第一条）

要は今までの主従関係をやめるというものです。この後、朝鮮は清への朝貢をやめ、国名を「大韓帝国」に、「国王」を「皇帝」と改めました。国内では親日派（開化派）が政権を握り、日本の明治維新をモデルとした甲午（こうご）改革を推進します。科挙の廃止、公文書へのハングルの採用、両班（ヤンバン）を頂点とする身分制度の撤廃、奴隷解放、拷問・縁座制の禁止などがその内容です。

また日清戦争の結果、清国は遼東半島を日本に割譲しました。将来、ロシアが満洲から南下

を図ったとしても、遼東半島に日本軍を置いておけば迎え撃つことができます。仮に負けたとしても、日本本土に被害は及びません。

満洲領有を画策するロシアから見れば、遼東半島の日本軍は邪魔者以外の何物でもありません。ロシア皇帝ニコライ二世（皇太子時代に大津事件で負傷したあの人物）は同盟国のフランスと協議し、これにドイツ皇帝ヴィルヘルム二世（ニコライ二世の従兄）も加わって、日本に圧力を加えることにしました。

これが「三国干渉」です。

日清両国が下関条約を調印したのが四月一七日。一週間後の二三日、東京駐在のロシア・フランス・ドイツの公使が日本外務省を訪れ、日本の遼東半島領有に対する反対を表明しました。ロシア公使の言い分はこうでした。

「日本による遼東半島領有は、清国首都の北京を脅かし、朝鮮国の独立を有名無実とし、極東の平和を脅かす。よって遼東半島を清国へ返還せよ」

清朝から沿海州を奪い、極東の平和を脅かしたロシアが平和を説くのです。「お前が言うな」と言いたくなりますが、「力が正義」だった帝国主義の時代です。国連なんてものはありません。外交には軍事力がともないます。ウラジオストク軍港は予備役を動員して臨戦態勢に入り、日本の各港に入港していたロシア軍艦は乗組員の上陸を禁じ、いつでも出港できる準備に入りました。

「大国にとっては利があれば公法を守るだろうが、不利とみれば公法に代わって武力を用いるだろう」というビスマルクの箴言（しんげん）を、伊藤は改めて噛みしめたことでしょう。

日本は日清戦争が終わったばかりで、ヨーロッパ列強、しかも三国と戦争をする力はありません。陸奥外相はイギリスに助力を求めますが、アフリカでフランスとの緊張が高まるイギリスも、極東問題に介入する余力がありません。

日本政府はやむを得ず、遼東半島を返還しました。

返還後、ロシアは清朝を脅迫し、「遼東半島南端の旅順・大連を二五年間貸与せよ」と清朝に要求、ロシア軍は遼東半島の旅順港に大要塞を築き、シベリア鉄道と連結する東清鉄道の建設権をも獲得しました。

三国干渉に日本が屈したことを見た韓国国内では、開化派が力を失い、閔妃が率いる事大党が復権します。彼らは日本に対抗してロシアに「事大」し、ロシア軍の駐留や鉄道敷設を認めます。

朝鮮半島がロシアの手に落ちないようにすることが、日清戦争の最大の目的でした。その成果が無に帰そうとしていたのです。追い詰められた日本公使・三浦梧楼（ごろう）は開化派政権と共謀してクーデタを試みます。開化派の兵士と日本兵が王宮に押し入り閔妃を殺害したのです（閔妃殺害事件)。パニックに陥った高宗はソウル駐在のロシア公使館に亡命し、ロシア軍の保護下におかれました。「大韓帝国」は実質的にロシアの保護国になってしまったのです。

日清戦争で弱体ぶりを晒した清国は、列強と個別の協定を結び、勢力圏と租借地の設定を認めました。勢力圏とは経済的な独占圏、租借地とは港湾・鉄道などの軍事施設を二五年間、あるいは九九年間レンタルするものです。

ロシアは、満洲とモンゴルを勢力圏とし、旅順・大連と東清鉄道を租借しました。ウラジオストクのロシア太平洋艦隊は旅順に移ります。

フランスは、広東・広西・雲南を勢力圏とし、広州湾を租借します。

ドイツは、山東省を勢力圏とし、青島を含む膠州湾を租借します。

こうして三国干渉のメンバーは、得るものを得たのです。

義和団事件が日本の国際的地位を向上させた

焦ったのはイギリスです。アヘン戦争以来、中国市場で最大の利益をあげてきたイギリスは、列強による勢力圏の設定で市場が小さくなってしまいます。そこでイギリスは、上海を起点とする長江流域を勢力圏とし、香港対岸の九竜半島と、旅順対岸の威海衛を租借しました。日本も便乗して福建省を勢力圏とします。

このような中国分割に反発する中国人の間で外国人排斥運動が起こります。義和団事件です。義和団は特殊な拳法をマスターした仏教系の秘密結社で、ドイツ勢力圏となった山東省の運河労働者の間に広がりました。ドイツ人が鉄道を建設したため運河の貨物輸送が激減し、大量の失業者が出ていたのです。

「扶清滅洋（ふしんめつよう）」――清朝をたすけ、西洋人を滅ぼす――を叫んで欧米人・日本人を無差別に襲撃しつつ、北京に入城した義和団二〇万人は公使館地区を襲撃しました。清国兵は見て見ぬ振りを続け、公使館地区の隣に住んでいた中国人キリスト教徒数百人が暴徒に殺害されました。偵察に行った日本公使館員の杉山彬書記生は清国兵に惨殺され、心臓をえぐられます。

清朝の最高実力者・西太后は、これら義和団の暴挙を「義挙である」と歓迎し、各国公使に北京からの退去を迫りました。抗議に赴いたドイツ公使ケーテラーは清国兵に射殺されます。これは、明白な国際法違反です。

翌日、清朝が列強に対して宣戦を布告しました。日清戦争に大敗したばかりの国が、全列強に対して宣戦を布告したのです。

この結果、列強八カ国が連合軍を編制して北京を占領し、義和団を制圧、清朝政府に対して謝罪と賠償を求め、再発防止のため外国軍隊の北京駐在を認める北京議定書（一九〇一）に調印させました。

イギリスは南アフリカで起こったボーア戦争、アメリカはフィリピン独立戦争（米比戦争）で忙殺され、大規模派兵ができず、八カ国連合軍の主力となったのはロシア軍と日本軍でした。連合軍は渤海湾の天津港に入港しましたが、北京へ向かう鉄道を義和団が破壊したため進めません。

北京の公使館地区は一キロメートル四方の広さで、日本以外にも一一カ国の公使館が並んでいました。連合軍が到着するまでの五五日間、各国公使館の駐在武官たちが防衛に当たりました。イギリス公使クロード・マクドナルドのもとで、事実上の指揮をとったのが日本公使館附駐在武官・柴五郎でした。

戊辰戦争で「賊軍」とされた東北の会津藩。柴五郎は会津藩士の子に生まれ、藩校の日新館で学びました。同年代の少年たちが組織した白虎隊が全滅し、柴家でも祖母・母・姉妹が自刃しました。五郎は兄の四朗とともに官軍に捕らわれ、五郎は主君とともに青森に追放されました。

兄の四朗は西南戦争に従軍して司令官の谷干城（たにたてき）に才能を見出され、農商務相となった谷に随行して欧州を視察します。その帰途、イギリス領のセイロン島では、エジプト独立運動の指導者で同地に流刑となっていたウラービー大佐と会見しました。エジプトはスエズ運河建設後の

▲柴五郎

財政難から、英・仏の銀行からの借款(しゃっかん)に依存した結果、イギリスに徴税権を握られ、植民地に転落したのです。
その後、四朗は岩崎家(三菱財閥)の援助でアメリカへ留学し、「東海散士」のペンネームで政治小説を発表します。『佳人之奇遇(かじんのきぐう)』は、アイルランド、ハンガリー、エジプト、朝鮮など亡国の志士たちが登場し、小国が大国に抗するにはどうすべきかを論じる作品で、中国語やベトナム語にも翻訳されました。
弟の柴五郎は、軍人一筋の道を歩みます。会津出身というハンディを背負いつつ、砲兵士官として軍歴を重ね、英・仏語を自在にこなす語学能力と情報収集能力を買われ、公使館附駐在武官として北京に派遣されたのです。
北京の公使館地区は高い城壁に囲まれていましたが、清軍と義和団は砲撃で城壁に穴を開け、たびたび侵入を試みました。柴五郎が率いる日本兵はそのたびに駆けつけて侵入を阻止し、また避難民を動員して防御を固めました。連合軍の北京入城に際し、ロシア軍が北京市民への略奪暴行事件を繰り返したのに対し、日本の軍規は厳正で、一度も不祥事はありませんでした。

現場で取材したタイムズ記者G・E・モリソンが日本兵の奮戦を世界に伝え、「中佐(コロネル)シバ」の名は広く知られることになります。

マクドナルド公使は日本軍に対する認識を一変させ、のちに東京駐在の英国公使になると、日英同盟の締結に奔走することになります。

「国際法(万国公法)を守る日本軍」というイメージが、義和団事件を機に世界に広まり、日本の国際的地位の向上にどれほど寄与したことか。

柴五郎はのちに陸軍大将・台湾軍司令官にまで昇進し、昭和五年(一九三〇)に退役。一九四五年の敗戦直後に自決を図るも死に切れず、半年後にその傷がもとで亡くなりました。

幼少時、会津藩の大義のために母や姉妹が自刃し、勝者の薩長が建てた大日本帝国のもとで軍歴を重ね、最晩年で今度は大日本帝国が敗北し、その大義に殉じた柴五郎。最期に何を思ったのでしょう。

「第0次世界大戦」と日英同盟

日露戦争のことを「第0次世界大戦」とする見方があります。この戦争は、朝鮮半島をめぐる日露の対立だけではなく、地球規模での列強の対立が引き起こしたものだからです。

アフリカでは、英・仏の植民地争いがピークを迎えていました。義和団事件の直前に起こったファショダ事件（一八九八）では、スーダンに侵入したフランス軍をイギリス軍が包囲し、開戦の一歩手前までいっています。

東南アジアではベトナムをフランスが、ビルマ（ミャンマー）をイギリスが植民地化し、タイ王国を挟んで睨み合っていました。

中央アジアでは、ウズベキスタンを併合したロシア軍と、インドから北上してアフガニスタンを保護国化したイギリス軍とが睨み合い、一触即発の情勢でした。そのロシアが義和団事件を口実に満洲に進出し、上海を中心とするイギリスの利権をも脅かすようになったのです。

ロシアとフランスは同盟関係にあり、欧州ではドイツを挟撃（きょうげき）できる態勢を取ると同時に、共通の敵であるイギリスと対峙していました。

ナポレオン戦争の勝利以来、圧倒的海軍力を保持し、「光栄ある孤立」を保ってきたイギリスですが、アフリカでフランスと、アジアでロシアと同時に戦うという二正面作戦はできません。

そこでイギリスはアフリカでの利権確保を最優先し、アジアではロシアを牽制するために新たな同盟国を求めたのです。

となると、その相手は露仏同盟に脅かされているドイツになるはずでした。ソールズベリー首相は英独同盟の可能性を打診し、ドイツの駐英代理大使エッカルトシュタインもこれに乗り気でした。彼はロンドンで駐英日本公使の林董（はやしただす）に、英独日三国同盟を持ちかけています。

ところがドイツのヴィルヘルム二世はバルカン半島から中東へ進出する野望を持ち（三Ｂ政策）、イギリスに匹敵する大海軍の建造を開始していました。

三国干渉で露・仏と行動をともにしたのも、従弟のロシア皇帝ニコライ二世を日本にけしかけ、ロシアの注意を極東に向けさせることで、「ロシアの庭」であるバルカン半島をドイツの支配下に置こうとしていたからです。

こうしてドイツ皇帝によって英独日三国同盟案は却下され、ドイツが抜ける形で日英同盟案が浮上したのです。

この間、ロシア軍は反乱鎮圧後も満洲への増派を続けます。沿海州に加えて満洲も併合しようという意図の表れでした。

危機感を高めたイギリスは、南アフリカのボーア戦争に五〇万の大軍を派兵中で極東に派兵する余裕がありません。日本を味方につけて、ロシアの南下を食い止めることにしたのです。義和団事件で柴五郎に助けられた駐日公使マクドナルドが、仲介の労を取りました。

一九〇二年一月三〇日、ランズダウン外相は林公使を外務省に招き、正式に日英同盟が成立します。超大国イギリスをバックにつけて、日本はロシアと戦う準備を始めました。しかしドイツと組もうとしていたイギリスから見れば、日本は「より弱いパートナー」（バルフォア次期首相の言葉）でした。

日英同盟を対等な軍事同盟と考えると、歴史の真実を見失います。日本はイギリスの「将棋の歩」になったのです。敵（ロシア）を攻める道具にはなるが、たとえ失っても痛くない、程度の存在です。

そもそも日英同盟には「イギリスが日本を助ける」とは書いてありません。

第一条　……大ブリテン国にとりては主として清国に関し、また日本国にとりてはその清国に有する利益に加うるに、韓国において政治上ならびに商業上および工業上格段に利益を有するをもって、……別国の侵略的行動により……侵迫せられたる場合には、両締結国いずれも該利益を擁護するため、必要欠くべからざる措置を取りうべきことを承認す。

第二条　もし日本国または大ブリテン国の一方が、……列国と戦端を開くに至りたる時は、他の一方の締結国は厳正中立を守り、あわせてその同盟国に対して他国が交戦に加わるを防ぐことに務むべし。

第三条　上記の場合において、もし他の一国または数カ国が該同盟国に対して交戦に加わる時は、他の締結国は来たりて来援を与え、共同戦闘に当たるべし。講和もまた該同盟国と相互合意の上においてこれをなすべし。

（「第一次日英同盟協約」著者が現代仮名遣いに変更）

第一条は、ロシアの侵略により日・英両国の利権が脅かされた場合には、両国がそれぞれ軍事行動に出ること。第二条は、日本がロシアと交戦中にイギリスは参戦ではなく好意的中立を守り、フランスの参戦を阻止すること。第三条は、フランスがロシア側に立って参戦する場合、イギリスも日本側に立って参戦することを定めています。

もし英・仏両国が参戦すれば、日英同盟vs露仏同盟の全面戦争となり、日露戦争は名実ともに「第0次世界大戦」となってしまいます。戦場はアフリカや東南アジアに拡大し、どちらが勝つにしても両陣営とも疲弊し、戦後の世界で覇権を握るのはドイツになるでしょう。

イギリスにとってこれは最悪のシナリオです。ですからイギリスは、日英同盟の成立直後から、フランスに対して参戦阻止の裏工作を開始しました。

この裏工作が実り、日露開戦直後に英仏協商が成立しました。イギリスのエジプト支配、フランスのモロッコ支配を相互承認し、両国は長きにわたる対立を解消したのです。

「協商」(Entente〔アンタント〕)とは植民地の分割に関する合意のことです。軍事同盟を意味するAlliance〔アライアンス〕とは区別します。

日本はイギリスの援軍を期待できず、単独でロシアと戦うことを余儀なくされました。軍事力の差を考えれば勝算はありませんでしたが、座して死を待つよりは、という悲壮な覚悟でした。フランス資本により急ピッチで進むシベリア鉄道建設は、バイカル湖周辺を残してほぼ完成していました。これが完成すると、ロシアは欧州方面から巨大な兵力を送り込んできます。

全線開通のタイムリミットは一九〇四年でした。その前に、満洲駐留のロシア軍に打撃を与え、少しでも日本に有利な条件のもとで、イギリスかアメリカに仲裁を求める、というのが桂太郎(かつら)首相と小村寿太郎外相の考えだったのです。

日露戦争の日本海海戦における勝利の条件

日露戦争は、朝鮮半島の争奪戦です。大韓帝国は事実上ロシアの保護下に置かれ、ロシア軍の駐留が始まっていました。日本の独立を脅かすロシア軍を、朝鮮半島と遼東半島、できれば満洲から駆逐するのが日本の戦争目的です。

逆にロシアから見れば、南下政策の障害になってきた日本を排除し、太平洋方面への自由なアクセスを得ることが戦争目的でした。

よって主戦場は朝鮮半島と遼東半島であり、ここに最大兵力を送り込まなければなりません。ロシアと朝鮮は地続きですが、日本と朝鮮との間には海が横たわっています。先に制海権を握らなければ、日本軍の輸送中にロシア海軍から攻撃を受けます。ロシア海軍の基地はどこか。旅順の太平洋艦隊司令部です。

一九〇四年二月六日、小村外相はロシアのローゼン駐日公使を外務省に呼び、朝鮮からの撤兵を求める最後通告を行いました。ロシアがこれを拒否したため、両国は戦争状態に突入します。

二月八日、日本海軍の旅順・仁川攻撃で日露戦争は幕を開けました。正式な宣戦布告は二月一〇日ですが、最後通告で戦争状態になるというのが戦時国際法です。このことは日清戦争でも説明しました。

のちに第二次世界大戦末期に米・英・ソ(露)が結んだヤルタ協定で、日露戦争のことを「一九〇四年の日本による背信的攻撃」と非難していますが、実際にはきちんと開戦手続きを踏んでおり、非難されるいわれはありません。

ロシア帝国海軍は、三つの艦隊を有していました。

①旅順の太平洋艦隊
②クリミアの黒海艦隊
③ペテルブルクのバルチック艦隊

このうち二つが合流すれば、日本海軍は敗北します。

しかし黒海艦隊は、ボスポラス海峡を通って地中海に出ることが国際条約で禁じられ、出撃できません。そこで旅順艦隊支援のため、バルチック艦隊が出港しました。スエズ運河を通れば近道ですが、運河の幅が狭くて大型艦船は通れません。アフリカ最南端の喜望峰を回り、同盟国フランスの植民地マダガスカルに寄港したところで、旅順陥落の報を受けます。

乃木希典（のぎまれすけ）大将が率いる日本陸軍第三軍は、大連から上陸して遼東半島の突端にある旅順を攻撃していました。四カ月の時間と四万人以上の犠牲者を出して、一九〇五年の元日に旅順港を見下ろす二〇三高地を攻略、これが勝敗を決しました。

東京湾防衛のため設置していた巨大な大砲（二八センチ榴弾砲）を遼東半島に運び、旅順港に立てこもるロシア太平洋艦隊に向けて、砲弾の雨を降らせたのです。同艦隊は壊滅し、旅順のロシア軍は降伏しました。

「日本軍との決戦を避け、ウラジオストクに入港せよ」とのニコライ二世の命令を受けたバルチック艦隊はマダガスカルを出港し、インド洋を抜けてマラッカ海峡に入りました。ここではイギリス領シンガポールの目の前を通らなければなりません。バルチック艦隊の動向はイギリス軍に筒抜けでした。イギリスが入手した情報は、その都度、東京に打電されました。

バルチック艦隊がウラジオストクに向かうためには対馬海峡、津軽海峡、宗谷（そうや）海峡のいずれかを通る必要があります。日本側は連合艦隊を三つに分ける余裕はありません。

「遠洋航海に疲れた敵艦隊は、最短距離を通るはずだ！」

東郷平八郎連合艦隊司令長官は対馬海峡ルートに絞って、網を張っていました。予想は的中しました。

連合艦隊は敵艦隊の進路を阻むため「丁（てい）」字形の隊列を組むという大胆な作戦で、バルチック艦隊を撃滅しました。しかも日本側の損失は軽微で、世界の海戦史上にも例のない圧倒的勝利でした。

イギリス製の最新鋭艦を揃えた日本の連合艦隊の平均速力は一五ノット。バルチック艦隊の平均速力は一〇ノットで、運航能力に大きな差がありました。

大砲に関しても、連合艦隊主力砲はすべて水圧式。中口径以下の砲では油圧式が採用されていました。対してバルチック艦隊の主力砲は手動式で、動かしにくく、スピードと精度に難がありました。

発明されたばかりの下瀬（しもせ）火薬と伊集院（いじゅういん）信管も威力を発揮しました。従来の火薬の成分ピクリン酸は反応が鋭敏で、砲弾に装填すると弾体の鋼鉄と反応して爆発する危険性がありました。下瀬火薬は、弾体の内側に日本特産の漆（うるし）を塗ることで暴発を防ぎ、安全に運べるようになったのです。

また、伊集院信管はきわめて反応がよく、敵艦の甲板上に張られたロープに触れただけで爆発しました。下瀬火薬は甲板上で爆発しても威力がありますから、船体を破壊し、あらゆる可燃物を燃え上がらせました。

日本海軍の技術力は当時、世界最高峰といわれたイギリス海軍に匹敵するほどに達していたのです。

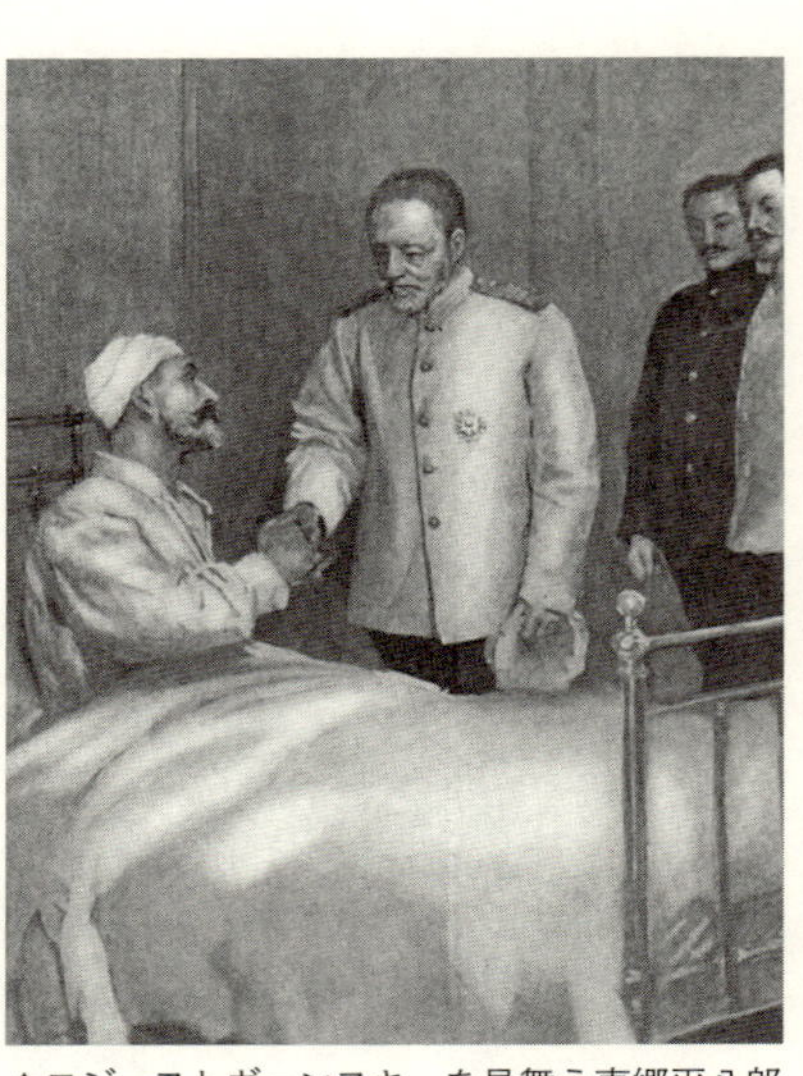
▲ロジェストヴェンスキーを見舞う東郷平八郎

四〇隻の大艦隊と多くの将兵を一日で失い、油まみれの海に救命ボートで漂っていたバルチック艦隊司令官のロジェストヴェンスキーは日本軍に救助され、佐世保の海軍病院で治療を受けました。その病床を東郷平八郎司令長官が見舞い、失意の敵将に声をかけます。

「勝敗は軍人の常。重要なのはわれわれ軍人が、その義務を果たしたかどうかです。今回の海戦で、閣下の将兵が勇戦されたことを、私は賞賛します」

ロジェストヴェンスキーは生涯、東郷を尊敬していたといいます。武士道精神がまだ残っていた時代でした。

日本海海戦（対馬沖の戦い）でロシアは完全に制海権を失いました。日本軍は続々と満洲へ送り込まれ、奉天会戦でロシア陸軍にも圧勝します。

ロシア帝国は皇帝独裁体制で、議会もありません。圧政に苦しむ一般ロシア人にも国を守ろうという気概がありませんでした。国民の半分が異民族です。ポーランド、フィンランド、ウクライナ、中央アジアのイスラム教徒など、ロマノフ王朝に対して忠誠心のかけらもない人々が動員されたのです。

兵士や武器、弾薬、食料は鉄道で送りましたが、シベリア鉄道は開通したばかりでまだ単線でしたから、人員・物資の移送は滞りがちでした。補給が満足に届かなくては戦えません。日本はロシア帝国内の革命運動や少数民族の独立をあおりました。日本陸軍の工作員・明石(あかし)元二郎(もとじろう)大佐が莫大な機密費を使って、少数民族や革命家に資金をばらまきました。この結果、満洲のロシア軍に配属された少数民族は、次々に日本軍に投降します。フィンランドは日露戦争を機に独立を達成しました。

旅順陥落の直後、首都のペテルブルクで反戦デモ隊に軍が発砲した血の日曜日事件をきっかけにロシア国内でも革命運動に火がつき、戦争続行が困難になりました。ニコライ皇帝は側近のウィッテ伯爵の進言を受け入れ、憲法の制定と国会の開設に同意します(十月宣言)。日露戦争は、ロシアの歴史にも重大な影響を与えたのです。

日本の軍事力と財政力も限界に達していました。日本は有利なうちに講和に持ち込みたい。金子堅太郎が渡米し、ハーバード大学の同級生だったセオドア・ローズヴェルト大統領に日露戦争の仲裁を依頼し、快諾を得ます。セオドア・ローズヴェルトは武士道に精通し、東郷元帥の訓示を英訳して米海軍の将兵に配布したほどの日本通でした。

ギリギリの交渉だったポーツマス条約と小村寿太郎

外務大臣・小村寿太郎は、日向（宮崎県）の飫肥藩という小藩の藩士出身です。体が小さく病弱でしたが、ずば抜けた記憶力を藩校で認められ、長崎の致遠館（大隈重信が設立にかかわった英語学校）、東京の大学南校（幕府の蕃書調所の後身、のちの東大法学部）に進み、文部省初の海外留学生に選ばれて米国ハーバード大学に留学します。

英語力を買われて外務省に入りますが、上司を批判して閑職に追いやられ、事業に失敗した父の借金も抱え込んで、鬱々とした困窮の日々を送ります。

小村の才能を惜しんだ陸奥宗光外相は、小村を駐韓弁理（代理）公使に抜擢し、閔妃暗殺事件で解任された三浦梧楼の後任としてソウルに送り込みます。

ここから小村の外交官としての才能が開花し、外務次官・駐米公使・駐露公使を経て、駐清公使として北京に派遣され、義和団事件が起こると全権公使として事後処理にあたります。

清朝の実力者・李鴻章は体格がよく、皮肉屋でした。身長一五六センチメートルの小村との初対面で、こう尋ねます。

「日本人は、みな閣下のように小柄でいらっしゃるのですか？」

「わが国にも閣下のような大男はいますが『大男、総身に知恵が回りかね』と言われ、大きな仕事は任されません」と、小村は切り返しました。

日露戦争の直前に桂太郎内閣の外務大臣となった小村は、ロシアとの協調を探る元老の伊藤博文らの反対を抑えて日英同盟を締結します。

一九〇五年、米国東海岸ボストン近郊のポーツマス海軍工廠（こうしょう）で、日露戦争の講和会議が開催されました。日本側全権は小村寿太郎外相、ロシア側の全権はセルゲイ・ウィッテ首相です。

ポーツマス会議で一番もめたのは、領土問題と賠償問題でした。小村は戦勝国として当然の権利である賠償金の請求と、明治初年の樺太千島交換条約でロシア領とされた樺太の割譲を求めました。ところがウィッテは敗戦国であることさえ認めず、賠償支払いも樺太割譲も拒否。会議決裂の場合、戦争を再開すると脅します。ローズヴェルトが仲介し、小村は賠償請求を撤回、樺太は折半することを受け入れました。ポーツマス条約の調印です。

(1) ロシアは、韓国における日本の優越権を認める。
(2) ロシアは、樺太の南半分（北緯五〇度以南）を日本に割譲する。
(3) ロシアは、遼東半島南端（旅順、大連）の租借（そしゃく）権を日本に割譲する。
(4) ロシアは、南満洲鉄道（長春〜旅順）の租借権を日本に割譲する。

小村の妥協はやむを得ないものでした。ロシア軍の大半はヨーロッパにいます。満洲に来ている兵士は一割くらいでした。日本は満洲のロシア軍と戦って勝っただけで、ロシア軍には十分すぎる余力があったのです。

ロシア国内の革命も、国会開設を約束したニコライ二世の勅令で終息に向かっていました。これ以上戦争が長引けば、日本の勝機は失われる。ポーツマスの小村は、ギリギリの交渉をしたのです。

しかしセンセーショナルな新聞にあおられた日本世論の戦勝気分は、このような外交上の駆け引きを理解しません。東大法学部の教授らが連名で政府に書簡を送り、「露都ペテルブルクまで進軍せよ！」とあおっていたのです。

賠償金なし、得たのは遼東半島と南樺太だけ、というポーツマス条約の結果に、日本国民は怒りを爆発させます。帰国した小村は新橋駅で群衆から罵倒され、桂首相・山本権兵衛海相に両脇を抱えられて警護されます。東京・日比谷公園では講和反対の集会が暴動に発展し（日比谷焼打事件）、小村邸は群衆に囲まれて投石され、脅迫状も送られてきたため、妻とは別居を余儀なくされました。

世論が暴走して外交交渉が困難になるという構図は、のちの昭和の戦争でも繰り返されます。

東京では散々な目にあった小村ですが、故郷の宮崎に戻ったときは英雄として大歓迎されました。宮崎中学（現在の宮崎大宮高校）で講演した小村は、「諸君は正直であれ。正直ということは何より大切である」の一言でスピーチを終え、全校生徒・教職員をあ然とさせます。陸奥宗光は日清戦争前後の外交交渉を『蹇蹇録』にまとめましたが、小村は日露戦争前後の交渉に関して一切を語らず、世を去りました。

ともあれ、ロシアの南下は止まり、日本の戦争目的は達せられました。

その後、ロシアと日本の間では数次にわたる日露協約を結んで、南満洲を日本の勢力圏としました。イギリスは日本を対等な同盟国と認め、関税自主権の回復に応じました。

大韓帝国からロシア軍を排除した日本は、親日派政権を樹立して保護条約を結び、保護国としました（一九〇五）。韓国政府の合意のもとで日本軍が駐留し、外交も日本が主導します。このように名目的には独立国でも、外国に軍事・外交を握られた国を「保護国」と呼びます。アメリカはキューバを、フランスはベトナムを保護国にしていました。

日本は伊藤博文を初代の韓国統監として送り込み、内政にも大きく干渉しました。解散を命じられた韓国軍兵士の間で日本の支配に抵抗しようという義兵闘争が広がります。ロシアとの交渉に満洲のハルビン駅に赴いた前統監の伊藤博文は、義兵のリーダー安重根（あんじゅうこん）によって射殺されました。

伊藤の暗殺についてはロシアによる謀略説もあります。安重根は駅に整列したロシア兵の後ろからしゃがんだ姿勢で拳銃を撃っていますが、伊藤の検死結果では、銃弾は肩から腹部へ貫通しています。二階から撃たれているのです。ロシアによる謀略説、日本政府内の併合推進派による謀略説等、諸説ありますが、この問題には深入りしません。いずれにせよ、ハルビン駅頭で安重根が伊藤に向かって拳銃を発射したことは確かです。

韓国併合の国際的な合法性とは?

伊藤暗殺で態度を硬化させた日本政府は、一九一〇年、韓国併合条約を結んで韓国政府を廃止し、大日本帝国に併合して朝鮮総督府を置きました。

伊藤博文は韓国で「韓国併合の元凶」とみなされていますが、これは誤解です。伊藤博文は日本政府内の穏健派の代表格で、日露戦争にも反対でした。

韓国統監となっても、「いずれ韓国は独立させる。しばらくは日本が預かって近代化の方向性だけ示して手を引こう」と考えていました。そのことを示す伊藤の書簡も見つかっています。その伊藤を、安重根は暗殺したのです。

安重根についても誤解があります。彼が書いた獄中記には「日本が日露戦争を戦ったことは快挙である。史上はじめてアジア人が白人国家に立ち向かって大勝利を収めた。韓国人も清国人も、みな日本を応援していた。まさにアジアは団結してロシアに対抗したのである」とあります。

安重根のように、アジアが連帯して白人に対抗する思想を「大アジア主義」と呼びます。日本でも、犬養毅、内田良平らが大アジア主義者でした。ところが日本がやったことは韓国を保護国とし、実質的に支配することでした。

安重根は「兄弟と思っていたのに、なぜ支配しようとするのか。裏切られた」と考えました。その黒幕が伊藤博文だと思い込んでいたのです。

まことに皮肉なことでした。

韓国併合について当時、国際的にどのように見られていたか。伊藤が統監だったときに起こった「ハーグ密使事件」を見ればわかります。

韓国の皇帝・高宗が日本による保護国化を嫌がり、国際世論に訴えようとした事件です。国連がまだなかった時代、世界各国の代表が集まる会議としてオランダのハーグで国際法を制定する「第二回万国平和会議」が開かれていました。その第二回会議に高宗は三人の密使を送り込み、日本の侵略を訴えました。これを「ハーグ密使事件」といいます。

三人の密使の訴えは、列強にことごとく無視されました。保護条約は韓国政府が合意したものですから国際法上、合法であるとされたのです。

実は、どの国も日本と同じことをしていたからです。米国はキューバやフィリピンで、フランスはベトナムで、イギリスはインドやビルマで植民地支配を強めていました。

力だけが正義であり、力なき民族は植民地や保護国に転落する、という過酷な時代だったのです。日本はその過酷な生存競争に勝利し、支配する側に立ったのです。韓国にはその力がなく、ロシアか日本、いずれかの支配下に入るしかなかった。

これが日露戦争の意味でした。

大正デモクラシーは平和をもたらしたのか

大日本帝国憲法では、天皇が首相以下の大臣を任命し、帝国議会には首相を選出する権限がありません。それでは天皇は何を基準に首相を任命したのか？　伊藤博文、山縣有朋ら、明治維新の功労者たち——元老のアドバイスにしたがったのです。この「元老」というのも憲法に規定がありませんが、実質的に最高権力を握っていたのが彼らでした。

伊藤博文の暗殺と前後して、日本国内では明治維新を指導した元老たちが次々に世を去り、薩長藩閥政治は事実上、終わりました。最後の元老・西園寺公望（さいおんじきんもち）は、フランス留学が長かった自由主義者で、伊藤博文から立憲政友会を引き継ぎ、「解釈改憲」によって日本にも西欧型の民主主義（デモクラシー）を根付かせようと模索します。明治末期は、立憲政友会の西園寺と、長州閥の桂太郎が交互に内閣を組織しました（桂園（けいえん）時代）。

日露戦争の勝利を見届けて明治天皇が崩御し、一つの時代が終わりました。「大正」と改元された新しい時代は、第一次世界大戦、ロシア革命という世界史的な激動の時代とともに始まります。義務教育の普及により一般国民の政治意識も高まりました。東大の政治学者・吉野作造は、天皇主権の帝国憲法のもとでもデモクラシー（民本主義）は可能であると論じました。西園寺から立憲政友会を引き継いだ尾崎行雄は、第三次桂太郎内閣の議会軽視に対し、衆議院で糾弾演説を行います。

「彼ら（藩閥）は、常に玉座（天皇大権）の蔭に隠れて政敵を狙撃するがごとき挙動を取っているのである。彼らは玉座をもって胸壁となし、詔勅をもって弾丸に代えて政敵を倒さんとするものではないか」

桂首相が議会を停止すると、護憲派は上野公園で桂内閣の糾弾集会を開き、数万人の群衆が国会議事堂を包囲、大正天皇の信任も失った桂内閣は、退陣に追い込まれました（大正政変、一九一三）。

軍人の山本権兵衛が組閣し、政友会の入閣により混乱収拾を図りましたが、今度は疑獄事件（シーメンス事件）の発覚により山本も総辞職に追い込まれます。元老・西園寺は野党指導者の大隈重信に組閣させます。この第二次大隈内閣が、第一次世界大戦に参戦することになります（次章参照）。

一九二四年には、貴族院を基盤とする清浦内閣を退陣させた第二次護憲運動の結果、憲政会の加藤高明が組閣しました。二度の護憲運動の結果、大日本帝国憲法のままで、衆議院選挙で勝利した与党の党首が首相に選ばれる慣例――「憲政の常道」とか「大正デモクラシー」とか呼ばれたシステムが採用されたのです。

大正時代には、選挙権における財産制限を撤廃する普通選挙制度も実現しました。はじめて国民世論が政治を動かす時代となったわけですが、それが必ずしも平和に結びつかなかったことは、やがて明らかになるでしょう。

第10章

第一次世界大戦と国際連盟体制

第一次世界大戦の功罪

日露戦争は「日英同盟」vs「露仏同盟」の構図でしたが、イギリスの秘密外交によって英仏協商が結ばれ、世界大戦に拡大することを回避できました。

ポーツマス条約によって極東におけるロシアの南下が止まり、日・露間では満洲を二分する日露協約（「協商」と同じ意味で、勢力圏分割協定）が成立します。中央アジアでも英露協商が成立し、イランの分割が密約されました。

これらの協商の成立によって日英同盟vs露仏同盟の対立構造が解消し、日・英・露・仏の協商国がドイツ率いる三国同盟を包囲する体制へと移行したのです。

これが、第一次世界大戦の構図です。

ビスマルク以来の、列強が軍事同盟を張り巡らせて平和を維持するシステム（集団的自衛権）が世界を二大陣営に分かち、戦争の連鎖反応を引き起こしたのが第一次世界大戦でした。戦車や潜水艦、飛行機、毒ガスが大量破壊兵器として使用され、一般市民を巻き込んで約三七〇〇万人の犠牲者を出しました。

この反省から、人類はまったく新たな平和維持機構――集団安全保障というシステム――を構築しました。それが国際連盟です。日本も戦勝国として四大国からなる常任理事国に選ばれました。史上初の軍縮条約も結ばれ、戦争を非合法化する不戦条約も結ばれました。にもかかわらず、世界恐慌を契機として国際連盟はあっけなく崩壊し、世界は第二次世界大戦へと突入しました。国際連盟破壊の先頭を切ったのが、ほかならぬ日本であり、ドイツ・イタリアがそれに続きました。

いったいどこに問題があったのか。ほかに選択肢はなかったのか。何を教訓とすべきなのか。本章ではこの問題を検証してみたいと思います。

モロッコ事件とバルカン危機

ヴィルヘルム二世の「世界政策」に従って軍拡を続けるドイツと、インドやエジプトの既得権益を守りたいイギリスとの軍事衝突は、もはや時間の問題でした。日露戦争に敗北したロシアは、再びバルカンから地中海へ南下しようとし、ドイツとの対立が再燃していました。その意味では第一次世界大戦は避けられぬ運命でした。しかし実際の戦争は、ドイツが予想したのよりずっと早く始まってしまいました。いわば準備不足のまま、ドイツは戦争に巻き込まれたのです。

ドイツの準備不足は、モロッコ事件で明らかになりました。

モロッコは地中海の出口に当たる戦略上の要衝で、イギリスとフランスが食指を動かしていました。英仏協商でイギリスが譲歩した結果、アルジェリア方面からフランス軍がモロッコに侵攻します。

ドイツ皇帝ヴィルヘルム二世は、自ら軍艦に乗り込んでモロッコを訪問し、フランス軍の撤退を求めました（一九〇五）。モロッコ西部のアガディール港では、街を占領したフランス陸軍とドイツ軍艦が大砲を向け合って、一触即発の状態になりました。このときイギリスが、フランス支援をはっきりと表明したため、ヴィルヘルム二世はドイツ軍艦の撤収を命じました（一九一一）。対英戦争の準備がまだ整っていなかったのです。

少数民族が入り乱れ、「ヨーロッパの火薬庫」と呼ばれたバルカン半島では、オーストリア帝国とスラブ系の小国セルビアとの対立が一触即発の情勢になっていました。

一九〇八年、オーストリアはボスニア・ヘルツェゴビナを併合します。ボスニア住民の半分はセルビア人でしたから、セルビアにとっては間接侵略を受けたも同然でした。セルビアはロシア帝国に支援を求め、バルカン四カ国でバルカン同盟を結成します（一九一二）。バルカン同盟はロシアの尖兵としてオスマン帝国を攻撃し（バルカン戦争）、オーストリアに対する防波堤の役割を期待されました。

一九一四年六月二八日、オーストリア帝国（ハプスブルク家）の皇位継承者フランツ大公・同妃夫妻が、ボスニアの首都サラエボを訪問。歓迎行事を終えてオープンカーで駅に戻る途中、二〇歳のセルビア人民族主義者プリンツィプにピストルで射殺されました。安重根による伊藤博文暗殺の五年後です。

プリンツィプは逮捕されましたが、仲間のテロリストはセルビアへ逃亡します。オーストリア政府はセルビアに一カ月の猶予を与えて、犯人グループの引き渡しを要求、応じない場合は開戦するという最後通牒を送ります。

セルビアから見れば、犯人グループは民族の英雄ですから引き渡しを拒否します。一カ月後、オーストリア・セルビア戦争が始まり、前者をドイツ、後者をロシア・フランスが支援して参戦したため、第一次世界大戦が勃発したのです。

仁義なき秘密外交が第一次世界大戦の雌雄を決した

ドイツ陸軍参謀本部は、参謀総長シュリーフェンの作戦計画を採用しました（シュリーフェン計画、一九〇五）。

⑴　仏・露との二正面作戦を回避し、先にフランスを全力で叩く。
⑵　対仏戦争を早期に終わらせるため、抵抗が予想される独・仏国境を回避し、中立国ベルギーを経由して、六週間でパリを攻略する。

⑶　全軍を東に向け、ロシアに勝利する。
⑷　イギリスには参戦の隙を与えない。

考え抜かれた作戦でしたが、立案者のシュリーフェンが開戦の前年に死去し、後継者の小モルトケ（ビルマルクに仕えた大モルトケの甥）は神経質で、軍全体の指揮を執るにはあまりにも優柔不断でした。

当初は作戦通りベルギーを突破してフランスに侵攻したドイツ軍でしたが、東方からロシア軍が迫ると、首都ベルリンの防衛に不安を感じた小モルトケは、西部戦線（フランス戦線）のドイツ軍の一部を呼び戻して東部戦線（ロシア戦線）に振り向けました。シュリーフェンが禁じ手とした「二正面作戦」を始めてしまったのです。

西部戦線では戦力を削がれたドイツ軍の進度が鈍り、フランス軍にパリ防衛の時間的猶予を与えました。

これを見たイギリスがフランス側に立って参戦します。英・仏間に軍事同盟はないので、「ドイツ軍によるベルギーの中立侵犯」を罰するという理由をつけましたが、本当の目的は広大な植民地をドイツ軍から守るためです。

六週間どころか半年経ってもパリが陥落しないことに苛立つヴィルヘルム二世は、三国同盟の一員であるイタリアに参戦を促します。

イタリアは参戦しました。しかしイタリア軍が攻撃したのはフランスではなく、同じ三国同盟のオーストリアでした。すでにイギリスがイタリアと密約を交わし、三国同盟脱退と連合国（協商国）側に寝返ることを条件に、オーストリアとの係争地である「未回収のイタリア」の奪回を認めていたのです。

イギリスの秘密外交は中東でその威力を発揮しました。

ロシアが支援するバルカン同盟に敗れたオスマン帝国（トルコ）は、ドイツの支援を期待して同盟国側に立って参戦しました。イギリスから見れば、オスマン帝国は敵側に立ったわけです。イギリスは、オスマン帝国領のアラブ人の指導者フサインに戦後の独立を約束し、オスマン帝国に対する反乱を起こさせます（フサイン・マクマホン協定）。しかしアラブ人にはまともな武器もなく、近代戦の経験もありません。そこで英陸軍の工作員トマス・ロレンス大佐（アラビアのロレンス）がアラブ人の扮装で指揮をとり、イギリス製の武器で戦ったのです。

ロシアの首都ペトログラードでは、イギリス外交官マーク・サイクスと、フランス外交官ジョルジュ・ピコがニコライ二世と接触。アラブ人地域を三国で分割するという密約（サイクス・ピコ協定）を結びました。ロレンスが率いるアラブ軍がメッカから北上してシリアに入ると、そこにはフランス軍が展開していて北上を阻止されたのです。

飛行機・戦車など最新の近代兵器が投入された第一次世界大戦は、工業力が勝敗を分ける総

オスマン帝国の分割

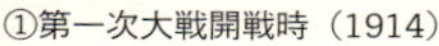
①第一次大戦開戦時（1914）

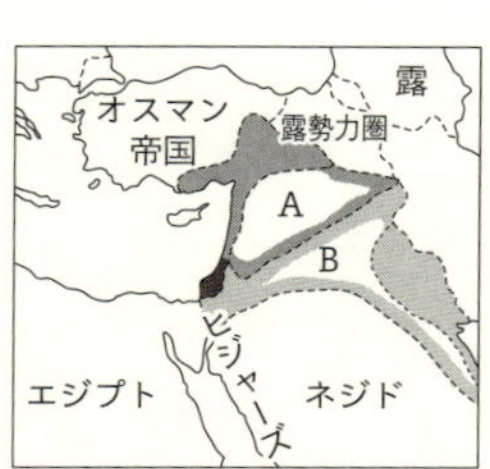

②サイクス・ピコ協定（1916）

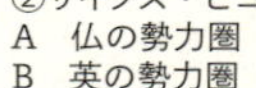
A　仏の勢力圏
B　英の勢力圏
仏の統治
英の統治
国際管理

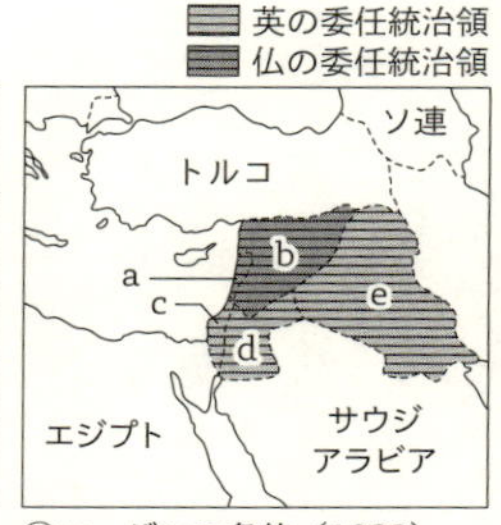

③ローザンヌ条約（1923）
a　レバノン
b　シリア
c　パレスチナ
d　トランスヨルダン
e　イラク

力戦となりました。これに要する戦費は莫大なものとなり、増税ではまかないきれませんから、戦時国債の発行が不可欠でした。

イギリス外相バルフォアは、パレスチナに祖国建設をめざすユダヤ人の組織、英国シオニスト連盟会長であるウォルター・ロスチャイルドに書簡を送り、イギリス政府を代表してユダヤ人の「民族的故郷」建設を歓迎すると約束します（バルフォア宣言）。この結果、欧州で長く迫害されてきたユダヤ人のパレスチナ移住が始まり、アラブ人との紛争を引き起こすことになりました。ロスチャイルド家は欧州最大の金融資本家で、イギリス国債の最大の引受人でした。

こうしてイギリスの二重、三重の秘密外交によってオスマン帝国は解体され、フランス保護下のアラブ人地域（シリアとレバノン）、イギリス保護下のアラブ人地域（イラクとヨルダン）、ユダヤ人地域（パレスチナ）に分断されたのです。

オスマン帝国の崩壊は同盟国側の敗因の一つとなったのみならず、その後の中東の不安定化の原因を作り出しました。現在、中東で起こっている紛争の多く——パレスチナ紛争、シリア内戦、クルド問題——は、この時恣意(しい)的に引かれた国境線上で起こっています。

かつてアヘン戦争を指導したイギリス外相パーマストンはいいました。

「永遠の友も、永遠の敵もない。あるのは永遠の利益(インタレスト)だけだ」

これがイギリス外交の真髄であり、日英同盟の先行きを暗示しています。

日本が「欧州大戦」に参戦したのはなぜか？

第一次世界大戦は日本では「欧州大戦」と呼ばれました。直接の利害関係を持たない日本には、中立を維持して様子見をするという選択肢もありました。介入するとなれば、日英同盟を理由に連合国側に立ち、ドイツと開戦することになります。

三国干渉のあと、ドイツは青島(チンタオ)に面する膠州湾を租借し、山東省を勢力圏としていました。中部太平洋では、マーシャル諸島・カロリン諸島などにドイツが植民地を建設していました。ドイツ軍はこのとき欧州戦線に釘付けになっていますから、アジア太平洋のドイツ軍の守りは手薄になっています。これを排除することは、日露戦争に比べてはるかに容易な作戦でした。

三国干渉の屈辱は、日本人のナショナリズムに火をつけました。日露戦争の圧倒的勝利も期待外れのポーツマス条約に終わってしまい、鬱屈した世論は「はけ口」を求めていました。藩閥政府に反対する護憲運動を支えた世論は、同時に国威発揚を求めていたのです。

大正デモクラシーの落とし子である大隈重信内閣（加藤高明外相）は、この世論に応えました。日英同盟を理由に対ドイツ宣戦布告を行い、日本軍は膠州湾と太平洋上のドイツ軍基地を攻撃、たちまち制圧したのです。

これらの軍事作戦は国際法の手続きに従っていました。捕虜となったドイツ兵約五〇〇〇名は日本各地の捕虜収容所に送られました。

捕虜に対する人道的な扱いについては、ハーグ陸戦条約（一八九九）で明確に規定されています。日本軍は、日露戦争のロシア人捕虜からこれを適用し、今回のドイツ人捕虜に対しても、国際赤十字の協力を得てその待遇に気を使いました。当初は準備不足から捕虜の脱走事件も起こりましたが、次第に環境は整備されていき、収容所内の菜園の管理、酒屋やパン屋の経営、スポーツチームの結成、音楽・演

▲マルタ島バレッタ港の大日本帝国海軍艦船

劇など文化活動も許されました。

徳島県鳴門市の板東俘虜収容所では、ドイツ人捕虜の音楽隊によりベートーヴェンの交響曲第九番第四楽章「歓喜の歌」が日本で初演されました。

大戦終結で捕虜は本国に戻りましたが、日本に残った一七〇名はドイツの食文化を日本に伝えました。その中にはお菓子のバームクーヘンを伝えたユーハイムや、日本でロースハムを開発したローマイヤーがいます。


欧州ではドイツ・オーストリア海軍の潜水艦による連合国商船への無差別攻撃が深刻な被害を出していました。もちろんこれは国際法違反です。

商船護衛への協力を求めるイギリスの要請を受け、日本海軍は特務艦隊を派遣します。地中海に配備された第二特務艦隊は英領マルタ島（現在のマルタ共和国）と英領エジプトを結ぶ航路の防衛のため、巡洋艦「明石」以下、駆逐艦数隻を派遣しました。この艦隊は独・墺海軍と三四回の戦闘を行い、連合軍七五万人を運びました。一九一七年にはクレタ島沖で駆逐艦「榊（さかき）」がオーストリア潜水艦の魚雷攻撃を受け、五九人が戦死しています。マルタ島には、日本人戦没者の墓地があります。

日本の国際貢献には英国海軍大臣チャーチルも感謝状を出し、第一次世界大戦後の日本の国際的地位の向上に大きく寄与しました。

金融資本の都合とロシア革命

一九一七年、ロシア革命でロマノフ帝政が崩壊、ニコライ二世が拘束され、露仏同盟が消滅しました。ドイツはそれまでの仏・露との二正面作戦から解放され、反転攻勢に出ます。同年四月、アメリカが連合国側に立って参戦します。

地理的にヨーロッパから遠いアメリカは、伝統的にヨーロッパの問題には巻き込まれたくないという孤立主義（モンロー主義）を維持してきました。

その一方で、ヨーロッパへの軍需物資の輸出でアメリカ経済は活況を呈し、ニューヨークの金融資本は連合国の発行した戦時国債を大量に買い付けていました。もちろん、連合国側が勝利すると見込んだからですが、ロシア革命の発生がこの楽観論に冷水を浴びせたのです。

「万が一、ドイツが勝利することがあれば、連合国の国債は紙屑になる……」

財界の意向を受けたウィルソン大統領は、参戦を決意します。これは一〇〇年続いた国策の大転換ですから、国民の同意が必要です。

「銀行が貸した金が返ってこないと困るから参戦する。若者は死んでこい」

では、国民は納得しません。そこでウイルソン大統領は、

「ドイツ潜水艦が国際法違反の民間人攻撃をしている。これを止めるためだ」と訴えたのです。世界最大の工業国になっていたアメリカの参戦で、戦況は大きく「連合国側有利」に傾きました。ロシア革命の影響はドイツ国内にも及び、ベルリンでは共産主義者（スパルタクス団）が勢力を拡大していました。

身の危険を感じたドイツ皇帝ヴィルヘルム二世はオランダに亡命、ビスマルクが樹立した第二帝政が崩壊しました。臨時政府は休戦協定に調印し、第一次世界大戦は連合国（英・仏・伊・日・米）の勝利で終結しました。

対等な日米交渉「石井・ランシング協定」の意義

アメリカ参戦の直後、日本は駐仏大使の石井菊次郎をワシントンへ派遣しました。石井はフランス語と英語に堪能な外交官で、米国の参戦に感謝するとともに、中国市場をめぐる日米対立を回避する任務を負っていたのです。

アメリカは三国干渉後の中国分割に乗り遅れ、国務長官ジョン・ヘイが中国の植民地化と勢力圏の設定に反対する門戸開放宣言を出したものの、各国はこれを黙殺しました。セオドア・ローズヴェルトが日露戦争を仲介したのも、ロシアが握っていた満洲の鉄道利権に未練があったからです。小村寿太郎がこれに反対し、実現しませんでした。

▲石井菊次郎

第一次世界大戦で日本軍は山東省のドイツ軍を駆逐し、大隈重信内閣はドイツ利権の継承を中華民国政府に要求しました。建国間もない中華民国は、北京の袁世凱軍閥政府と南京の孫文革命政府との内戦が続いており、日本は北京政府に借款を与える見返りとして、山東省の利権の継承を認めさせたのです。

これが「対華二十一カ条要求」です。

中華民国も連合国側に立って参戦しますが、山東省のドイツ軍に対して中国軍は何もせず、日本軍にお任せでした。「山東省のドイツ軍を駆逐してやったのだから、多少の利権はよこせ」という日本政府の言い分は正当です。

ただし調子に乗って、満洲の利権拡大も含めてあれもこれもと列挙し、おまけに「希望条項」として「北京政府への日本人顧問の採用」を追加したのは余計でした。のちに中華民国から「二十一カ条で日本は侵略の野望を明らかにした」と喧伝される材料を提供してしまったのです。

ワシントン入りした石井特使は、「日本は門戸開放に応じよ」とランシング国務長官に迫られました。満洲や山東省、福建省の勢力圏を撤廃しろ、という意味です。これに対して石井は答えました。

「門戸開放は日本も望むところです。しかし中国は日本の隣国であり、軍事的にも経済的にも日本の生存に関わるという特殊な利害関係があります。それはちょうどメキシコ以南の中南米が、貴国にとって特殊な利害関係を持っているのと同じです。この点を承認願えれば、門戸開放に応じましょう」

石井はウィルソン大統領とも会見し、この点についての理解を得ました。

この結果、結ばれた石井・ランシング協定（一九一七）では、

- 日本は、中国の門戸開放に応じる。
- アメリカは中国に対する日本の「特殊な利害関係（スペシャル・インタレスト）」を理解する。

という玉虫色の内容になりました。これはのちに米国内で野党の共和党から、「ウィルソンの弱腰外交」と非難されることになります。

いうべきことを主張する、というのは外交の鉄則ですが、それが通用するのは軍事力という担保を持つ国だけです。日露戦争に圧勝し、連合国の一員として国際貢献をしていた大日本帝国は、アメリカからも一目置かれる存在になっていたことがわかります。

石井菊次郎は国際連盟の日本代表としてジュネーヴの連盟本部に派遣され、ジュネーヴ海軍

軍縮会議の全権も務めました。退任後、外交官時代のメモをまとめて発表した『外交余録』（一九三〇）は、大正から昭和初期の日本外交を知るための一級史料です。米国および国際連盟（英・仏）との協調関係を維持しつつ、日本の国益を模索した石井は、世界恐慌後のナチス・ドイツの台頭を警戒し、陸軍と外務省の松岡洋右（ようすけ）が進めた日・独接近に断固反対しました。

しかしその声はかき消され、日独伊三国同盟の締結、日米開戦に至ります。

第二次世界大戦末期の一九四五年五月、東京山の手を襲った米軍の空襲で自宅が焼失し、石井夫妻は行方不明のままです。

共産主義の脅威が一変させた国際情勢

第一次世界大戦中の一九一七年三月、ロシアで再び革命が起こりました。首都のペトログラードで発生したデモとストライキが革命にまで発展、臨時政府が樹立し、皇帝ニコライ二世が退位したのです（三月革命、ロシア暦二月革命）。

同年一一月、レーニン率いるボリシェヴィキ（ロシア共産党）が武装蜂起し、臨時政府を倒してソヴィエト政権を樹立しました（十一月革命、ロシア暦十月革命）。

レーニン革命政権は露仏同盟を離脱してドイツ側と休戦する一方、各国共産党に世界革命を呼びかけました。不利になった連合国はアメリカの参戦を求めてドイツを倒したあと、革命政権打倒のためロシアへ攻め込みます。

この対ソ干渉戦争（一九一八〜二二）で英・仏軍はバルト海・黒海方面から上陸し、日本軍と米軍がウラジオストクからシベリアに攻め込みました。日本では、これを「シベリア出兵」と呼んでいます。

レーニンはパルチザンと呼ばれるゲリラ部隊を組織して、徹底抗戦します。沿海州のニコライエフスク（尼港）では、パルチザンが日本人居留民を虐殺する事件を起こしました。パルチザンは正規軍ではなく、戦時国際法に従いません。そもそもソヴィエト政権が非合法な交戦団体でしたから、この事件の責任はうやむやにされました。

この間、レーニンは各国共産党の連絡機関として、モスクワにコミンテルン（第三インターナショナル）を設置し、世界革命を指揮します。各国の社会主義者や労働組合がコミンテルンの影響下に入り、また共産党を組織しました。ドイツ共産党も中国共産党も日本共産党も、コミンテルンの支部として発足します。各国政府は、足元の革命運動の対処を迫られたのです。

結局、対ソ干渉戦争は失敗に終わりました。ロシアが広大すぎて、補給が続かなかったのです。結局、うやむやのうちに干渉軍は撤収し、革命政府はウクライナやベラルーシに支配領域を拡大して共産主義国家「ソヴィエト連邦」を組織しました（一九二二）。最後まで残った日本軍もこの年に撤兵します。

各国はソヴィエト連邦の国家承認に踏み切り、日本では第二次護憲運動で生まれた加藤高明内閣がソ連を承認します（日ソ基本条約、一九二五）。

加藤内閣は、国内では普通選挙法を成立させます。選挙権から財産制限を撤廃したのです。労働者の政党活動を認めて、合法的な政治運動に参加させるのが目的です。同時に、暴力革命を唱える日本共産党を弾圧するため、治安維持法を制定しました。当時の共産党は暴力革命のテロ組織でしたから、世界各国がこのような法律を制定しています。

世界初の集団安全保障体制「国際連盟」

「正義」を掲げて延々と殺し合うすさまじい宗教戦争を経験した西欧諸国は、ウェストファリア条約（一六四八）を結んで新しいルールを定めました。対等な主権国家がそれぞれ生存をかけて自衛権を発動するのが戦争であり、「よい戦争も、悪い戦争もない」という無差別戦争観が常識となったのです。

ところがアメリカだけは例外でした。聖書を絶対視するキリスト教原理主義者のピューリタンが建国したアメリカ合衆国は、「異教徒の野蛮人」である先住民（いわゆる「インディアン」）を駆逐する「聖戦」——西部開拓を繰り返すことで、あの巨大国家を建設したのです。

カリフォルニアを奪った対メキシコ戦争、フィリピンを奪ったスペインとの戦争でも、「民主主義を擁護する」というイデオロギーが掲げられました。

ウィルソン大統領は欧州大戦への参戦にあたり、このイデオロギーを持ち込んだのです。これは、「ドイツ軍国主義を打倒する正義の戦争である」と。

このウィルソンの理想主義が、国際連盟構想につながります。

そもそも、主権国家間の戦争に歯止めをかける方法として戦時国際法の制定を考えたのはグロティウス（『戦争と平和の法』）でした。主権国家の上に「国際法」を置こうという考え方です。

この考えを一歩進めて、主権国家の上に「国際機関」を置こうと考えたのがフランス革命期のカントでした（『永久平和論』）。欧州各国が民主主義を採用することによって欧州連合政府の設立が可能になるだろう、というカントの構想はウィーン会議で黙殺され、主権国家が軍事同盟を結ぶことで平和を維持するメッテルニヒの「勢力均衡論」が採用されたのです。

ビスマルク外交も基本的には「勢力均衡論」でした。しかし国際関係が欧州における領土問題に加え、植民地の利害関係も絡んで錯綜し、同盟関係だけで平和を保つのは困難な状況になっていました。ドイツ皇帝ヴィルヘルム一世はビスマルクの外交を評してこういっています。

「お前は馬に乗りながら五つのボールを操る曲芸をやっている」

曲芸をやる能力のないヴィルヘルム二世はビスマルクを失脚させ、イギリス・ロシアを敵に回しました。日露戦争を経て、世界は二大陣営――協商国と同盟国――に分裂し、「勢力均衡」のバランスがついに崩れて第一次世界大戦に突入したのです。

メッテルニヒ的、ビスマルク的な軍事同盟(集団的自衛権)では世界大戦を防げなかった。それではどうするのか?

新たな構想が具体化したのは、第一次世界大戦中のイギリスにおいてです。ケンブリッジ大学で古代ギリシア史を教えるディキンソン博士は、一九一四年の論文で「国際連盟 the League of Nations」という名の国際組織を提唱しました。女性作家ヴァージニア・ウルフの夫で社会主義者(労働党員)のレナード・ウルフらがこれに賛同し、国際連盟の構想を報告書にまとめます。

しかしこれに興味を示したのはイギリス政府ではなく、大西洋の向こうのアメリカ大統領ウッドロー・ウィルソンでした。長老派(カルヴァン派)教会の牧師の家に生まれたウィルソンは、政治学者、とくに議会政治の専門家としてキャリアを積みました。カントと同じく民主主義の拡大が諸国家の対立を解消し、国際的な共同体が可能

▲ウッドロー・ウィルソン大統領

になると考えていたウィルソンは、イギリス人たちの国際連盟構想に飛びつきます。

一九一七年一月、参戦を前にした上院での演説でウィルソンは語りました。

「勢力均衡（バランス・オブ・パワー）ではなく、大国の共同体（コミュニティ・オブ・パワー）を作らねばなりません」

こうしてカントの理想主義をウィルソンが復活させ、欧州連合政府ならぬ世界連合政府への第一歩として「国際連盟」構想をぶち上げたのです。

多数の国家が協定を結び、加盟国間では原則として戦争を禁じ、違反国には制裁を科すというウィルソンの構想は「集団安全保障 collective security」と名付けられ、個別の軍事同盟を意味する「集団的自衛権 collective self-defense」と区別されます。

「大戦の果実」を確保したい戦勝各国――英・仏・日それぞれの既得権益を追認した上で受け入れられ、国際連盟規約が制定されました。

全世界――とはいってもアジア・アフリカのほとんどは植民地であり、主権国家だったのは欧米諸国と日本・中華民国・タイ、中南米諸国――の九割にあたる四二カ国が国際連盟に参加しました。

革命で崩壊したロシア、敗戦国のドイツは除外されたほか、提唱国として連盟の中核となるはずだったアメリカが、孤立主義への回帰を訴える共和党の反対により、上院が国際連盟規約の批准を否決し、加盟できなくなったのは予想外の展開でした。

国際連盟本部は永世中立国スイスのジュネーヴに置かれ、主要国（戦勝国）が仕切る「理事会」と、全加盟国が参加する「総会」からなります。

「理事会」は常任理事国として英・仏・伊・日・米の五大国を想定していましたが、提唱国アメリカは議会が加盟を否決したため、英・仏・伊・日の四大国体制となりました。日本が第一次世界大戦への参戦で得た最大の成果は、国際連盟理事会の常任理事国入りしたことです。

理事会および総会は全会一致を原則とし、いずれも「世界の平和に影響する一切の事項をその会議において処理す」と規定されました（規約3－3、4－4）。

四二カ国の全会一致は非現実的ですから、実際の仕事は理事会がこなすことになります。理事会のメンバーは常任理事国四カ国（英・仏・日・伊）と、改選される非常任理事国四カ国の合わせて八カ国です。

下部組織として常設国際司法裁判所をオランダのハーグに設置し、国際紛争に関する仲裁裁判を義務付けました。

ここで問題になるのは判決の強制力です。判決が出ても、当事国が従わなければ意味がありません。個人間の紛争と比べてみましょう。

AがBに貸したカネを踏み倒された場合、AはBに借金の返済を求める民事裁判を起こします。原告がA、被告がBです。裁判所が原告Aの訴えを認め、被告Bに借金の返済を命ずる判決を下します。この判決をBが無視した場合どうなるか。

裁判所は「強制執行」を命じます。被告Bの土地や車、家財などの財産を差し押さえ、競売にかけ、原告Aへの借金返済に充てるのです。被告Bが抵抗する場合には、警察権力を投入します。これが「強制執行」です。

人々が裁判所の判決に従うのは、裁判所の背後に国家権力が控えているからです。

国家を超越した超国家間力、あるいは世界連邦政府は未だに存在しません。それでは国家と国家が争う国際裁判の場合、その判決に強制力を与えるものは何か。これが制裁です。

国際紛争が国際裁判では解決しない、つまり当事国が判決に従わない場合、連盟理事会に付託し（規約15－1）、連盟理事会が調査報告書を作成します。その際には、理事会の過半数の賛成が必要で（規約15－4）、紛争当事国の請求があれば連盟総会にかけることもできます。この場合も紛争当事国を除く過半数の賛成が得られた場合は、総会報告書は有効となります（規約15－10）。

連盟理事会または連盟総会が可決した報告書は「判決」に当たります。

のちに満洲事変を起こした日本を中華民国が訴え、連盟総会が「リットン報告書」を可決しました。あれがまさに「判決」だったわけです（リットン報告については次章で取り上げます）。

紛争当事国がこれを無視した場合、いよいよ制裁が発動されます。

一　第12条、第3条又は第15条による約束（仲裁裁判の判決、連盟理事会報告、連盟総会報告）を無視して戦争に訴えたる連盟国は、当然他の総ての連盟国に対して戦争行為を為したるものとみなす。

他の総ての連盟国は、これに対し直ちに一切の通商上又は金融上の関係を断絶し、自国民と違約国国民との一切の交通を禁止し、かつ連盟国たると否とを問わず他の総ての国の国民と違約国国民との間の一切の金融上、通商上又は個人的交通を禁止すべきことを約す。

（「国際連盟規約」16－1）

「戦争に訴えたる連盟国は、当然他のすべての連盟国に対して戦争行為をなしたるものとみなす」という部分が集団安全保障の考え方、「一切の通商上又は金融上の関係を断絶」「一切の交通を禁止」の部分が経済制裁の中身です。

実際には、紛争当事国に出入りする船舶やトラックの臨検も必要になりますので、「使用すべき兵力に対する連盟各国の陸空又は空軍の分担程度」についての規定もあります（規約16－2）。さらに連盟理事会は、紛争当事国を連盟から除名することもできます（規約16－4）。

日本・ドイツ・イタリアは、除名される前に脱退してしまいました。ソ連はのちに連盟に加盟しましたが、フィンランドを侵略して除名されています。

経済制裁も効かない、除名されても平気で自ら脱退するような国に対しては、国際連盟はお手上げなのです。

理想主義者ウィルソンは、世界全体が民主化することによって各国は国際法に従い、国際紛争が起こっても連盟の勧告に従うだろうと考えました。

甘すぎたのです。このあと出現したのは、共産主義とファシズムという恐るべき一党独裁体制が蔓延する世界でした。世界恐慌に見舞われた各国は、理想主義を捨てて自国の利益の確保に突き進みました。

結局、国際連盟の理想主義では、第二次世界大戦を防げなかったのです。

ワシントン会議に隠されたアメリカの本音

一方、国土が戦場にならなかったアメリカは世界第一位の工業力をフル稼働して大艦隊の建造を進め、イギリスと対等の軍事力を認めさせようとしました。アメリカの気がかりは日本海軍でした。日本がドイツから中部太平洋の島々を奪ったことは、太平洋に広がるアメリカ領土――フィリピン・グアム・ハワイへの脅威となっていました。

米海軍は、主要な列強との戦争計画を立案していました。

このうち対日戦争のオレンジ計画（一九一一）によれば、米海軍一〇：日本海軍七でも日本の勝利、米海軍一〇：日本海軍六でやっと米国が勝利できるというシミュレーション結果が出ていました。日本海軍単独でもこの強さ、しかもイギリスという強力なバックがついているのです。この日英同盟にアメリカは太刀打ちできません。この状態を何とかしたい。中国における「日本の特殊権益」を認めた石井・ランシング協定も、中国市場への参入を加速したい米財界にとっては不満でした。

孤立主義を貫いて国際連盟とは距離を保ちつつ、日英同盟を破棄させ、太平洋地域で日本の勢力拡大を抑え、日本海軍を制限し、中国市場における各国の勢力圏を撤廃させる。これらの目的を達成するため、共和党のハーディング政権がワシントン会議の開催を呼びかけました。

大戦前、圧倒的海軍力を保有していたイギリスは、ドイツ潜水艦Uボートの攻撃を受けて艦船の半数を失っていました。莫大な金額の戦時国債を引き受けてくれたのはアメリカの銀行であり、米軍の参戦でようやくドイツに勝てたわけですから、大戦後のイギリスはアメリカの意向を無視できなくなっていました。

日本は戦勝国でしたが、シベリア出兵を機に起こった米価の高騰が米騒動を引き起こしたため、元老・西園寺公望は立憲政友会の原敬（はらたかし）に内閣を組織させました。本格的な政党政治の始まりです。

爵位を持たなかった原敬は「平民宰相」と呼ばれる一方、三井財閥をスポンサーとし、地元選挙区での鉄道建設など、強引な利権政治は「我田引鉄（がでんいんてつ）」と揶揄（やゆ）されました。つまり、財界を支持基盤とした内閣だったのです。軍事費を削減して国内に投資することは、原政権の基盤を強化することにもなるでしょう。

石油・鉄など資源供給国であり、日本製品の市場でもある経済大国アメリカとの良好な関係の維持が財界の意向でした。原はワシントンに代表団を送り、できるだけアメリカの意に沿うよう訓令します。

一九二一年一一月から翌年二月にかけて、ワシントン会議が開催されます。会議の冒頭、国務長官ヒューズは、アメリカが建造中の戦艦一五隻をすべて廃棄することを宣言して会議の主導権を握り、各国に同調を求めるとともに、今後一〇年間の主力艦（戦艦・巡洋艦）の保有率を次のように定めることを提唱しました。

米・英・日・仏・伊
五：五：三：一・六七：一・六七

フランス・イタリア海軍はもともと小さなものでしたので、これはダミーです。ワシントン海軍軍縮条約の真の目的は、日本海軍の封じ込めでした。

当然、日本海軍の強い抵抗が予想されました。原首相は海軍大臣の加藤友三郎大将を全権とし、「火中の栗」を拾わせます。

加藤大将は日露戦争時の参謀長。連合艦隊司令長官の東郷平八郎元帥とともに、帝国海軍の重鎮でした。日露戦争に勝てたのは日英同盟のおかげですし、ポーツマス条約を仲介したのは米国です。このことを理解する加藤友三郎は、軍部の対米強硬派を抑えるには適役でした。

加藤全権は、完成直前だった戦艦陸奥(むつ)を廃棄対象から外すことを条件に、対米六割という不利な条件を受け入れました。

日露戦争に備えて結ばれた日英同盟は、第一次世界大戦ではドイツに対する軍事同盟としてうまく機能しました。ロシアが革命で崩壊し、ドイツが敗戦で無力化した今、イギリスにとって日英同盟は意味を失ったどころか、米・英のアングロ・サクソン同盟に水を差す障害物となっていたのです。

米・英両国は日英同盟の撤廃について、密かに合意します。問題は、反感を招かないように、いかに日本を説得するかでした。ヒューズは日本に提案します。

「日英同盟にアメリカ・フランスを加えた四国同盟を結び、太平洋の現状維持を相互に約束しましょう。これで日英同盟は失効しますが、問題ないですね」

日本全権の幣原喜重郎外相はこれを受け入れ、日英同盟は音もなく消滅しました。あとで考えれば痛恨の極みですが、この当時の日本は国際連盟の常任理事国であり、一〇年後に国際的孤立を招くとは考えてもいなかったのです。

ワシントン会議では最後に中華民国代表も参加して、中国の門戸開放問題が協議されました。

北京では日本の二十一カ条要求に反対する大規模なデモ(五・四運動)が起こったばかりで、外国製品のボイコットなど中国ナショナリズムに火がつきつつありました。ロシアの革命政府がこれを支援し、上海では中国共産党も結成されていました。

アメリカはこの状況を好機と考え、各国に中国の領土保全と勢力圏の撤廃を迫ります。中国を独立国、自由市場として扱った方が、商品が売れますよ、と。各国はこれを受け入れ、九カ国条約を結びました。各国の勢力圏は撤廃され、石井・ランシング協定は破棄され、日本は、二十一カ条で得た山東省の権益を中華民国に返還したのです。

このワシントン会議で、アメリカは望んだものをすべて得ました。日本は協調外交に徹して国際的地位を保った見返りに、中国利権の一部を手放し、海軍に軍備制限を課されました。ただし、日露戦争で得た旅順・大連と南満洲鉄道の利権は確保しました。イギリスは威海衛を一九三〇年まで、フランスは第二次世界大戦後の一九四六年まで広州湾の利権を保持していました。イギリスが九竜半島を香港島と同時に返還したのは、九九年間の租借期限が満期となる一九九七年のことでした。

日本はワシントン海軍軍縮条約を忠実に履行しました。建造中だった戦艦土佐(とさ)は、魚雷実験用の標的艦として転用され、土佐沖で沈められました。戦艦赤城(あかぎ)と戦艦加賀(かが)は空母に改造され、のちに真珠湾攻撃に参加することになります。

ワシントン会議後の一九二三年、日本海軍は対米戦争計画(帝国国防方針)を立案します。それまで海軍は、戦艦八隻・巡洋艦八隻からなる「八八艦隊」の建造を進めていました。将来の日米開戦の場合、米海軍はスエズ運河経由で太平洋に回航するだろうから、潜水艦や空母搭載の航空機でこれを迎撃して徐々に弱らせたあと日本近海で艦隊決戦を行い、日本海海戦の再現を図るという作戦でした。ワシントン会議による主力艦の制限は、この計画を頓挫させます。そこで日本海軍は新たな国防方針を定め、補助艦（空母や潜水艦）で米海軍一〇に対し、最低七割の艦隊を保持することにしたのです。米国側から見れば、次は補助艦の制限が必要になります。

　補助艦の制限を話し合うジュネーヴ軍縮会議が一九二七年に開かれ、日本からは国際連盟全権としてジュネーヴに駐在する石井菊次郎が参加しました。

　この会議は、広大な植民地を防衛するため多数の補助艦を必要とするイギリスがアメリカと対立したため決裂しています。補助艦の制限は、世界恐慌後のロンドン海軍軍縮会議（一九三〇）で妥結し、米・英・日が一〇：一〇：七となりました。これには日本海軍が猛反発し、民政党の浜口首相と全権として署名した若槻礼次郎外相は「軟弱外交」と罵倒されます。浜口首相は東京駅で国家主義者に狙撃され、重傷を負いました。翌年、満洲事変が起こり、テロやクーデタ未遂が相次ぎ、一九三六年の軍縮条約失効とともに再び建艦競争が始まるのです。

　海軍に続いて陸軍でも、憲政会内閣の宇垣一成（うがきかずしげ）陸相による「宇垣軍縮」が行われました。欧州大戦でもはや騎兵の時代は終わり、機械化部隊――戦車と航空機が主役となりました。日露戦争以来、膨大な騎兵と歩兵を抱える日本陸軍の装備は時代遅れであり、宇垣は「軍縮」の名のもとに日本陸軍の近代化を図ったのです。

この「宇垣軍縮」の結果、四師団三万四〇〇〇人の兵力が削減されました。将校のポストも削減され、余剰人員は退役となるか、軍事教練の教官として学校に配属されました。平和を謳歌する世論もこれを支持し、軍人が軍服を着て街を歩くと白い目で見られるような風潮が生まれていました。戦後不況の中で退役兵士は再就職もままならず、平和外交に対する怨嗟（えんさ）の感情が生まれていきます。満洲事変で軍が暴走した背景には、このような風潮もあったのです。

ケロッグ・ブリアン協定の偽善

欧州では、敗戦国ドイツのシュトレーゼマン外相がアメリカ資本の導入による経済復興計画（ドーズ案）を進め、賠償金支払いの履行と領土奪回の断念とを引き換えに国際連盟への加盟を求めました。ドイツの周辺各国は、ドイツによる再侵略に備えて相互防衛条約を結ぶことを条件に、ドイツの連盟加盟と常任理事国入りを認めました（ロカルノ条約、一九二五）。

孤立主義の米国は、ドイツへの投資を通じて国際連盟との連携を強めていきました。

一九二八年、アメリカのケロッグ国務長官がフランスのブリアン外相と会談し、戦争そのものを非合法化する画期的な条約を結びました。国際連盟の常任理事国（五大国）など一五カ国がこれに調印し、のちにソ連も参加した国際条約となりました。

ケロッグ・ブリアン協定、あるいはパリ不戦条約といいます。

第1条　締結国は、国際紛争解決のため戦争に訴うることを非とし、かつその相互関係において、国家の政策の手段として戦争を放棄することを、その各自の人民の名において厳粛に宣言する。

（「ケロッグ・ブリアン協定」）

どこかで見たような条文ですね。そう、のちにGHQが、日本国憲法第九条のお手本としたのがこの条約なのです。国際連盟規約も戦争を制限していますが、戦争そのものを否定したのはこの条約がはじめてです。

ただしこの協定は違反国への罰則規程を定めなかったため、制裁は国際連盟規約の経済制裁や、ロカルノ条約の相互防衛規定を適用するしかありません。

また協定の条文には明記されていませんが、条文解釈として自衛権の発動を「国家の自然権」として認めていました。何が「自衛権の発動」に当たるのかはその国が決めるわけですから、はたから見て侵略戦争であっても「自衛権の発動」と言い逃れができるわけです。

さらにアメリカ国務長官ケロッグは、「モンロー主義に関する事項は除外する」と明言しました。つまりアメリカの勢力圏である南北アメリカ大陸に、この条約は適用しないというわけです。イギリスも「国益に関わる軍事行動は、適用範囲外」と説明しました。

ならば日本もアングロ・サクソン諸国の腹黒さを見習い、「国益に関わる中国大陸における軍事行動は、適用範囲外」と言明すべきでした。田中義一内閣（外相兼任）がこれをしなかったので、三年後の満洲事変が「不戦条約違反だ」と非難されたのです。

短い平和は終わろうとしていました。国際連盟に軍縮条約に不戦条約。人類の理想を実現しようとしたあらゆる努力を一瞬で崩壊させる世界恐慌が、もう翌年に迫っていたのです。

誰もまだ、そのことに気づいていませんでした。

第11章

昭和の軍部はなぜ暴走したのか?

――満洲事変～日中全面戦争

「あの戦争」を何と呼ぶべきか？

一九四五年。大日本帝国は世界三位の規模を誇った連合艦隊を喪失し、太平洋の島々と東南アジアに展開していた膨大な数の日本兵は補給を断たれて取り残され、戦う以前に飢餓によって全滅していきました。

米軍はフィリピンから沖縄に上陸し、制空権を失った日本本土は米軍の無差別爆撃の標的とされ、主要都市は軒並み空爆を受け、三月一〇日の東京大空襲では一晩に一〇万人が殺され、八月六日の広島、同九日の長崎に対する原子爆弾の投下では二〇万人以上が殺されました。長崎原爆の日に満洲に侵攻したソ連軍は日本人開拓民を殺傷、暴虐の限りを尽くした上、南樺太と千島全島、択捉島・国後島まで占領、併合しました。

明治以来、営々と築き上げてきた国際的地位と海外領土をすべて失った大日本帝国は、連合国の降伏勧告（ポツダム宣言）を受諾。米軍を主力とする連合国軍の占領下に置かれました。

ダグラス・マッカーサーが率いる連合国軍最高司令官総司令部（ＧＨＱ）は日本政府の上に君臨し、帝国陸海軍の解体、新憲法の制定、財閥解体、農地改革など徹底的な国家改造を行いました。六年後に独立を認められたものの、その後も日米安全保障条約によって米軍が駐留を続け、日本は実質的なアメリカの保護国とされて今日に至ります。

これらすべての災厄を招いたのが、一九三〇年代に始まり、一九四五年の破滅的敗戦に至る一連の戦争でした。

「独立の維持と、国民の生命財産の保全」が国家の存在目的のはずです。そのために必要な戦争なら、一概に否定することはできません。日清・日露の戦争は、ロシアの脅威に対抗し、日本の独立を守るために必要な戦争でした。

日露戦争に勝利し、また第一次世界大戦では国際貢献を認められ、国際連盟の常任理事国として四大国の一つとなった日本。そのわずか四半世紀後に亡国の瀬戸際まで追い込まれたのは、なぜなのか？

これが本章のテーマです。

連合国のポツダム宣言では、「軍国主義者が日本国民を欺瞞し、世界征服の挙に出た」と説明し、彼らが日本の戦争指導者を裁いた東京裁判でも、侵略戦争を立案した「A級戦犯」として日米開戦時の東條英機首相以下、七名を絞首刑にしました。GHQの検閲のもとで新聞各紙に連載された「太平洋戦争史」でも、満洲事変に始まる一連の戦争は「軍国主義者」が計画・実行したものとされ、従来の「大東亜戦争」という呼称は、軍国主義者のプロパガンダである「大東亜共栄圏」を正当化するものとして使用を禁じられ、「太平洋戦争」と書き換えさせられました。この戦後に生まれた呼称が現在も学校教育で使われています。

満洲事変から大東亜戦争までの一連の戦争を連続したものと考える歴史観は、歴史学会では正統学説とされ、「十五年戦争」という呼称も使われています。

しかし満洲事変の段階では「世界征服」などのプランはどこにもありませんでしたし、「大東亜共栄圏」構想でさえ、日米開戦後にあわてて作ったものです。連合国が悪魔化した「はじめから世界征服を企てていた日本軍国主義者」なるものは存在しません。歴史を丹念に検証していけば、一九三〇年代~四五年の日本の戦争指導者の無計画と成り行きまかせぶりには、呆れるばかりです。

本章では連合国の妄想から生まれた「ポツダム史観」を排し、予断をできるだけ避け、事実のみに基づいて議論を進めます。したがって、「十五年戦争」「太平洋戦争」という戦後イデオロギーにまみれた用語を避け、当時の呼称である「北支事変」「日華事変」「大東亜戦争」を使用します。

政党の失政と元老不在が軍部の跋扈（ばっこ）を招いた

大正デモクラシーは日本にも二大政党制を現出させました。伊藤博文が設立した立憲政友会（以下、政友会）と、桂太郎の流れを汲む憲政会／立憲民政党（以下、民政党）の二大政党です。しかし憲法改正を行わなかったため、形式的には天皇主権の大日本帝国憲法のもとで、最後の元老となった西園寺公望が、衆議院選挙で勝利した政党の党首を首相として天皇に推薦（奏薦）するという慣行によって、政党政治がどうにか維持されていました。

政友会が積極財政と中国に対する強硬外交を唱えたのに対し、民政党は緊縮財政と協調外交を唱えていました。

満洲事変の時の首相は、民政党の若槻礼次郎です。若槻は東京帝大法科を首席で卒業、大蔵官僚から貴族院議員となり、大蔵省の後輩・浜口雄幸や、外務官僚の加藤高明とともに桂太郎に見出され、憲政会の創設に加わりました。

政友会の原敬首相が、その金権政治に憤る駅員に東京駅で刺殺されたのち、求心力を失った政友会は分裂。関東大震災の混乱を経て、政友会の一部と憲政会など「護憲三派」が手を組んで加藤高明内閣を組織すると、若槻は地方行政と警察を担当する内務大臣として入閣、普通選挙法と治安維持法を成立させます。労働者や貧農を支持基盤とする社会主義政党（無産政党）が衆議院に進出し、一定の勢力を確保しました。その一方で、当時、選挙ではなく暴力革命によって私有財産制度と天皇制を打倒することを公言していた日本共産党や無政府主義者は、治安維持法で活動を禁止されました。

一九二六年（大正一五年）、加藤首相が在任中に死去したため第一次若槻内閣が成立。蔵相は後輩の浜口雄幸、外相は協調外交の幣原喜重郎、陸相は宇垣軍縮の宇垣一成というリベラル政権でした。年末には大正天皇が崩御し、「昭和」と改元されました。

第一次欧州大戦の間、日本経済は輸出産業が急成長した結果、台湾からの砂糖の輸入で三井・三菱と肩を並べるまでにのし上がった鈴木商店などの新興財閥——成金（なりきん）が出現しました。しかし、欧州経済の復興によって大戦景気にも急ブレーキがかかり、銀行は不良債権を抱え込んでいきました。一九二三年の関東大震災で東京・横浜の工業地帯が壊滅した結果、資産を失った企業が発行した「震災手形」も支払期日に現金が支払われない「不渡り」となり、信用不安に拍車をかけていきました。

そんな中で、信じがたい事件が国会で起こります。若槻内閣の片岡直温（なおはる）蔵相は、衆議院予算委員会で大蔵官僚が差し入れたメモを誤読し、「今日正午頃、東京渡辺銀行が破綻いたしました」と発言したのです。実際には破綻していなかったのですが、ニュースで片岡発言を聞いた預金者が銀行に殺到して取付け騒ぎを起こしたことから、東京渡辺銀行は本当に破綻してしまい、これを引き金に銀行や企業の連鎖倒産が始まったのです。この昭和金融恐慌によって、資金繰りが行き詰まった鈴木商店や、台湾銀行も連鎖倒産し、若槻内閣も失政の責任をとって総辞職しました。「憲政の常道」により、野党の政友会へのバトンタッチです。

政友会総裁で元陸軍大将の田中義一が組閣し、積極財政論者の高橋是清（これきよ）を蔵相に起用しました。高橋蔵相は、裏が白紙のままの紙幣の大量発行を日銀に命じ、これを銀行の窓口に積み上げて預金者に見せることで、金融パニックを収束させました。

第10章で触れたパリ不戦条約に調印したのもこの田中義一内閣でしたが、中国革命を妨害するため山東省へ出兵を行い、「強硬外交」と呼ばれました。

結局、満洲で起こった張作霖爆殺事件（後述）で昭和天皇の信任を失った田中内閣は総辞職します。憲政会を立憲民政党と改めた浜口が内閣を組織、外相には協調外交の幣原喜重郎が復帰、蔵相には緊縮財政派の井上準之助が就任します。一九二九年、世界恐慌発生の直前のことです。

高橋蔵相が好転させた日本経済に、冷水を浴びせたのがこの井上蔵相でした。憲政会／民政党内閣は、経済政策が常に決定的に間違っているのです。

当時、「金解禁をいつやるか？」が問題になっていました。

一九世紀以来、貿易の決済に使う国際通貨は金（ゴールド）でした。各国の通貨を「一ドル＝金何グラム」「一円＝金何グラム」で表示できる固定相場制でした。貿易黒字の時は金が流入して財政は豊かになりますが、貿易赤字の時や、戦争など臨時の出費がある時には、手持ちの金だけでは国家の運営が難しくなります。

第一次世界大戦中、各国は金本位制を停止し、金の保有量と関係なく通貨を発行できる管理通貨制度をとりました。これはあくまで戦時の非常態勢ですので、戦争が終わると各国は次々に金本位制への復帰（金解禁）に踏み切りました。日本だけが、金融恐慌の影響で金解禁に踏み切れなかったのです。

「金本位制という世界共通の金融システムに復帰し、貿易を拡大すべきだ」というのは、「雨戸を開けて日光を取り入れた方がいい」というのと同じく正論です。

しかし日本経済は「病み上がり」の状態であり、同年の一〇月にニューヨーク株式市場の大暴落で始まった世界恐慌が、金融パニックとして各国に波及しつつありました。世界恐慌の「暴風」から身を守るため各国が再び金本位制を離脱し、雨戸を閉めようとしているときに、井上蔵相は「金解禁」を宣言して雨戸を全開にしたのです。

この結果、立ち直りかけていた生糸など日本の輸出産業は壊滅的な打撃を受け、日本は長期のデフレに突入しました。米価の下落によって東北地方などの農村が荒廃し、「娘の身売り」が社会問題になりました。こうした社会不安を背景に社会主義運動、労働運動が過激化し、国家主義者の間にも暴力による政権転覆をめざす「昭和維新」の動き（後述）が本格的に始まりました。

浜口内閣はロンドン海軍軍縮会議（一九三〇）に元首相の若槻禮次郎を全権として送り込み、米・英・日が補助艦（駆逐艦・空母・潜水艦）の保有率を一〇：一〇：七とするロンドン海軍軍縮条約に調印しました。海軍の内部では、この条約に調印した財部彪海相ら「条約派」と、軍縮に反対し、艦隊の維持を主張する山本五十六ら「艦隊派」との派閥抗争が始まります。

野党・政友会も海軍軍縮問題を民政党内閣バッシングに利用し、「浜口内閣が天皇の統帥権を干犯した！」と攻撃しました。

統帥権とは、帝国憲法第一一条の「天皇は陸海軍を統帥す」という規定です。現行憲法では自衛隊は内閣総理大臣の指揮下にあります（文民統制／シビリアン・コントロール）。しかし帝国憲法では陸海軍を指揮できるのは天皇であり、総理大臣ではなかったのです。

実際の天皇は軍事の素人ですから、作戦計画は陸軍参謀本部と海軍軍令部が立案し、天皇はこれを許可するだけですが、いずれにせよ、内閣は口出しできない仕組みでした。帝国憲法を起草した伊藤博文が、敬愛するビスマルクからドイツの参謀本部システムを導入したのがその始まりです。伊藤ら明治維新を指導した薩摩長州の元老たちが内閣を組織していた明治時代には、軍は内閣の意向を忖度（そんたく）して行動しました。元老によるカリスマ支配が行われていたのです。

元老が他界して、政党政治家が内閣を組織するようになった大正時代から、軍は内閣の意向としばしば衝突し、コントロール不能になっていきました。

本来ならば、大正期に帝国憲法を改正し、米・英型のシビリアン・コントロールを採用すべきでした。しかし帝国憲法は完全無欠の「不磨（ふま）の大典」とされ、改正論議すらタブーとされてきたのです。

この「憲法には指一本触れてはならない」という日本独特の慣行は、敗戦後の「日本国憲法」にも引き継がれていきます。

軍を中心に浜口内閣糾弾の声が高まる中、浜口首相は東京駅で国家主義者に狙撃されて重傷を負い、数カ月後に死亡しました。現職首相へのテロは、原敬に続き二人目です。しかし閣僚の多くが留任したまま若槻礼次郎が第二次内閣を組織したので状況は何も変わりません。

日本はワシントン会議で二十一カ条要求を放棄しましたが、日露戦争後のポーツマス条約でロシアから継承した遼東半島の旅順・大連と南満洲鉄道沿線の権益を保持していました。遼東半島を「関東州」というので南満洲鉄道の守備隊は「関東軍」と改称され、旅順に司令部が置かれていました。

張作霖爆殺事件の謎と陸士エリートの台頭

満洲は、名目上は中華民国の一部でしたが、実際には清朝の軍閥の残党である張作霖が治めていました。日露戦争中、張作霖はロシアの工作員をしていましたが、日本側に寝返ることで生き残り、関東軍と共存する道を選びました。日本から得た軍事援助で張作霖の奉天軍閥は強大化し、やがて北京に入城した張作霖は「中華民国大総統」と称したのです。

これに対し、孫文の後継者である蔣介石の国民革命軍が北上（北伐）し、北京の攻略に着手します。蔣介石の南京国民政府は、清朝や北京軍閥が列強と結んだ不平等条約の無効を主張し始めました。

国際法は、政権交代にかかわらず、前政権が結んだ条約は継承されることを定めています。日本の明治政府はこれを忠実に守り、江戸幕府が結んだ不平等条約を引き継いだため、条約改正に大変な苦労をしたわけです。

ところがレーニンのロシア革命政府は、露仏同盟をはじめとする帝政ロシアが結んだ条約を「継承しない」と宣言しました。蔣介石はこの悪しき前例にならったわけです。

近年、韓国が「日韓併合条約は無効だ」と主張しているのも、国際法違反です。

張作霖の子・張学良は蔣介石の反日政策に同調します。一方、親日派の父・張作霖は、蔣介石の北伐軍が北京に迫ると、北京を脱出して故郷の満洲へ撤収することを決め、関東軍に保護を求めました。ところが張作霖の特別列車が、奉天の南満洲鉄道との立体交差地点に差しかかった時に大爆発が起こり、重傷を負った張作霖はまもなく死んだのです（張作霖爆殺事件、一九二八）。

当時から、関東軍の河本大作（こうもとだいさく）大佐が仕掛けた謀略であるという説が流布されましたが、関東軍は張作霖と同盟関係にあったわけで、爆殺する動機が説明できません。北京に残っていたので無事だった息子・張学良は、この事件を機に蔣介石に投降し、国民政府の青天白日旗を満洲全土に掲げました。蔣介石は戦わずして満洲を手中に収めたことになります。つまり、この事件で最も得したのは蔣介石政権なのです。

なお、爆弾は線路脇に仕掛けられていたとされますが、なぜか列車の下部は無事であり、屋根が吹き飛んでいます。爆弾は車内にあったのです。とすれば、列車が北京を出発する時、すでに爆弾が仕掛けられていたことになります。真相はいまだ藪の中です。日本では田中義一内閣が昭和天皇に対して事件の説明ができず、信任を失って内閣総辞職しました。

張学良は、南満洲鉄道など日本が獲得した利権の返還を公然と要求し、日本人居留民に対する公然たる排斥運動を開始しました。満鉄付属地を柵で囲み、日本製品に追加課税を行い、日本企業の営業許可を取り消し、朝鮮人（当時は日本国民）開拓民の土地を没収して数百人を投獄しました。数百件の陳情を受けた奉天総領事が外務省（幣原外相）を通じて南京政府に何度訴えても、黙殺されたのです。

そんな時、陸軍参謀本部の工作員・中村震太郎大尉が満洲を旅行中に、張学良軍に捕縛され、裁判抜きで処刑された事件（中村大尉事件）は日本の世論を激昂させました。幣原外相の協調外交は「軟弱外交」と罵られたのです。

「もはや外交手段では満洲の日本人居留民を守れない。武力行使やむなし」、という空気が、陸軍の内部で醸成されました。陸軍参謀本部の永田鉄山・小畑敏四郎（おばたとしろう）、関東軍参謀の板垣征四郎・石原莞爾（いしわらかんじ）ら佐官クラスの若手将校が中心メンバーでした。

この時代、幕末生まれで日清・日露戦争を経験した叩き上げの軍人は退役しつつあり、軍の中堅幹部は、陸軍士官学校（陸士）で優秀な成績を収めた学歴エリートで占められていました。彼らは「陸士第○期」と呼ばれ、陸士時代の成績順で昇進していったのです。中央官庁の高級官僚が「東京帝大第○期」と呼ばれ、東大時代の成績順で出世したのと同じです。いわば、軍人の官僚化といっていいでしょう。昭和の戦争を主導したのは、彼らでした。

陸軍の教育システムはこうなっていた！

軍における意思決定のシステムを理解するには、まずその教育システムを理解する必要があります。そもそも軍隊は、命令する人（将校／士官）と命令される人（兵士／二等兵）からなっています。兵士は一般国民の成人男子から徴兵し、入隊後に軍事訓練を施します。当時、義務教育は小学校修了までまでしたから、読み書き計算がやっとできるというレベルの兵士もたくさんいたわけです。

一方、士官の養成においては徹底的なエリート教育が施されました。そのための学校が陸軍士官学校と海軍兵学校です。

小学校修了者で陸軍士官を志す者（一三歳以上）は予科士官学校（幼年学校）に入学し、二年で卒業して陸軍士官学校（陸士）に進みます。なお、一般の旧制中学（現在の中学校＋高等学校二年まで）の卒業生も士官学校を受験でき、こちらが陸士入学者の大半を占めていました。いずれの場合も、陸士入学の前に下士官（一等兵・上等兵）として入隊し、一年程度の実地訓練を積むことが義務付けられました。

▲陸軍士官学校の校舎（東京・市ヶ谷）
敗戦後は東京裁判の法廷として使用され、自衛隊の発足に伴い防衛庁本庁舎となる。三島由紀夫の割腹事件もここで起こった。現在は防衛省の市ヶ谷記念館

士官養成学校である陸軍士官学校・海軍兵学校は、高級官僚養成学校である東京帝国大学と同じレベルの難関校で「海兵・陸士・帝大」と並び称されました。

陸軍士官学校は市ヶ谷の丘の上にあり（一九三七年に座間の相武台に移転）、その坂を登る者は、帝国陸軍を背負って立つという気概と自負心に満ちていたのです。

陸士卒業生は一期が数百名ですから、一つの都道府県から一〇人程度しか合格しない超難関です。予科（一般教養課程）で語学・歴史・数学・物理などを学んだあと、本科（専門課程）では砲兵、騎兵、航空などの兵科に分かれ、軍事教練のほか戦史や戦術、兵器、射撃、測量など軍隊の実務を学びました。陸士卒業生（一八歳以上）は短期の見習い士官を経て少尉に任官され、そのあと次のように昇進します。

少尉	小隊長（兵五〇人程度）
中尉	
大尉	中隊長（兵二〇〇人程度）
少佐	大隊長（兵八〇〇人程度）
中佐	
大佐	連隊長（兵二〇〇〇人程度）

二〇歳そこそこで少尉、三〇歳くらいで少佐、四〇歳くらいで大佐と進みますが、陸士卒業生の昇進はここまで。この上のポストは、陸軍大学校の卒業生が独占します。

東京・青山の陸軍大学校に入学できるのは、陸士卒業生の一〇人に一人でした。陸大の教官を務めた東條英機（のち首相）も、自身の陸大受験では浪人しています。

なお、海軍の場合は海軍大学校の席次（ハンモックナンバー）が昇進の一つの基準になりました。しかし海軍兵学校卒でも、艦隊勤務で成果を上げれば昇進できたようで、海軍大学校卒でない将官クラスが何人もいました。

さて五〇～六〇人しかいない陸大卒業生は、在学中の成績によって席次が決められ、成績優秀者五～六名は皇居に招かれ、天皇から菊の紋章が入った「恩賜(おんし)の軍刀」を授与されました。天皇が神格化されていた当時、この軍刀を持つ者は「天皇の名代」ともいうべき存在であり、陸軍内で破格の権威を持ったのです。

陸軍予科士官学校（幼年学校）　∴卒業生は一期一五〇名

↓

陸軍士官学校（陸士）　∴卒業生は一期五〇〇名

↓

陸軍大学校（陸大）　∴卒業生は一期五〇～六〇名

●成績上位者五～六名には天皇が軍刀を授与

陸大卒業生は、将官以上に進みます。

少将	旅団長（兵五〇〇〇人程度）
中将	師団長（兵一万人程度）

大将	軍司令官（兵数万人）
元帥	

海軍の場合は、大佐で艦長、少将・中将で艦隊司令官、大将・元帥で連合艦隊司令長官となります。元帥は特別の功績があった大将に授与される称号で、日露戦争のときに日本海海戦に勝利した東郷平八郎が有名です。真珠湾攻撃を指揮した山本五十六は戦死後、元帥に昇進しました。なお、「大元帥」というのは天皇のことです。

参謀本部における学歴主義と情報の軽視

政界では、薩長藩閥の元老たちが引退したあと、東大卒で大蔵官僚の加藤高明が総理大臣になった頃から、「東大閥」が形成されていきました。同じ昭和初期に、陸海軍でも明治維新の叩き上げの将軍たちが退役したあと、陸大・海大卒の学歴エリートが組織を牛耳るようになっていきます。

そもそも参謀本部とは、実際に軍の指揮をとり、作戦を実行するための、政府からは独立した常設機関のことです。一九世紀にプロイセン（ドイツ）で制度化され、明治維新で日本にも導入されました。日中戦争が始まった一九三七年に、陸軍参謀本部は海軍軍令部と合同して「大本営」と称しますが、内部では「陸軍部」と「海軍部」とのタテ割りが続きました。両者は最後まで予算を奪い合う敵対関係にあり、大本営内部で組織統合はまったくなされていません。

参謀本部（大本営陸軍部）の組織はこうなっていました。

陸軍参謀本部（一九三七～　大本営陸軍部）

- 第一部第一課（教育）
- 第一部第二課（作戦）
- 第二部（情報）
- 第三部（運輸・通信）
- 第四部（編制・動員・戦争指導）

組織図では、第一部から第四部まで、各部は対等の立場です。しかし、作戦を担当する第一部第二課（作戦課）には、陸大の成績トップ5である「軍刀組」が配属されるという不文律が生まれました。このため他の部署の部員は作戦課のドアを叩くことさえはばかられるようになり、特に第二部情報課がせっかく集めた情報を作戦課が軽視したり、ときには握りつぶしたりしました。

情報の軽視は陸大のカリキュラムがそうなっていたからで、戦場でいかに敵を倒すか、という戦史研究に没頭する一方で、情報や補給の重要性についてはほとんど何も教えず、「情報工作で敵をあざむくのは卑怯」というような風潮がありました。

情報と補給の軽視――この昭和期における帝国陸海軍の深刻な病弊が、作戦課の暴走、戦線の拡大、大東亜戦争の無残な敗北をもたらしたのです。この病弊をもたらしたものは、学歴主義と間違ったカリキュラムだったのです。

第二部の情報参謀として、対米戦の情報収集に当たった堀栄三の証言です。

……作戦課は『独立王国』で絶対的権限を持っていたから、情報課なんか相手にしなかった」

……陸軍には不文律があってね。陸大の軍刀組が作戦課に集まるんです。

（共同通信社社会部編『沈黙のファイル――「瀬島龍三」とは何だったのか』新潮文庫 P.70）

「昭和維新」のカリスマ、北一輝と井上日召

昭和の軍の「暴走」に影響を与えた思想家が北一輝（きたいっき）です。佐渡の貧しい農家に生まれた北一輝は、苦学して早稲田大学の聴講生になった後、新聞記者として中国に渡り、清朝崩壊の革命

を目撃します。孫文側近の宋教仁と意気投合し、大アジア主義に共鳴しましたが、宋教仁は北京軍閥の袁世凱との内戦の最中に暗殺されてしまいます。この事件から北一輝が学んだ教訓はこうでした。

「いくら革命の理想を説いても、それを実行できる軍事力がなければダメだ」

レーニンによるロシア革命の成功は、北一輝に新しい国家像を指し示しました。軍と警察を一手に握る共産党独裁政権による計画経済、土地と産業の国

▲国家社会主義者・北一輝

有化、私有財産の制限による平等の実現。

日本の国体――天皇の存在を維持しつつ、ロシア革命の理想を実現するにはどうすればよいか。北一輝がこのプランをまとめたのが『日本改造法案大綱』（一九二三年刊）でした。一言でいえば天皇を元首とする社会主義国家の建設です。世界革命をめざす共産党の「左翼社会主義」に対して、日本一国の社会主義化をめざす「右翼社会主義」とでもいうべき構想でした。

昭和恐慌で疲弊した若者たちに北の思想は熱狂的に迎えられ、農村出身者が多かった軍の青年将校らの間に浸透していきました。慢性不況が続く中、農家の長男なら家を継げますが、次男坊以下は軍人になるしかなかったのです。

一九三〇年代に起こったテロ事件、クーデタ事件の主謀者たちは多かれ少なかれ北一輝の思想的影響を受けていました。私利私欲に走る政党政治と財閥の支配を打破し、一君万民の平等社会を実現する。これが「昭和維新」の共通認識でした。あとはこれを体制内の変革運動として合法的にやるか、テロやクーデタなど非合法手段に訴えるかの違いでしかありません。

陸軍士官学校一六期で同期生の永田鉄山・小畑敏四郎の思想も、この系列に属します。ドイツ留学中に保養地のバーデンバーデンで話し合った二人は、長州閥が支配する陸軍の刷新と、総力戦に備えた新体制の確立を掲げ、陸軍内部に同志を増やしていきます。軍縮に反対する海軍内部にも、のちに五・一五事件を起こす青年将校の組織が作られていきました。

官僚の間でも、ソ連型の官僚主導の計画経済に、昭和恐慌からの活路を見出そうという「革新官僚」が出現しました。安倍晋三首相の母方の祖父で、商工省の官僚だった岸信介（きしのぶすけ）が、「革新官僚」の代表です。

「昭和維新」のもう一つの流れは、日蓮宗（にちれんしゅう）系の革新運動です。

鎌倉時代、『立正安国論（りっしょうあんこくろん）』で鎌倉仏教の腐敗を糾弾し、蒙古襲来を予言したのが日蓮上人です。その終末論と強烈なナショナリズムは近代にまで受け継がれました。

日蓮宗の僧侶・井上日召（にっしょう）は「一人一殺」の革命によって政党と財閥を解体するというテロリズムを若者たちに説きました。三井財閥の団琢磨、金解禁を断行した井上準之助前蔵相は、井上日召の影響を受けたテロリストに刺殺されました（血盟団事件）。

日蓮宗系の八紘一宇（はっこういちう）を標榜した国柱会（こくちゅうかい）メンバーには『銀河鉄道の夜』で知られる童話作家の宮沢賢治、関東軍参謀の石原莞爾、近衛篤麿（このえあつまろ）（近衛文麿首相の父）もいて、各界に大きな影響力を与えています。

石原莞爾は山形・鶴岡の出身。陸軍士官学校時代から天才と呼ばれ、陸大を二位で卒業した軍刀組ですが、同時に熱心な国柱会のメンバーでした。関東軍に配属されると日蓮宗の終末論と社会主義思想を融合させた壮大なプランを構想し、『世界最終戦論』（一九四〇年刊）にまとめあげます。

▲日蓮宗僧侶・井上日召

▲『世界最終戦論』の石原莞爾

「欧米文明の盟主はアメリカ合衆国、アジア文明の盟主は大日本帝国である。二〇世紀の後半に、日米戦争という形で二つの文明は衝突する。これは、航空機を主力とする世界最終戦争となり、その勝者が世界の覇者となるだろう。日本はこの対米戦争に勝つために、後背地として満洲を開発し、総力戦体制を構築しなければならない――」

関東軍作戦主任参謀となった石原は、上司の板垣征四郎を動かしてこのプランを発動させます。東京の陸軍参謀本部軍務局を握った永田鉄山軍事課長は満洲を訪問、石原に支援を約束し、作戦プランを立案しました。このように、陸軍の課長クラスが計画・実行したのが満洲事変だったのです。

世論の暴走
――満洲事変とリットン報告書

一九三一年九月一八日、石原らは奉天近郊・柳条湖の南満洲鉄道脇で小規模な爆破事件を起こし、これを「張学良軍の仕業（しわざ）」として当初の計画通り、軍事作戦を開始します。兵力一万人の関東軍が四五万人の張学良軍を圧倒し、わずか半年で満洲を制圧しました。

石原らが日本救済の高邁な理想を抱き、綿密な計画を立てる頭脳を持っていたのなら、正規の手続きを踏んでこれを実行すべきでした。自ら参謀総長や陸軍大臣を説得し、天皇の裁可を受け、日本国の決定として実行すべきでした。そうした手続きを踏まず、クーデタ同然の方法で勝手に軍を動かし、軍事行動を起こしたわけですから、その罪は軍法会議で死刑に相当します。死刑になりたくないのなら、武人として自ら腹を切るべきでした。

ところが現地に赴任したばかりの関東軍司令官・本庄繁（しげる）中将は、部下の板垣からの報告を真に受け、暴走を追認したのです。

関東軍からの援軍要請を受けた朝鮮軍司令官・林銑十郎中将も、天皇の裁可を得ずに独断で配下の朝鮮軍（朝鮮駐留日本軍）を満洲へ越境させ、錦州、ハルビン占領に協力しています。林の行動は、それこそ統帥権干犯ですが、結果オーライでまったく責任を問われていません。部下のいいなりになる人物として石原から「猫にもトラにも自由自在にできる」と評された林は、のちに石原らによって、内閣総理大臣に担がれています。

正規の手続きを踏まず、現場の暴走と既成事実を追認するという帝国陸軍の悪弊はこの満洲事変に始まり、このあと敗戦まで繰り返されます。

満洲事変で若槻内閣の協調外交は破綻しました。幣原外相は「事変不拡大」を声明しますが、関東軍は無視します。もはや日本政府が軍を統制できていないことは、誰の目にも明らかでした。

若槻内閣は総辞職し、立憲政友会の犬養毅が組閣します（外相兼任）。蔵相は積極財政の高橋是清、陸相は青年将校に人望のあった荒木貞夫です。

陸軍は満洲事変のための特別予算を要求し、高橋蔵相はこれに応えて大型予算を組みました。この高橋財政によって景気は急速に回復し、また張学良の排日政策に一撃を加えた関東軍の行動に、日本国民は歓喜したのです。

蔣介石の南京国民政府は「日本の侵略」を国際連盟に提訴し、日本に対する経済制裁の発動を求めました。国際連盟はイギリス人のリットンを団長とする調査団を満洲に派遣します。これを受けて関東軍は、清朝最後の皇帝で天津の日本領事館に身を寄せていた宣統帝溥儀(ふぎ)を満洲国の執政として擁立し、満洲を形式的な独立国とすることで国際非難をかわそうとしました。満洲戦争ではなく「満洲事変」という呼称にしたのも、国際連盟規約やパリ不戦条約の適用を回避するためです。

リットン一行は現地を調査し、東京で犬養首相とも面会しました。ところが、国際連盟総会に提出されたリットン報告書は、蔣介石の期待を裏切る内容でした。

⑴ 日本が満洲に持つ正当な利権に対し、中国側が侵害行為を繰り返した。
⑵ 日本軍の今回の行動は行き過ぎであり、正当防衛の範囲を越えている。
⑶ 満洲国は日本人が作ったもので、満洲人の自決権によるものではない。
⑷ 満洲は中華民国内の自治国として国際管理のもとに置く。日本人の既得権益を承認し、

自治政府は日本人の顧問を採用する。

イギリスは第一次世界大戦中、オスマン帝国内のアラブ独立運動を軍事援助し、ハーシム家の王子を王としてイラク王国、トランスヨルダン王国を建てて石油資源を確保した前科があります。国際連盟に「委任統治領」の名でこれを承認させたわけですから、日本軍の行動を見て苦笑いをしたことでしょう。

国際連盟は、侵略国に対して経済制裁を発動する権限を持っていました。しかしリットン報告書は、対日経済制裁には一言も言及せず、「満洲国独立」という名を捨てて撤兵することを条件に、満洲における日本の既得権益を認め、柳条湖事件前に戻せという蔣介石政府の要求を一蹴したのです。きわめて微温的な内容でした。

犬養首相は、「これで連盟との関係悪化は防げる」と安堵しました。満洲の委任統治を連盟に認めさせれば何も問題なかったのです。

ところが軍は、リットンの「満洲国否認」に猛反発しました。この直後に海軍の若手将校らが首相官邸を襲撃し、無抵抗の犬養首相を射殺してしまいます（五・一五事件）。国民は犬養に同情するどころかテロ事件にも喝采し、犯行グループへの助命嘆願が殺到したのです。

この事件で政党政治、大正デモクラシーは瓦解し、海軍大将の斎藤実（まこと）を首班とする軍と政友会の挙国一致内閣が成立します。満鉄総裁から外相として入閣した内田康哉（こうさい）は衆議院で、「国を焦土にしても、満洲国の権益を譲らない」と答弁（焦土演説）し、質問した野党議員をあ然とさせます。

　このような雰囲気の中で、日本全権としてジュネーヴの国際連盟総会に派遣されたのが松岡洋右（ようすけ）でした。若い頃、米国に留学して何度も人種差別を経験した松岡は、東大法学部を経ずに独学で外交官試験に合格し、流暢な英語を操るクリスチャンでありながらも、人種差別国家の米国に対峙するには力しかない、という思想の持ち主でした。

▲国際連盟総会で演説をする松岡洋右全権（1933年2月24日）

　連盟総会が賛成四二、反対一（日本）、棄権一（タイ）でリットン報告書を採択すると「日本はこれを受け入れない」という有名な英語演説を行って退場、このあと日本は正式な手続きを経て国際連盟を脱退しました。この時の様子はニュース映画で繰り返し上映され、帰国した松岡は「英雄」として歓呼の声で迎えられます。

　かつてポーツマス条約を結んだ小村寿太郎外相

が「国賊」として怒号で迎えられたのとは、まったく逆の光景です。

大衆は常に感情で動くものです。陸奥宗光・小村寿太郎ら明治の指導者は、世論の糾弾を一身に受けても国家の大計を見誤ることはありませんでした。

しかし大正デモクラシーがもたらした大衆政治の時代と、世界恐慌という社会不安の中で、昭和の指導者は軍人であれ、官僚であれ、常に世論に迎合し、保身のため世論をあおり、世論の圧力で国家の大計を見失い、ついには国を滅ぼしたのです。軍が国民を戦争へ、戦争へと駆り立てたのではありません。国民世論が軍を後押ししたのであり、国民世論を一つの方向にあおり立てたのがマスメディア——新聞とラジオ、ニュース映画でした。

国際連盟の崩壊と日中全面戦争への序曲

ニューヨーク発の世界恐慌の直撃を受けたのがドイツです。アメリカからの大規模投資（ドーズ案）というカンフル剤で経済復興の途上にあったからです。米国資本の引き揚げで企業倒産や事業の縮小が相次いだ結果、ドイツの失業率は実に四〇％を突破しました。国際協調路線の社民党政権は無為無策で支持率を急落させ、これに代わって台頭したのが極左の共産党と極右のナチ党でした。

ドイツ国境に近いオーストリア帝国の片田舎で税関職員の子に生まれたアドルフ・ヒトラーは、青年期に画家を志して首都ウィーンに出たものの挫折し、強烈な反ユダヤ主義を信奉するようになります。国際都市ウィーンには、多くのユダヤ人が住んでいたのです。

ドイツ帝国に移住し、ドイツ軍の兵長として第一次世界大戦に従軍したヒトラーは、西部戦線で毒ガスを浴びて目を負傷し、入院中に敗戦を迎えました。

第二次世界大戦とは違い、第一次世界大戦のドイツは、連合国軍に攻め込まれる前に革命で崩壊しました。ロシア革命の成功に触発されたスパルタクス団（のちのドイツ共産党）がベルリンで蜂起したため、前線で指揮をとっていた皇帝ヴィルヘルム二世がオランダへ亡命したのです。

ビスマルクが建設したドイツ帝国は崩壊し、社会民主党を首班とする中道左派のヴァイマル共和国が成立しましたが、混乱が続きます。

「背後からの一突き」でドイツ帝国は倒された、国内の裏切り者を許すな、という「匕首(あいくち)伝説」が流布され、左派の革命に対抗しようと退役軍人や国家主義者が多くの政治結社を立ち上げました。ミュンヘンの国家社会主義ドイツ労働者党（ナチ党）もその一つで、退院したヒトラーはナチ党に入党、圧倒的な弁舌の力でたちまち党首にのし上がりました。

一九二三年、破滅的なインフレーションの混乱の中で、ナチ党は武装蜂起（ミュンヘン一揆）を起こし、一日で政府軍に鎮圧されます。ヒトラーは反逆罪で有罪判決を受け、ランツベルク刑務所に収監されました。

世論は圧倒的にヒトラーを支持し、裁判所は厳罰を科すことができませんでした。ナチ党員はいつでもヒトラーに面会でき、側近のルドルフ・ヘスがヒトラーの口述筆記を引き受けて公刊したのが『我が闘争』です。第二次世界大戦のプランは、すでにこの本の中に書かれています。


世界恐慌がドイツを襲ったとき、共産党がこれを資本主義そのものの終焉とみなし、ソ連型の計画経済をめざしたのに対し、ナチ党はヴェルサイユ体制を打破して再軍備を行い、ソ連・東欧諸国へのドイツの「生存権」拡大を主張しました。世論は真っ二つに分かれ、両党の支持者同士が街頭で衝突を繰り返しました。

一九三二年選挙でナチ党が第一党、共産党が第三党になると、共産党の台頭を恐れるドイツの経済界からの要請を受けたヒンデンブルク大統領は、ヒトラーを首相に任命しました（一九三三年一月）。

ヒトラーの首相就任直後に国会議事堂放火事件が起こり、ヒトラーはこれを共産党の仕業として共産党員を一斉に検挙、「今後四年間、ヒトラー内閣に立法権を与える」という全権委任法を国会の三分の二の賛成で可決させます。

国会は機能停止し、ナチ党以外の全政党が解党されました。「国家の敵」とみなされた共産主義者やユダヤ人への大弾圧が始まる一方で、大規模公共事業と軍需産業の振興（四カ年計画）により雇用を生み出し、失業率を奇跡的に下げていきます。

ナチ党は正式党名の「国家社会主義ドイツ労働者党」でわかる通り、独裁による統制経済という点では宿敵の共産党そっくりでした。経済再建と労働者救済というスローガンは、労働者にも一定の支持を広げていました。

ナチズムは日本の「昭和維新」の思想とも共通する国家社会主義、右翼社会主義ですが、ドイツには担ぐべき皇帝がいないので、ヒトラー首相自らが大統領職を兼ねて「総統（フューラー）」と称し、全権を握ったわけです。

ナチ党のモデルになったのが、イタリアのムッソリーニが率いるファシスト政権でした。このような一党独裁、統制経済、対外膨張主義に特徴づけられる国家社会主義体制のことを、「ファシズム」とか「全体主義」と呼びます。

日本ではこのような一党独裁体制が実現せず、ファシズムとは呼べません。近衛内閣時代に全政党が「大政翼賛会」に結集して疑似ファシズム体制に移行しましたが、少数ながら無党派の「非翼賛議員」も当選できたのです。

ヒトラーはヴェルサイユ条約の軍備制限を不服とし、日本に続いてドイツも国際連盟を脱退しました。イタリアもまたエチオピア侵略を非難されたことを不服として連盟を脱退します。国際連盟の常任理事国だった日・独・伊の三国が脱退したことにより、集団安全保障体制は機能を停止しました。

国際連盟に残留したイギリス・フランスが、脱退した日・独・伊に対してとった対抗策は、きわめて微温的なものでした。満洲事変を起こした日本に対しては、満洲の国際管理を呼びかけ、経済制裁はなし。再軍備を進めるドイツに対しても、お咎めなしで容認。エチオピアを侵略したイタリアに対する経済制裁も、石油を除外するなど骨抜きにされました。

イギリス・フランスにとっては、世界革命を画策するソ連が主敵、植民地を脅かす日・独・伊は第二の敵です。後者は「反ソ・反共」を掲げて軍備増強を進めているので、彼らをうまく誘導してソ連を攻撃させれば、自らは手を汚さずにすむ、という深慮遠謀です。日本軍も満洲からシベリアに攻め込んでくれれば、英・仏はこれを歓迎する、ということです。

日本は確かに国際連盟脱退という愚策を選択し、国際的孤立を招きました。とはいえ、日本に続いて独・伊が脱退し、常任理事国の三国が抜けたことにより、国際連盟そのものが崩壊してしまったわけです。そもそもアメリカもソ連も、国際連盟に非加盟でした（ソ連の加盟は一九三四〜三九）。ですから、国際連盟を脱退しても、満洲占領の段階で軍事行動をやめておけば、他の列強とも妥協点を見出して、亡国を避ける道はあったのです。しかしこのあと、事態は石原らにもコントロールできない方向に転がっていくのです。

陸軍の「統制派」の台頭が日本の運命を決した

「昭和維新」を掲げ、満洲事変を引き起こした陸軍の中堅将校たち。ところが満洲事変以後、二つの派閥に分裂していきます。

陸士一六期の同級生、小畑敏四郎と永田鉄山。留学先のドイツ・バーデンバーデンで帝国陸軍の刷新を誓った二人でしたが、次第に路線対立が目立ってきました。いずれも国家社会主義者ですが、前者の立場を「皇道派」、後者を「統制派」と呼びます。一九三〇年代の日本では、帝国憲法を守ろうとする伝統保守派（親英米派）、皇道派（国粋派）、統制派（親ソ派）の三つ巴の権力闘争が起こっていたのです。

満洲事変中の一九三三年六月、陸軍の全幕僚会議は将来の「対ソ戦」に備えることを決定しました。この席で永田参謀本部第二部長は、「対ソ戦の前に支那（しな）（中国）との協同が必要だが、そのためには一度支那を叩き、何でもいうことを聞くようにしなければならない」という「対支一撃論」を展開しました。

これに対し、皇道派の荒木貞夫陸軍大臣は、「支那と戦争すれば英・米は黙っていないし、必ず世界を敵とする大変な戦争になる」と反論しています。

日本を泥沼の日華事変と対米戦争（大東亜戦争）への道に引きずり込んだのは、統制派でし

皇道派

- 手段を選ばず軍事政権を樹立し、天皇親政の社会主義国家を実現。
- 対ソ戦に備え、内政を優先する。中国への戦線拡大には反対。

▲小畑敏四郎

統制派

- 官僚・財閥とも連携、ソ連型統制経済によって失業問題を解決。
- 対ソ戦の前に中国に一撃を加え、親日政権を樹立する。

▲永田鉄山

た。同じ軍事政権でも皇道派政権が成立していれば、歴史はまったく違ったものになっていたでしょう。

　陸軍のトップ三は、参謀総長・陸軍大臣・教育総監です。皇道派の青年将校らが指導者と仰いだのが、荒木貞夫陸軍大臣と真崎甚三郎教育総監でした。逆に統制派は、荒木・真崎の排除に動きます。

　永田軍務局長は、皇道派にクーデタを起こさせ、これを鎮圧するという名目でカウンター・クーデタを起こして政権を掌握した後、「昭和維新」に理解を示す近衛文麿を首相に擁立するプランを立てました。

　陸軍士官学校生のクーデタ計画（これ自体がでっち上げ説もあり）を摘発した永田らは、真崎教育総監に責任を負わせて辞任させます。憤激した皇道派は、統制派の挑発に乗ってしまいます。

一九三五年、皇道派の相沢三郎中佐が、陸軍省内で永田軍務局長に面会を求め、永田を軍刀で斬殺(ざんさつ)するという大事件を起こします。クーデタを警戒した統制派は、皇道派の拠点となっていた東京の第一師団を満洲へ派遣することを決定します。

このままではクーデタの機会を失うと焦った皇道派が翌三六年に決起したのが二・二六事件です。首謀者の磯部浅一は陸軍の経理を担当する主計課に属し、国家社会主義者・北一輝の門下生でした。他の中心メンバーも大半が三〇代、大尉以下の青年将校です。

一四〇〇名あまりの反乱軍は二月二六日、雪の積もる東京の中枢・永田町と霞が関を占拠し、首相官邸、新聞社、政府要人の私邸を襲撃しました。

▲荒木貞夫

岡田啓介首相（海軍大将）は押入れに隠れて難を逃れましたが、斎藤実内大臣（前首相／海軍大将）、高橋是清(これきよ)蔵相は私邸で射殺されました。襲われたのはいずれも、親英米派の政治家たちです。要人警備に当たっていた警察官数名も射殺されました。

参謀本部勤務だった石原莞爾は陸軍省に駆け付け、銃剣を突き付ける兵士を「石原大佐だ！」と一喝して押し通ります。ピストルを抜いた青年将校から「昭和維新についてどう思われますか？」と問われた石原は、「軍備と国力の充実が維新だ。こんなことはすぐにやめろ。やめねば討伐するぞ！」と一喝。反乱軍も萎縮して手が出せません。このあと石原は、戒厳軍の参謀に任じられ、反乱軍を討伐する側に立ちます。

二・二六の反乱軍の最大の失敗は、昭和天皇の思想について無知だったことでした。腐敗した軍閥や財閥・政党を打倒し、天皇親政を実現するのが二・二六事件の目的でした。しかし昭和天皇は、重臣たちの殺害を聞いて激怒、鎮圧を躊躇する川島陸相に対し、「朕自ら近衛師団を率いて、叛乱部隊の鎮圧に当たらん」と叱責、これを受けて、石原が指揮する戒厳部隊が、反乱軍を包囲しました。海軍が東京湾へ急派した戦艦・長門の主砲は、反乱軍の制圧地域に照準を合わせました。

翌二九日、ＮＨＫラジオが「既に天皇陛下のご命令が発せられたのである」という降伏勧告を放送。「勅命下る　軍旗に手向かふな」と書かれたアドバルーンが上がりました。効果はてきめんで、反乱軍兵士は抗戦の意志を失い、原隊に復帰しました。彼らは命令に従っただけなので罪は問われず、磯部ら将校たちが反逆罪で軍法会議にかけられました。死刑囚となった磯部は、獄囚で記した手記で、昭和天皇を叱責しています。

今の私は怒髪天をつくの怒にもえています、私は今は、陛下を御叱り申上げるところに迄、精神が高まりました。だから毎日朝から晩迄、陛下をお叱り申して居ります。天皇陛下。何と云ふ御失政でありますか。何と云うザマです。皇祖皇宗に御あやまりなされませ。

——（磯部浅一『獄中日記』（一九三六年）八月廿八日 中公文庫 P.112）

翌年、銃殺刑となったのは、クーデタに参加した軍人一六名、北一輝と退役軍人二名。北一輝、磯部らは「天皇陛下万歳」を拒否しました。彼ら国家社会主義者にとって「天皇」とは「昭和維新」のシンボルに過ぎず、生身の昭和天皇ではなかったのです。

二・二六事件の失敗後、統制派によるカウンター・クーデタが始まります。岡田内閣の外相・広田弘毅が統制派との「挙国一致内閣」を組閣、荒木・真崎など、皇道派に同情的な陸軍首脳はいずれも予備役に編入され、あるいは左遷されました。彼ら退役軍人が二度と政治に関与しないように、軍部大臣現役武官制度を復活させます。

これは、「陸軍大臣・海軍大臣は現役の大将・中将に限る」という明治時代のシステムのことで、統制派の意向に逆らう内閣には「軍部大臣を出さない」ことで圧力をかけ、場合によっては組閣を阻止できるのです。

「不磨の大典」の帝国憲法を変えられない軍部は、この軍部大臣現役武官制を武器にして、内閣をもコントロールできるようになったのです。

広田内閣が閣内不一致で総辞職したあと、元老・西園寺は「宇垣軍縮」の宇垣一成に組閣させることを昭和天皇に奏上します。大命を受けた宇垣は正装して皇居に向かいますが、石原らは「陸軍大臣は出さぬ」と脅して宇垣に組閣を断念させ、よりによって「越境将軍」の林銑十郎に組閣させています。

「何もせん十郎内閣」と揶揄された林銑十郎内閣のあと、統制派が擁立したのが、昭和天皇の信任も厚い貴族院議長の近衛文麿でした。

この近衛内閣のもとで今度は統制派の暴走が始まり、日本は泥沼の支那事変に突っ込んでいくのです。


二・二六事件とほぼ同時に起こった天皇機関説問題についても一言、触れておきます。これは国家を生命体になぞらえる国家有機体説というドイツ国法学の考え方を、帝国憲法の解釈に当てはめたものです。君主（日本では天皇）が頭脳、国家機関（省庁）がそれぞれの臓器であり、いずれも国家＝身体全体に不可分のものと考えます。

「バラバラな個人が集まって国家を形成し、君主を選んだのだから、人民は君主を取り替えることができる」とする社会契約説（フランス革命の思想）とは対立する、国家主義的な考え方ですが、「主権を持つのは国家であり、君主はその一機関に過ぎない」という点で、君主絶対の君主主権説とも対立します。イギリス型の立憲君主政を説明するには、国家有機体説の方が適しています。

そもそも憲法起草者の伊藤博文がこの考え方であり、東大法学部の美濃部達吉教授がこの学説を「天皇機関説」と呼んだのです。

これに対して天皇を神格化し、「天皇主権説」をとる同大法学部の上杉慎吉教授が嚙みつきます。「天皇を、一機関とは不敬なり！」というのです。

東大の学生たちも二派に分かれ、新聞がこれをセンセーショナルに報じ、貴族院議員だった美濃部は国会でも追及され、議員辞職に追い込まれました。

「昭和維新」を掲げる国家社会主義者たちは、天皇の名において独裁政権を樹立しようとしていたため上杉を支援し、美濃部を糾弾しました。

イギリス型立憲君主を理想とする昭和天皇は美濃部に好意的で、岡田啓介首相も美濃部を守ろうとしました。二・二六事件で、岡田首相が襲われた理由の一つがこれでした。

石原莞爾も反対した日中全面戦争

満洲事変を起こした石原莞爾には、満洲・シベリアの資源を確保して将来の世界最終戦争（対米戦争）に備えるという明確な戦略がありました。ですから石原は、万里の長城以南へは軍を進めようとせず、国際連盟の明確な支援を得られなかった中華民国側もしぶしぶ停戦に合意して、満洲事変の戦闘はすべて終結しました（塘沽(タンクー)停戦協定、一九三三）。この協定で緩衝地帯とされた北京周辺には、親日派の冀東(きとう)防共自治政府が置かれます。

満洲事変が早期に終結した理由の一つに、中華民国における内戦がありました。蔣介石の上海クーデタで、壊滅的ダメージを受けた中国共産党でしたが、毛沢東を中心に農村部で組織を立て直し、満洲事変の混乱に乗じて首都南京の西南七〇〇キロメートルの地方都市・瑞金（ずいきん）を攻略し、「中華ソヴィエト共和国」の独立を宣言したのです。

蔣介石はただちに瑞金制圧を命じ、一〇〇万の国民政府軍を動員しました。共産党はこれに耐えきれず、内陸方面へ撤収しました。この大逃避行を彼らは「長征（ちょうせい）」と呼んで美化していますが実際には敗残兵の群れでした。三〇万人いた共産軍（紅軍（こうぐん））は逃亡兵が相次ぎ、三万人にまで激減します。

「日本軍は皮膚病だが、共産党は心臓病である」

蔣介石の言葉です。長城の北の満洲にいる日本軍は放置しても構わないが、中華民国にとって命取りとなる共産党ゲリラは根絶するという決意表明です。

日・独による東西からの攻撃を恐れたソ連のスターリンは、各国共産党に呼びかけます。世界革命をいったん停止し、「反ファシズムで共闘できるようなあらゆる政治勢力と共産党との連合政権（人民戦線）を組織せよ」と。

スペインでは共産党員を入閣させたアサーニャ人民戦線政府が成立しますが、地主やカトリック教会が支持するフランコ将軍が反旗を翻し、内戦が始まります。反乱軍を支援するドイツ・イタリアが軍事同盟を結び（ベルリン・ローマ枢軸）、ソ連が政府軍を支援したため独・ソの代理戦争となりました。

ヒトラーはスペイン人民戦線を支援するソ連を、日本は満洲国と国境を接するソ連を、それぞれ仮想敵国とし、情報交換の目的で日独防共協定(反コミンテルン協定)を締結します。イタリアもこれに加わり、国際連盟を脱退した日・独・伊の三国は、「枢軸国」と呼ばれるようになります。

中国では「長征」途中の毛沢東が「八・一宣言」を発しました。一九三五年八月一日、モスクワのコミンテルン大会に出席していた王明ら中国共産党代表が発表したこの宣言は、蔣介石と張学良に対し、「内戦停止と抗日」を呼びかけました。

しかし「抗日」より「反共」を優先する蔣介石は共産党への攻撃を続けます。間に入った張学良は、蔣介石を西安におびき寄せて監禁し、内戦停止を強要しました(西安事件、一九三六)。脅迫されて命と引き換えに「内戦停止」を宣言させられたわけですから、蔣介石の本心はますます「反共」に傾きます。つまり、蔣介石は八・一宣言を共産党の陰謀と見抜き、これに応じなかったのです。

ちなみに蔣介石はドイツの軍事顧問団を受け入れ、ドイツからの支援で軍を近代化していました。国民党の「反共独裁」は、ナチの「反共独裁」にそっくりでした。日本は「反共」を旗印とする蔣介石政権とは同盟し、国共内戦で国民政府を支援すべきでした。ところがこのあと日本軍は、なぜか蔣介石に対する攻撃を開始したのです。

大事なことなのでもう一度書きますが、満洲事変は塘沽停戦協定で終わっていたのです。日本は、何もなかった満洲の原野に莫大な投資を行い、多くの開拓民を送り込んで近代国家を建設することに忙殺されていました。その目的は、直接的には満洲と国境を接するソ連との戦争に備えることであり、さらには日本と満洲を経済的に一体化して、将来の対米戦争に耐えうるような高度国防国家を建設することでした。ですから日本軍が、長城の南の中華民国に攻め込む理由もなければ余力もなかったのです。

日本にとって好都合なことに、蔣介石の南京国民政府は中国共産党との内戦で忙しく、日本との戦いには消極的でした。

とすれば、日中全面戦争で利益を得るのは、日本でもなければ国民政府でもありません。戦争を望んだのは何者か?

満洲の日本軍に脅かされているソ連のスターリンと、国民政府との内戦で追い詰められている中国共産党の毛沢東です。

日中全面戦争が勃発すれば、蔣介石も毛沢東と手を組まざるを得なくなります。八・一宣言の「内戦停止、一致抗日」が実現するのです。この戦争でどれだけの犠牲があろうが、首都・南京が陥落しようが、国民政府が崩壊しようが、いっこうに構いません。むしろ国民政府が敗戦で崩壊すれば、中国における共産主義革命の絶好のチャンスとなります。

「敗戦を革命に転化せよ！」という敗戦革命論は、ロシア革命の時のレーニンの作戦でした。第一次世界大戦では、ロシアをドイツとの戦争に引き込み、兵士のサボタージュによってわざと負け、帝政を瓦解させたのです。帝政ロシアを打倒することにおいて、ドイツ帝国とボリシェヴィキ（ロシア共産党）とは共犯関係にありました。スイスに亡命していたレーニンを、「封印列車」でロシアへ送り込んだのは、ドイツ軍です。

盧溝橋事件（一九三七）に始まる日中全面戦争は、これまで「日本軍国主義の暴走」とだけ説明されてきました。共産党というファクターが覆い隠されてきたのです。

義和団事件後の北京議定書により、北京の公使館を防衛するという名目で、各国の軍隊が駐留していました。日本軍の北京駐留も北京議定書に基づくもので完全に合法です。人口が密集する市街地で軍事演習はできませんから、北京から車で約三〇分、盧溝橋がかかる河川敷一帯で日本軍が夜間軍事演習を行っていました。付近には国民政府軍が駐屯していました。

一九三七年の七月七日。闇の中、国民政府軍の方向から日本軍陣地に銃弾が撃ち込まれ、双方で撃ち合いになりました。これが盧溝橋事件です。

追い討ちをかけるように、日本人に対するテロが頻発します。

七月二九日。今度は北京の東に位置する通州で、惨劇が起こりました。この地域は塘沽停戦協定で非武装地帯とされましたが、国民政府軍が残存していました。盧溝橋事件後、日本軍がこれに対する空爆を開始しますが、親日傀儡政権である冀東防共自治政府の保安隊を誤爆したことから、今度は保安隊が通州の日本人街を襲撃、非武装の日本国民（半数は朝鮮人）約二〇〇名以上をきわめて残虐なやり方で殺害したのです。

これらの事件が、国民政府軍あるいは防共自治政府の保安隊の中に潜り込んでいた共産党の工作員、あるいは共産党の支持者の仕業と考えれば、つじつまが合います。今後の研究にまちたいところですが、共産党が政権を握った今の中国では、自由な歴史研究はできません。共産党に不利な事実を記した史料も、証拠隠滅されているでしょう。真相は藪の中です。

この事件が報じられると日本の世論が激昂し、統制派の武藤章、田中新一らが唱える「対支一撃論」を勢いづかせました。

東京の陸軍司令部（参謀本部）では、参謀総長の閑院宮載仁親王（任一九三一～四〇）は皇族で名誉職、参謀本部の実務を担当すべき今井清参謀次長は入院中、事実上の責任者となった石原莞爾作戦部長は「長城の南へ行くな」という考えでした。満洲事変の首謀者が、支那事変ではブレーキ役になったのです。

盧溝橋事件は局地紛争でいったんは終わりましたし、通州事件は冀東防共自治政府が公式に謝罪し、慰謝料を支払ったことで一応は決着しました。

ところが今度は、第二次上海事変が発生します。

そもそも上海はアヘン戦争後に開港し、治外法権の外国人街（租界）が存在しました。日本人も三万人弱がここに居住し、これを守るため日本海軍陸戦隊一〇〇〇人のほか、各国軍隊が駐屯していました。

第一次上海事変は満洲事変の直後、反日運動が高揚する上海で布教中だった日本人の日蓮宗僧侶らが、中国人暴徒に惨殺されたことから始まります。

日本海軍は陸戦隊を増派して上海市を威圧し、謝罪と賠償を求めました。この日本軍陣地に対し、国民政府軍の第一九路軍が攻撃、日本側が応戦して戦闘状態に陥ります。日本軍が圧勝し、各国が仲裁に入って停戦しました。

第二次上海事変は盧溝橋事件の直後、大山勇夫海軍中尉の車が中国軍に銃撃され、殺害された事件を発端とします。上海を包囲する陣地を構築していた国民政府軍三万が、日本人租界を防衛する日本海軍陸戦隊四〇〇〇と交戦、双方が航空機による爆撃を行い、民間人に多数の犠牲が出ました。

近衛内閣は「支那軍膺懲(ようちょう)、南京政府の反省を促す」との声明を出します。「膺懲」とは「懲らしめる」という意味で、この時期からさかんに使われています。これに応えて陸軍は、松井石根(いわね)陸軍大将が指揮する上海派遣軍を動員しました。

こうして日中両軍は、宣戦布告なきまま全面戦争に突入し、南京へ後退する中国軍を追撃して、日本軍は中国大陸の奥地へと深入りしていったのです。

参謀本部では、石原莞爾作戦部長が戦線不拡大に奔走していました。「今は満洲国の建設に全力を注ぐべきで、無用な戦争は避けるべきだ」と。

ところが直属の部下である武藤章作戦課長以下、参謀本部の大勢は「戦線拡大」。内モンゴル（後述）に戦線を拡大していく関東軍の説得に赴いた石原に対し、武藤は、

「われわれは、満洲事変で石原閣下がされた行動を見習っているだけです」

といい放ち、石原を絶句させます。

ついに石原は近衛首相に進言しました。

「北支（華北）の日本軍を満洲国にいったん撤退させ、近衛首相が南京へ飛んで、蔣介石との首脳会談を実現するべきです。石原がお伴します」と。

近衛首相の側近・風見章書記官長がこの石原案を握りつぶした結果、近衛首相は「国民政府を相手とせず」という意味不明の声明を出してしまいます。

参謀本部で孤立した石原は作戦部長を解任され、関東軍の参謀として左遷されますが、今度は関東軍参謀長の東條英機と衝突します。

世界最終戦論という遠大な世界観に基づいて満洲国を理想国家にしようと行動する石原に対し、東條には世界観というものがなく、規則に従い、「前例を踏襲するだけ」の典型的な官僚タイプの軍人でした。石原は東條を無能と面罵（めんば）し、激怒した東條は、石原参謀を罷免します。

東條英機は近衛内閣の陸軍大臣を経て首相となり、日米開戦を決断しました。石原のような異才を生かせず、東條のような事なかれ主義の凡庸な人物が出世するシステム。これは今の日

本の官僚機構でも変わっていません。

近衛首相を戦争に引きずり込んだ者たち

首相の近衛文麿は、京都帝大でマルクス主義経済学者の河上肇に感化され、第一次世界大戦末期に書いた論文「英米本位の平和主義を排す」では帝国主義を批判するなど、社会主義志向の強い政治家でした。

近衛首相の私的ブレーンは「昭和研究会」というシンクタンクでした。盧溝橋事件の前年、近衛とは京大の同級生である後藤隆之助が立ち上げ、政策提言を行いました。その中の一つ、「支那問題研究会」の委員長が風見章で、近衛は風見を信任し、内閣書記官長（戦後の内閣官房長官と同じ。スポークスマン）に抜擢したのです。

風見章は、信濃毎日新聞記者だった時代に労働争議を好意的に報道し、マルクスの『共産党宣言』を絶賛する記事を書くような共産主義者でした。

この風見が、支那問題研究会のメンバーとしてリクルートしたのが、朝日新聞記者の尾崎秀実(ほつみ)でした。尾崎は東大で中国問題を研究したのち、大阪朝日新聞の特派員として上海に派遣されています。昭和研究会の中国問題専門家として近衛首相に直接アドバイスを行う一方、朝日新聞や月刊誌『中央公論』、『改造』にもたびたび寄稿し、世論にも影響を与えました。尾崎の論調は、蔣介石を「軍閥」と罵倒し、南京政府との交渉は時間の無駄であり、早く南京を攻略して新政権を樹立すべし、と説くものでした。陸軍統制派の「対支一撃論」とそっくりです。

▲近衛文麿首相

近衛は三度組閣しますが、尾崎は外交ブレーンとして常に首相の近辺にいました。石原莞爾の和平提案を近衛首相が拒否し、「国民政府を相手とせず」との声明を発し、南京攻略へと邁進したのは、尾崎秀実の助言を受けてのものだったのです。

一九四一年九月、日米開戦が迫る中、政治犯を扱う特別高等警察（特高）は、ドイツ人記者のリヒャルト・ゾルゲをリーダーとするソ連のスパイ網を摘発しました（ゾルゲ事件）。

ゾルゲはロシア人を母とするドイツ人で表向きはナチ党員でしたが、実はソ連共産党員で、ソ連軍の工作員だったのです。

ゾルゲは日本軍が対ソ開戦するかどうかを見極めるため、上海で尾崎秀実に接触、東京に移って近衛内閣のブレーンである尾崎から最高機密を受け取ってモスクワへ送る一方、モスクワの意を受けて、日本軍がソ連へ向かわないよう近衛首相に働きかける工作を尾崎にやらせていたのです。尾崎が近衛首相を日中全面戦争に誘導したのはこのためでした。

なお、尾崎はコミンテルンに協力していると思い込んでいましたが、ゾルゲが所属していたのはソ連赤軍の情報機関である第四局（ＧＲＵ）でした。

ゾルゲと尾崎はスパイ行為を自供し、有罪が確定します。判決は絞首刑でした。

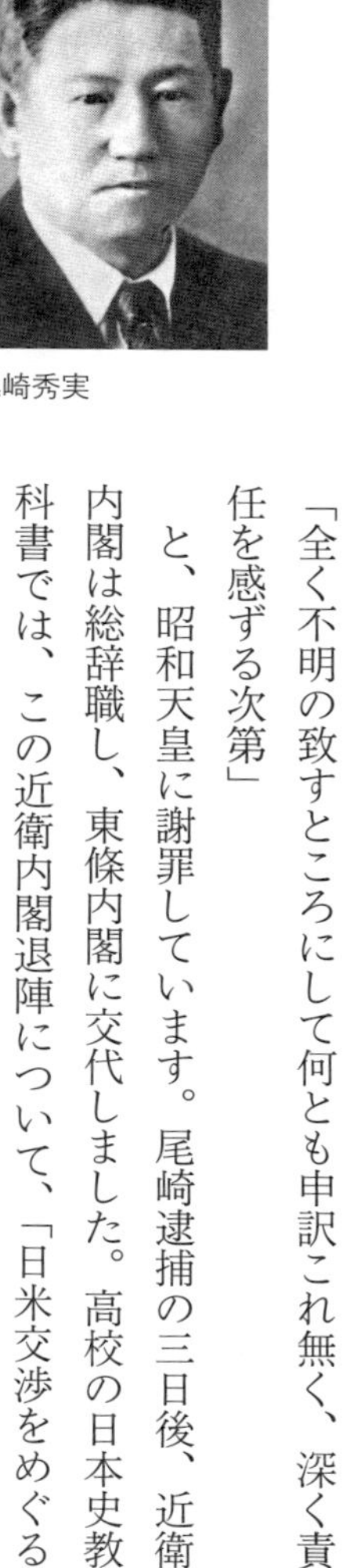
▲尾崎秀実

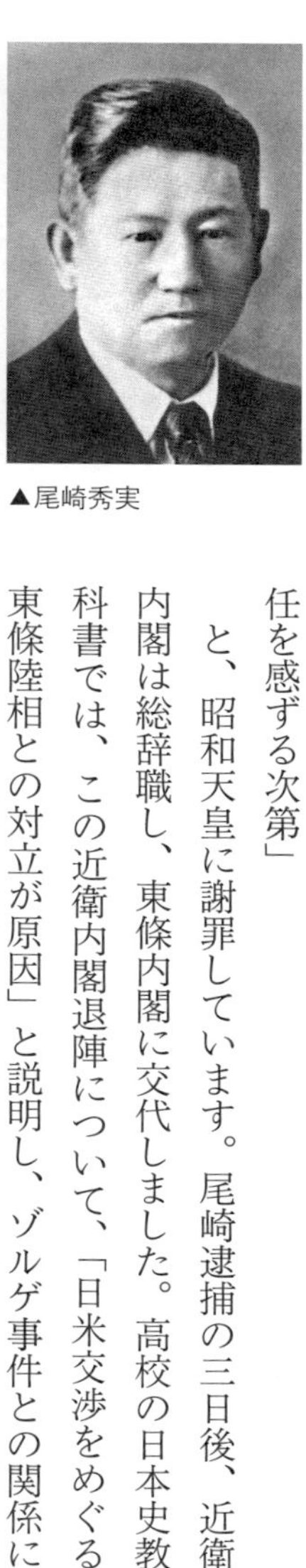
▲風見章

「尾崎逮捕」の報を受けた近衛首相は驚愕し、
「全く不明の致すところにして何とも申訳これ無く、深く責任を感ずる次第」
と、昭和天皇に謝罪しています。尾崎逮捕の三日後、近衛内閣は総辞職し、東條内閣に交代しました。高校の日本史教科書では、この近衛内閣退陣について、「日米交渉をめぐる東條陸相との対立が原因」と説明し、ゾルゲ事件との関係については言及しません。奇妙なことです。
一九四五年二月、敗戦の六カ月前、三年ぶりに宮中に参内した近衛元首相は、昭和天皇に「近衛上奏文」を手渡しました。この中で近衛は、対米戦争の早期終結を求めるとともに、こう書いています。

「陸軍統制派は共産主義革命をめざしており、日本の戦争突入や戦況の悪化は、国際共産主義勢力と結託した陸軍の陰謀である」と。

▲ソ連の切手となったゾルゲ

特に憂慮すべきは、軍部内一味の革新運動にこれ有り候。少壮軍人の多数は、我が国体と共産主義は両立するものなりと信じ居るものの如く、軍部内革新論の基調もまたここにありと存じ候。

……

これら軍部内一部の者の革新論の狙いは、必ずしも共産革命に非ずとするも、これを取巻く一部官僚及び民間有志（これを右翼というも可、左翼というも可なり、いわゆる右翼は、国体の衣を着けたる共産主義者なり）は、意識的に共産革命にまで引きずらんとする意図を包蔵しおり、無智単純なる軍人、これに躍らされたりと見て大過なしと存じ候。

（「近衛上奏文」木戸日記研究会編『木戸幸一関係文書』時局ニ関スル重臣奉答録　東京大学出版会 P.495～496／著者が口語訳）

「いわゆる右翼は、国体（天皇）の衣を着けたる共産主義者なり」

――事の本質を見抜いた名言だと思います。

一九四五年二月になって近衛は、ようやく自分が誰に踊らされてきたのかに気づいたのか？あるいは米軍による日本占領を見越して、保身のため共産主義者と手を切って見せたのか？

「近衛上奏文」の存在は早くから知られていましたが、「陰謀論」「妄想」として片付けられ、まともな歴史研究の対象とされてきませんでした。

近衛はＧＨＱに戦犯容疑で呼び出された直後に服毒自殺しました。尾崎を近衛に引き合わせた内閣書記官長・風見章は戦後も生き残り、日本社会党左派に入党しています。尾崎の処刑について風見は、こう記しています。


わが尾崎が、絞首台にはこべる足音は、天皇制政権にむかって、弔いの鐘の響きであり、同時に、新しい時代へと、この民族を導くべき進軍ラッパではなかったか、どうか。解答は急がずともよかろう。歴史がまもなく、正しい判決を下してくれるにちがいない。

（『改造』一九五一年五月号　改造社）


こういう人たちが、歴史学会や教育界を跋扈（ばっこ）し、すべてを「日本軍国主義」の責任として片付け、共産主義者の戦争責任については沈黙してきたのです。ゾルゲ事件について日本史教科書では小さく扱うだけで、「近衛上奏文」は黙殺されています。ゾルゲ事件は映画にもなりま

したが、特高警察による弾圧の犠牲者となった「平和主義者」として描かれ、美化されています。

しかしソ連崩壊（一九九一）後の情報公開で、米・英の情報機関が第二次世界大戦中から傍受してきたソ連とその工作員ネットワークとの通信記録が徐々に明らかにされています（ジョン・アール・ヘインズ他『ヴェノナ――解読されたソ連の暗号とスパイ活動』中西輝政監訳、PHP研究所）。その結果、ソ連の工作が日本のみならず、米国政府の中枢にまで及んでいたことが明らかになってきました。このことを無視しては、日米開戦の真実には迫れません。

第12章

日米戦争　破局への道

「天才的戦略家」石原莞爾をつぶした「凡人官僚」東條英機

ここからは、のちの東京裁判で「A級戦犯」として処刑され、ヒトラー、ムッソリーニと並ぶ独裁者、ファシストとして悪魔化されてきた東條英機、その実像に迫ってみましょう。

東條英機の父・英教は、戊辰戦争で新政府軍に抵抗した盛岡藩士の子として生まれます。陸軍大学の一期生となり、首席で卒業という秀才であり、机上の作戦計画では優秀でしたが、日露戦争の実戦ではミスを重ねます。また陸軍長州閥のドンである山縣有朋への批判を繰り返したため、大将になれずに退役となっています。英教はこれを悔やみ、息子・英機に夢を託しました。

努力家だった息子の英機は父の期待に応えて陸大をめざし、三度目の挑戦で合格します。このとき、東條英機の陸大受験を指導したのが、陸軍士官学校で一期先輩の小畑敏四郎や永田鉄山、岡村寧次（いずれも陸士一六期）でした。東條は、小畑の下宿に泊まり込んで受験勉強をしています。

陸大卒業後は駐在武官としてドイツに派遣され、南ドイツの保養地バーデンバーデンで小畑・永田・岡村の三先輩と再会。長州軍閥打倒と陸軍の刷新を誓ったというのが「バーデン

バーデンの密約」で、東京裁判では「軍部暴走の始まり」ではないかと疑われています。四人の交流は帰国後も続き、「一夕会（いっせきかい）」という勉強会を立ち上げました。東條の四期後輩になる石原莞爾もこれに加わり、会の方針が定まりました。

- 陸軍人事の一新（→長州閥ではない真崎甚三郎・荒木貞夫らを担ぐ）
- 満蒙問題の解決（→満洲の軍事占領）

歩兵第一連隊長時代の東條は、部下の兵卒一人ひとりの家庭環境まで調べ上げ、声をかけました。陸大卒のキャリア将校は、中学を出て徴兵されたばかりの兵卒から見れば「雲の上の人」だった時代です。東條は「人情連隊長」として人気を博しました。

満洲事変後の一九三五年、東條は関東軍の憲兵隊司令官として満洲に配属されます。憲兵隊とは軍事警察のことで、思想警察の役割を果たしました。東條は関東軍内部の共産主義者の検挙に辣腕を振るい、二・二六事件では皇道派を摘発して関東軍参謀長の板垣征四郎に評価され、板垣の後任として参謀長に昇進します。のちに東條が陸軍大臣に抜擢されるのも、板垣の引きがあったからです。東條は板垣の期待によく応え、やがて連合国による東京裁判で、板垣とともに絞首刑となります。

努力家で、先輩にかわいがられ、後輩の面倒見がよく、与えられた任務を忠実にこなす東條英機。その部下として関東軍参謀に配属されたのが、天才肌で組織を嫌い、空気を読まず、上官を上官とも思わない石原莞爾でした。

支那事変の不拡大方針論者として東京の参謀本部で孤立し、関東軍参謀として左遷されてきた石原莞爾は、直属の上司である東條参謀長を「憲兵隊しか使えない女々しいやつ」と嘲笑します。激怒した東條は石原を解任し、武藤章らの事変拡大派で側近を固めました。

石原の言う通り、憲兵としてのキャリアを積んできた東條参謀長にとって実戦経験がないことが弱みでした。そしてついにその機会がやってきました。関東軍の内モンゴル侵攻――チャハル作戦です。

清朝の崩壊後、モンゴル人居住区の北半分（外モンゴル）はモンゴル人民共和国を建ててソ連の承認を得ましたが、南半分の内モンゴルは中華民国に併合され、独立運動を続けていました。

満洲事変を起こした日本軍（関東軍）が隣接する内モンゴルに派兵すると、モンゴル人指導者でチンギス・ハンの三〇代目の子孫である徳王デムチュクドンロプが日本軍に呼応して挙兵しますが中国の国民政府軍との戦闘に敗れてしまいます。

この徳王を支援する形で、関東軍は東條を指揮官とする部隊を内モンゴルのチャハルに派遣したのです。「東條兵団」は国民政府軍の排除に成功し、徳王は「蒙古連合自治政府」を樹立できたのです。この政府は最後まで日本軍におんぶに抱っこの状態で、徳王は満洲国の溥儀と同様に日本軍の傀儡でした。

日本の敗戦でその地位を失った徳王は、モンゴル人民共和国に亡命しますが、結局は中華人民共和国に引き渡され、「戦犯」として投獄されます。

「東條兵団」は軍紀に厳しく、部下に略奪を禁じました。また世界的な仏教遺跡である雲崗石窟の保護にも配慮するなど評価すべき点もあります。その反面、補給を無視した進軍で兵を疲弊させるなど、帝国陸軍の悪弊をのぞかせています。

近衛内閣の陸軍大臣となった板垣征四郎は、東條を東京に呼び寄せ、陸軍次官に抜擢します。この東條陸軍次官が、戦線拡大を巡って多田参謀次長と激突します。

石原の推薦で参謀次長になった多田駿は、河本大作の義弟として関東軍でキャリアを積みました。天津に司令部を置く支那駐屯軍司令官に任じられると、対中国政策（多田声明）を明らかにしました。この中で多田は、「厳乎たる威力の随伴を必要」としつつも、「搾取主義を排し、与うる主義をとるべし」「支那の独立を尊重し、民族の面目を保持すべし」と論じます。彼は、関東軍の石原莞爾と気脈を通じていたのです。

そもそも参謀本部とは何か？　ここで軍政と軍令との違いについて説明しておかなければなりません。

「軍政」とは軍隊の編制――予算の獲得と配分、徴兵と訓練、装備の購入などの実務のことで、これを担当するのが陸軍省・海軍省です。予算は内閣が原案を作り、衆議院の承認を要しますから、陸軍大臣・海軍大臣は内閣（政府）の一員です。

「軍令」とは軍事行動における作戦・指揮命令のことで、「〇〇作戦のため〇月〇日までに陸軍〇万人を〇〇へ移動する」という計画書を作成します。軍令を担当するのが陸軍参謀本部・海軍軍令部で、参謀総長・軍令部長は内閣のメンバーではありません。現在の日本でも「軍政」は防衛省（トップは防衛大臣）、「軍令」は統合幕僚監部（トップは統合幕僚長）と分けていますが、最高指揮官である内閣総理大臣の下に幕僚長が置かれています（シビリアン・コントロール）。

南京の蔣介石政権に最大の軍事援助を行ってきたのはドイツでした。軍事顧問団を派遣し、大量の武器を輸出していました。だから国民政府軍は、制服までドイツ風です。反共主義を掲げる蔣介石の中国は、ヒトラーにとっても同盟国だったのです。

ところが、日華事変で蔣介石が敗走を続けるのを見たヒトラーは中国を見限り、日本と同盟する道を選びました。これが日独伊三国同盟（一九四一）です。トラウトマン工作の段階では、日・独はまだ同盟国ではありません。

先述の通り参謀総長は皇族の閑院宮であるため、多田参謀次長が参謀本部の事実上のトップとなり、南京駐在のドイツ大使トラウトマンの仲介により蔣介石との停戦交渉を進めます（トラウトマン工作）。共産党との内戦に苦しむ蔣介石と日本との同盟が成立すれば、これで支那事変は終わり、日米戦争もなかったわけです。

一九三七年一二月二日、蔣介石はトラウトマンに和平の受諾を伝えました。ところが参謀本部の決定を無視して現地日本軍が南京を攻略してしまいます（一二月一三日）。

これを見た近衛内閣の広田弘毅外相はゴールポストを動かし、賠償金と領土割譲を求めるなど蔣介石が受け入れ不可能なレベルに条件をつり上げたため交渉は決裂、「国民政府相手とせず」の近衛声明（三八年一月）に至ったのです。こうして、多田参謀次長の和平努力は水泡に帰しました。近衛内閣がトラウトマン工作を妨害したことは、ポイント・オブ・ノーリターンを越えたことを意味します。

かつてビスマルクは、ドイツ統一を邪魔するオーストリア帝国との戦い（普墺戦争）でモルトケ参謀総長との二人三脚により圧倒的勝利を収めた時、敵都ウィーンの攻略を禁じて和議を結びました。この戦争の目的はドイツの統一であり、ウィーンの攻略ではなかったからです。

以上見てきたように支那事変の一年目の段階では、陸軍参謀本部が「事変不拡大」、近衛内閣が「事変拡大」だったのです。「好戦的な軍部が近衛内閣を戦争に引きずり込んだ」のではなく、「好戦的な近衛内閣が軍部を戦争に引きずり込んだ」のです。

もちろん、軍部にも事変拡大派はいました。その急先鋒だった陸軍次官・東條英機は、多田参謀次長の罷免を要求しました。結局、「喧嘩両成敗」で東條も多田も罷免され、多田は満洲の第三軍司令官として東京から遠ざけられ、日米開戦の年に予備役に編入されました。一方の東條は第二次・第三次近衛内閣の陸軍大臣を経て、総理大臣の地位に登っていきます。第三次近衛内閣のあとが、東條内閣ではなくて多田内閣だったら、日米開戦は避けられたと私は思います。しかし残念ながら昭和天皇は、多田を信用していませんでした。「満洲事変を起こした石原の仲間だ」という理由です。

敗戦後、多田駿は、東京裁判に検察側証人として出廷し、被告人の東條英機・板垣征四郎らと再会します。法廷での多田は、板垣・松井石根・土肥原賢二のために堂々たる弁護を行いました。同時期の手記では石原莞爾について、

「実に日本の先覚者なり。この先覚者を用ふる能はざりし日本は、今日の如きありさまとなる。誰の罪ぞや」と告白しています。

石原莞爾には明確な戦略がありました。「支那とは早く和議を結び、対ソ戦に勝利し、将来の対米戦に備えて満洲を基盤に国力を蓄える」というものです。

東條英機の戦略はどのようなものだったのでしょう。陸軍次官時代の東條は、軍人会館（現在の九段会館）での演説でこう述べています。

「支那事変の解決が遅延するのは、支那側に英・米とソ連の支援があるからである。したがって事変の根本解決のためには、今より北方に対してはソ連を、南方に対しては英・米との戦争を決意し準備しなければならない」

中国と戦いながら、ソ連とも米・英とも戦うというものです。二正面作戦を避けるという、戦略のイロハのイもわかっていなかったことになります。これでは負けて当たり前です。石原

が東條を侮蔑していたのもわかります。そもそも昭和の陸軍大学校というのは、いったい何を教えていたのでしょう?

これは東條に限ったことではなく、石原を除く昭和期の将軍たちの大半が、大局的な戦略思想に欠けていたのは致命的なことでした。戦略がないから行き当たりばったり、成り行きまかせで戦争を行い、戦線を無限に拡大させて泥沼化させたのです。

外交官も同様で、明治期の陸奥宗光や小村寿太郎のような大局観を持った人物が出ていません。「焦土演説」の内田康哉外相も、「トラウトマン工作」を潰した広田弘毅外相も、ひたすら世論に迎合し、マスコミ受けする言動を繰り返しただけです。

なぜこうなったのか。

教育の問題だと思います。東京帝大にせよ、陸軍大学・海軍大学にせよ、あらかじめ決められた模範答案にいかに早くたどり着けるか、という情報処理能力ばかりを競ってきたのです。現実の国際社会で起こることは、日々刻々条件が変わる中で臨機応変に対処しなければなりません。ところが受験エリートであるほど、臨機応変ができないのです。変化する現実に対して常に硬直した対応しかできず、一度決めたことは変えられないのです。それが模範解答だからです。

さらには、学生時代の人間関係、先輩・後輩関係が官庁に入ってからも上司と部下の関係として継続します。実務能力より人間関係が重視され、国益よりも組織防衛が重視されます。部内の失敗は隠蔽され、他の官庁とは情報の共有さえできません。

東大を何位で卒業しました、陸大・海大を何位で卒業しましたという学歴だけで出世が決まり、実務についてからの業績は軽視される。陸大・海大卒の超エリート軍人たちが、実際の戦争指導で致命的なミスを犯して多くの兵士を死なせても、左遷も降格もされずに出世街道を進み続ける。

ミッドウェー海戦で大敗した南雲忠一(なぐもちゅういち)、ガダルカナルの戦いで大敗した辻政信(つじまさのぶ)、いずれも明確な責任もとらされずにだらだらと戦争指導を続けています。

そしてこの学歴偏重・年功序列の人事システムは、敗戦後も踏襲され今日まで続いているのです。霞が関の高級官僚の皆さんには、胸に手を当てて自問していただきたいものです。あなたのその判断は、国益のためですか？　省益のためですか？

アメリカ政府が対日戦争を望んでいた理由

そもそも、「ソ連と米・英との二正面作戦をやる」と公言する愚劣な人物を、なぜ総理大臣にしたのでしょう。

明治期より、次期総理大臣を天皇に推挙するのは元老の役割という不文律がありました。元老とは明治維新の功労者ですから高齢化が進み、明治から大正に替わる頃に相次いで他界、最後に残った西園寺公望も、近衛内閣を推挙して力尽きます。

元老西園寺亡きあと、元老に代わって総理大臣を天皇に推挙する権限を握ったのが内大臣でした。本来は、御璽（天皇の印鑑）を保管し、詔勅作成の事務に当たる内大臣府のトップですが、元老の意見を天皇に伝える役目も持っていました。

元老がいなくなった結果、内大臣が首相経験者ら「重臣会議」を開いて意見を取りまとめ、天皇に伝えることで総理大臣指名を左右するようになったわけです。これも憲法に規定のないおかしなシステムで、帝国憲法の形骸化を示しています。元老がいなくなる前に、帝国憲法を改正すべきでした。

日米開戦に至る決定的な時期に、昭和天皇の側近として権勢をふるったのが内大臣・木戸幸一でした。西郷隆盛・大久保利通と並ぶ「維新の三傑」の一人、木戸孝允の甥の子で、木戸幸一からみて木戸孝允は大叔父にあたります。

▲木戸幸一内大臣

学習院高等科では一年下の近衛文麿と親しくなり、二人とも京大へ進みました。卒業後は農商務省／商工省に入省、貴族院議員の地位を父から継承しています。近衛内閣の文部大臣などを経て内大臣府に入り、二・二六事件では陸軍統制派に同調して昭和天皇の信任を獲得、一九四〇年には内大臣に就任しました。

木戸の最大の「業績」は、東條英機を総理大臣として推挙したことです。

日米交渉の行き詰まりとゾルゲ事件の発覚で近衛（第三次内閣）が政権を投げ出したあと、近衛と密談した木戸は、東條を首班指名することで合意します。日米開戦が時間の問題になった以上、開戦責任を主戦派の東條に負わせようという策略です。皇族の東久邇宮稔彦王（ひがしくにのみやなるひこおう）も候補に上がりましたが、「開戦責任を皇族に負わせたくない」という昭和天皇の意向により消えました。木戸自身も反英米派で、アメリカが要求する中国からの撤兵に反対していましたが、東條の起用について昭和天皇に「陸軍の主戦派を抑えられるのは東條だけです」と説得しました。

昭和天皇は、

「虎穴に入らずんば虎子を得ず、だね」

と答え、東條内閣を了承しました。ただし、「戦争回避。日米交渉を最優先」という条件付きです。

強烈な尊皇の念を持つ東條は、ただただ恐縮して首相を拝命し、苦しみます。

「お上（天皇）のご意向は絶対。自説を曲げて日米交渉をやるしかない」

杓子定規な実務官僚型の軍人である東條は、首相として内閣を率いる以上、参謀本部とは一線を画しました。参謀総長の杉山元が日米戦争を「さっさとやらんか！」と苛立っても、東條は「お上のご意向」として和戦両様の立場で交渉を継続します。

米国との妥協が図られそうになったその時、米国側から一片の通告が送られてきました。「ハル・ノート」です。これまでの日米交渉を無にし、日本に全面屈服を迫る内容でした。東條内閣の中で和平派だった東郷茂徳外相もこれには絶句し、のちにこう回想しています――「目もくらむばかりの失望に撃たれた」――。

いったい、アメリカ国内で何が起こったのでしょう?

いうまでもなく戦争には、相手国があります。一方が平和を望んでいても、相手国が戦争を望んでいれば、平和を維持できません。

アメリカは世界恐慌の打撃から立ち直っていませんでした。失業率は二五%に達し、共和党のフーヴァー大統領は惨敗、ウィルソン以来一〇年ぶりに政権を奪還した民主党のフランクリン・デラノ・ロースヴェルト(FDR)大統領は、ダム建設など大規模な公共投資で失業者を救済し、企業や農家には生産統制を課すという社会主義的なニューディール政策を掲げて政権二期目に入っていました。

しかしニューディール政策にもかかわらず失業率は一五%で下げ止まり、FDRは何かもっと根本的な景気対策を必要としていたのです。

最大の景気対策とは何か。戦争です。

これには前例がありました。第一次世界大戦です。

ウィルソン政権下の米国は、欧州大戦の「兵器庫」として爆発的な経済成長を成し遂げました。その後継者であるＦＤＲが「二匹目のドジョウ」を狙ったのは当然でしょう。米国から遠く離れた場所で長く戦争が続き、米国民を戦火に巻き込まない形で米国製品を買い続けてくれる状態がベストなのです。

ノモンハン事件が独ソ不可侵条約を生んだ

欧州情勢は、ＦＤＲの思惑通りに進んでいました。ドイツでは、ＦＤＲと同じく恐慌克服を掲げて政権を握ったヒトラーが憲法を停止して独裁化し、チェコやポーランド、その向こうのソ連（ロシア）の征服による「生存権」の確保を明言していました。

ソ連を最大の脅威とみなしていたイギリス保守党政権は、ヒトラーの東方政策をむしろ歓迎しました。ドイツ軍の攻撃の矛先をソ連へ向け、「毒をもって毒を制す」という対独宥和政策を続けたのです。

ヒトラーがチェコのドイツ人居住地域であるズデーテン地方の割譲を要求、英・仏・伊・独首脳がこの問題を協議したミュンヘン会談（一九三八）で、イギリス首相チェンバレンはヒトラーの要求を丸呑みし、「ドイツ国境の現状維持」を定めたロカルノ条約は空文化しました。

翌三九年、増長したヒトラーがミュンヘン協定を破ってチェコ全土の占領に踏み切りますがチェンバレンは何もせず、チェコを見殺しにしました。

調子に乗って今度はポーランド回廊を要求するヒトラーに対してポーランドがささやかな抵抗を示すと、英国内でも反ドイツの世論が高まり、チェンバレンはようやく重い腰を上げてポーランド支援を約束します。

この頃、ソ連の同盟国で、事実上の保護国だったモンゴル人民共和国と満洲国の国境地帯である大草原では、モンゴル駐留のソ連軍と、満洲国駐留の関東軍との間で全面衝突が起こっていました。いわゆる「ノモンハン事件」で、ロシアでは「ハルハ河の戦い」と呼んでいます。もともと遊牧民がパスポートなしで移動していた満蒙国境は国境線が未確定でした。そこで関東軍作戦参謀の辻政信少佐は「満ソ国境紛争処理要綱」を立案し、関東軍司令官が「自主的に」国境を画定した上で、ソ連軍が越境してきた場合には「急襲殲滅せよ」と定めました。要は日本側が一方的に決めた「国境」を敵が越えたら戦争だ、というわけです。

欧州ではドイツがチェコスロヴァキアを解体し、ポーランドへ侵略の矛先を向けていた三九年五月、日本側が「国境」と認定するハルハ河を越境したソ連軍とモンゴル軍に対し、関東軍が攻撃を開始しました。日露戦争の記憶から、「ロシア兵は弱い」と侮蔑していた関東軍は、スターリンによって機械化されたソ連軍の前に大敗しました。

報告を受けた辻参謀は、「ソ連軍陣地が増強される前に、徹底的な攻撃を加えるべきだ」と主張し、植田関東軍司令官の合意を取り付けました。例によって、戦線不拡大を求める参謀本部の意向を無視して関東軍の暴走が始まったのです。

関東軍のハルハ河渡河に始まる七月の戦いは、双方ともに航空機による空爆と、戦車戦をともなう全面戦争になりました。ソ連軍も大きな犠牲を払いましたが、徹底的な砲撃で関東軍の進撃を阻止し、ハルハ河以東の陣地を保持しました。

満洲事変以来、夜間奇襲と銃剣突撃だけで中国兵を蹴散らしてきた関東軍が、火力と砲弾不足のまま近代装備のソ連軍と交戦し、手痛い敗北を喫したわけです。

ソ連軍を指揮したジューコフ軍団長は、スターリンにこう報告しています。

> われわれとハルハ川で戦った日本兵はよく訓練され……戦闘に規律をもち、真剣で頑強、とくに防御戦に強いと思います。若い指揮官たちは極めてよく訓練され、狂信的な頑強さで戦います。若い指揮官は決ったように捕虜として降らず、「腹切り」をちゅうちょしません。……古参、高級将校は訓練が弱く、積極性がなくて紋切型の行動しかできないようです。
>
> （ゲ・ガ・ジェーコフ『ジェーコフ元帥回想録――革命・大戦・平和』朝日新聞社 P.132）

「上に行くほどダメになる」という日本型組織の欠陥を、ジューコフは見抜いています。

勝ったとはいえ、ノモンハンにおけるソ連軍の損害も甚大なものでした。スターリンはこれを極秘扱いにしましたが、ソ連崩壊後の情報公開により史料が出てきました。

猜疑心の強いスターリンは日独防共協定に基づき、両国が対ソ戦争を準備していると疑います。ドイツ軍のポーランド侵攻と呼応して関東軍がシベリアへ攻め込めば、二正面作戦となってソ連は敗北する。日本軍の再攻撃に備えるため、今はドイツと戦うべき時ではない――。

スターリンは大胆な行動に出ます。ヒトラーとの直接交渉を望んだのです。これに対してヒトラーは、側近のリッベントロップ外相をモスクワに派遣しました。

この結果、三九年八月二三日に独ソ不可侵条約が成立しました。ノモンハンで停戦協定が結ばれる二〇日ほど前のことです。

ソ連共産党と反共主義のナチが手を結んだことに、世界が驚愕しました。スペインの人民戦線政府は大混乱に陥り、ソ連からの支援も停止したためフランコの反乱軍に敗北します。日本でもドイツの行動は「防共協定違反ではないか」と非難の声が高まり、平沼騏一郎内閣は、「欧州情勢は複雑怪奇」との迷言を残して総辞職しました。

独ソ不可侵条約には、発表されなかった秘密議定書がついていました。ポーランドを独ソ両国で分割し、ソ連はバルト三国も併合する、という内容です。

こうして東欧における勢力圏を相互承認した独・ソ両国は、相次いでポーランドに侵攻し、イギリス・フランスがポーランドを支援して参戦したため、ここに第二次世界大戦が始まりました。

チェンバレンはドイツに宣戦布告したもののイギリス軍を動かさず、ポーランド共和国の崩壊を座視しました。この期に及んでも対独宥和政策を続けていたのです。

ヒトラーは対ソ戦争が始まった場合、背後のフランスがソ連を支援してドイツを挟撃することを恐れていました。そこで対フランス戦争を優先し、その間はソ連とは戦わないことを望み、当初の計画通りフランスへ侵攻します。

六月四日、ドーヴァー海峡に面した北フランスのダンケルクではドイツ軍に包囲された数十万人の英仏連合軍が撤退します。六月一三日、ドイツ軍はパリに入城してフランスは降伏、対独宥和派のペタン元帥が南フランスのヴィシーに臨時政府を樹立しました。ヒトラーは、第一次世界大戦でドイツが降伏文書に調印した列車を博物館から引っ張り出し、フランスに降伏文書に調印させたあと、この列車を爆破しました。

ドイツの戦争はすべて最高指導者ヒトラーが立案し、軍に命令したものです。それらすべては彼が『我が闘争』で明らかにしていた「ソ連の打倒」という最終目標を達成するための行動でした。それがいかに国際法を蹂躙するものであったとしても、「ドイツの生存権確保」という合理的な目的を持っていました。

この点が、最終目的もなくズルズルと戦線を拡大していった支那事変以後の日本の戦争との大きな違いです。

この間イギリスでは対独宥和派のチェンバレンから、同じ保守党ながら対独強硬派のチャーチルに政権が交代し、徹底抗戦の構えを見せます。ヒトラーはチャーチル政権に圧力をかけるため、ドーヴァー海峡を越えてロンドン爆撃を開始します。

欧州大陸の大半がドイツとその同盟国の手に落ち、孤立無援となったチャーチルが頼ることができる相手は、米国のFDRだけでした。

FDRは米国議会を説得し、交戦国への武器貸与を禁じていた中立法に代わる武器貸与法を可決させ、ドイツと戦うイギリスや日本と戦う中華民国への軍事援助を可能にしました。米国の軍需産業は息を吹き返し、失業率は下がり始めたのです。

二〇年ほど前、第一次世界大戦でウィルソン大統領は中立政策を棄て、ヴィルヘルム二世のドイツ帝国に対して宣戦し、史上はじめて米兵を欧州戦線に派遣して英・仏を助け、国際連盟を発足させました。

その後継者であるFDRも、ヒトラーのドイツを倒して国際平和機構を再建し、世界史に名を刻むことを望みました。もはやアメリカ経済の再建などという小さなことではなく、アメリカが「世界の警察官」として国際秩序の守護者となることを夢見たのです。

そのためにはどうしても参戦が必要でした。

死闘のカギを握ったのは「国際金融資本」

ＦＤＲのミドルネーム「デラノ」は、彼の母方の姓です。デラノ家はアヘン戦争の少し前に広州に渡り、トルコ産アヘンの密輸と苦力（クーリー）の輸出で利益を得ていたラッセル商会の取締役でした。

苦力とは中国人の移民労働者のことで、荒廃した農村出身者やアヘン中毒患者が多く、仲介業者に渡航資金を借りて海外へ渡り、返済が済むまで鉱山や農園で低賃金労働を強いられました。明治初年のマリア・ルス号事件で、日本政府に助けを求めたのがこの苦力です（第8章参照）。アメリカ東部の名門校で多くの政治家を輩出したイェール大学の大口スポンサーとして、ラッセル商会は政界にも人脈を広げていきます。

上海に移ったラッセル商会は、アヘン売買を取り仕切るチャイニーズ・マフィアのネットワーク、哥老会（かろうかい）と結びつきました。そしてこの哥老会が孫文の革命運動を支援したことから、孫文・蔣介石とのコネクションができたのです。

上海にオフィスを移したラッセル商会取締役のウォーレン・デラノJr.はニューヨークに戻り、娘のサラはオランダ系ユダヤ人のローズヴェルト家に嫁いで息子ＦＤＲを儲けました。母のサラは息子ＦＤＲについて、こういっています。

「この子はローズヴェルト家ではなく、デラノ家の人間です」

母方の祖父になったFDRが幼い頃から中国に親しみを持ち、日本に偏執的な敵愾心を抱き続けたのは、こういう家庭環境によるものなのです。

国際都市上海は一九二〇年代までに中国最大の貿易港となり、「バンド」と呼ばれた外国人居住区（租界）にはニューヨークのような摩天楼が建ち始めました。イギリスのサッスーン財閥、アメリカのラッセル商会など国際金融資本が拠点を置き、中国人の民族資本である浙江財閥を配下におさめました。農村部から流入した大量の労働者は劣悪な労働条件で働かされ、彼らの間に中国共産党が勢力を広げていました。国際金融資本は蔣介石政権を「用心棒」として敵対勢力を排除し、蔣介石の中国市場の門戸開放による投資拡大を図りました。

▲アヘン商人の祖父ウォーレン・デラノJr.（A）、少年期のFDR（B）と従兄弟たち

上海クーデタ（一九二七）による中国共産党の弾圧はその始まりであり、満洲事変後は日本にその矛先が向けられたのです。中国市場が日本軍の

手に落ち、アヘン戦争以来の英・米の利権が失われるのを阻止するためでした。

浙江財閥の宋家は孫文の支援者で、次女・宋慶齢を孫文に、三女・宋美齢を蔣介石に嫁がせています。アメリカ留学経験のある宋美齢は「中国のファーストレディー」として、英語のできない蔣介石に代わって中国の宣伝塔の役割を果たしました。

一九三三年、合衆国大統領に就任したＦＤＲは、すぐさまソ連を国家承認し、蔣介石に対する経済援助を開始しました。中華民国の通貨「元」を米ドルとリンクさせる幣制改革は、米国製品に対する中国の購買力を強化しました。

盧溝橋事件から三カ月後の一九三七年一〇月五日、ＦＤＲはシカゴで演説を行い、名指しを避けつつも「国際連盟規約、ケロッグ・ブリアン協定、九カ国条約の明白な違反」を行っている国として日本とドイツ、イタリアを非難し、「世界的無法状態という疫病」から世界を守るため、「患者の隔離」を行う必要がある、と論じました。「隔離演説」です。

「抗日」という一点において、国際金融資本は共産党と手を組んだのです。この結果、米国とソ連が和解し、国共内戦は停止し、第二次国共合作が実現したのです。

日本は、「国際共産主義」と「国際金融資本」という二つの敵と同時に戦わざるを得なくなりました。国内には「統制派」という名の「隠れ共産主義者」を抱えながら。

「国際金融資本」を主敵とみなし、ソ連と妥協しようと考えたのが松岡洋右外相です。国際連盟の全権としてジュネーヴでの連盟脱退演説で有名になった松岡ですが、満鉄総裁を経て一九四〇年、第二次近衛内閣の外相に就任します。前年には独ソ不可侵条約が結ばれて欧州大戦が始まり、「欧州情勢は複雑怪奇」との迷言を残して平沼騏一郎(きいちろう)内閣が政権を投げ出したあと、阿部・米内の短命内閣を経て、木戸内大臣は再び近衛を首相に推薦したのです。

松岡外相は欧州の混乱をむしろ好機と捉えました。

「支那事変が終わらないのは、米国が仏印経由で蔣介石を支援するからだ。ドイツ軍が欧州を席巻し、フランスはすでに降伏。抵抗を続けるイギリスのチャーチルを屈服させるため、ヒトラーは日本の対英参戦を望んでいる。日本がドイツ・イタリアと同盟を結び、フランス・ヴィシー政府の了解を得て仏印に進駐すれば、米・英の援蔣ルートを断って支那事変を収束できるし、シンガポールの英軍に圧力をかけることができる」

日本の要求にヴィシー政府は屈し、松岡外相はアンリ駐日大使と協定を結び、日本軍の北部仏印進駐を認めさせました。これにより、ハノイを流れるホン河経由の「援蔣ルート」が断絶し、逆に日本の爆撃機がホン河以北の飛行場から飛び立ち、中国内陸部への空爆を行うようになりました。

松岡洋右の「四国軍事同盟」構想とその挫折

「外交の天才」を自負する松岡は、さらに遠大な構想を抱いていました。

「既存の独ソ不可侵条約と、これから結ぶ日・独・伊の三国同盟に加え、日・ソ間で同盟を結ぶことにより、ユーラシア大陸を日・独・伊・ソの四国同盟（ユーラシア枢軸）が支配してイギリスを屈服させる。アメリカは孤立し、支那事変への介入をやめるだろう」と。

四国同盟案は松岡のオリジナルではなく、ドイツの地政学者カール・ハウスホーファーの「リージョン構想」に影響されたものです。日露戦争後、ドイツ帝国から砲兵教官として来日したハウスホーファーは日本学者でもあり、日本語をマスターして日本の軍・政府高官とも交流を続け、イギリスの世界支配を覆したあと、独・ソ・日・米の四大国が世界を四つの地域（リージョン）に分割して支配するという構想を抱きました。

この構想は、ソ連との協調を模索する武藤章ら陸軍統制派や、大島浩（駐独大使）・白鳥敏夫（駐伊大使）ら反英米派の「革新外交官」に支持され、松岡もこれを受け入れて近衛内閣の「大東亜共栄圏」構想へとつながっていきます。

第一次世界大戦に従軍したのち、ミュンヘン大学で地理学を教授していたハウスホーファー

▲（左）ハウスホーファー、（右）ヘス

の教え子だったのがナチ党員のルドルフ・ヘスでした。ヒトラーにハウスホーファーを引き合わせたのがこのヘスで、ヘスはヒトラーの秘書（のち副総統）、ハウスホーファーはヒトラーの政治顧問となります。ミュンヘン一揆の失敗後、ヒトラーが収監されていたランツベルク刑務所を、ハウスホーファーはたびたび訪れています。

ハウスホーファーの影響を受けたナチの指導者はもう一人いました。ヒトラーの外交顧問リッベントロップです。英語に堪能で、カナダでワイン貿易商として成功したリッベントロップですが、強烈な反英感情を持っていた点で松岡洋右ともよく似ていました。「イギリスの世界支配を終わらせ、四大国で世界を分割する」というハウスホーファーの構想は彼を魅了しました。

ヒトラー政権の外相となったリッベントロップは一九三九年モスクワを訪問し、スターリン首相やモロトフ外相と会見、独ソ不可侵条約を結びます。また日本に特使を派遣し、松岡外相に軍事同盟の締結を迫ります。ドイツ外務省でそれまで多数を占めていた親中派（親蔣介石派）の古参外交官を一掃したのも、彼の功績といえるでしょう。

松岡洋右ははじめ、三国同盟より日ソ同盟に積極的でした。松岡プランについては、松岡の側近として三国同盟の実務交渉に当たった外交官・斎藤良衛が、松岡の言葉としてこう書き記しています。

「今日の戦争は、もはや人の戦争でも、大和魂の戦争でもなく、鉄とガソリンの戦争であり、また工業力の戦争でもある。わずか四百万トンの鋼製能力しかもたず、……ジョホール等の英領から主として鉄鉱の供給を受けている日本、また石油をアメリカ大陸と蘭領東インドから買っている日本が、米・英・蘭等の諸国を向こうに回して、勝てる見込みのありようがない」（斎藤良衛『欺かれた歴史　松岡洋右と三国同盟の裏面』中公文庫 P.120）

まったく合理的な分析だと思います。しかし、破滅的な対米戦争へとつながる緊張はどんどん高まっている。どうすればよいのか？

「この危局を回避しうる途は、日本軍閥をして改心させるか、われらと利害を一にする他の強国と手を握って、わが威力を増強し、もって米、英をして対日戦争を思いとまらせるかの二つより外はない。しかるに第一はきわめて困難である。……米英諸国合同の力を前にしながら、軍部はなお猪突に猪突を重ねている」（前掲書 P.121）

▲日独伊三国同盟（1940.9.27）
来栖三郎駐独大使のスピーチを聞くチアーノ伊外相とヒトラー

そこで第二の方法、他の大国と連携して米・英を牽制せよ、と松岡はいうのです。

「僕の握手しようとする当座の真の相手は、ドイツではなくソ連である。ドイツとの握手は、ソ連との握手の方便に過ぎない。……幸いにして独、ソ両国は、独ソ不可侵条約締結以来、きわめて良好な関係であるから、ドイツの仲介によって日ソ関係を調整しうる見込みがある。独ソを味方につければ、いかな米、英も、日本との開戦を考えようはずがない」（前掲書 P.122）

「力なき外交は無力だ」というのが松岡の考えでした。他の大国との軍事同盟締結により、仮想敵国の戦意を失わせるという松岡プランは、一九世紀のビスマルク外交と同じです。松岡は対米戦争を望んだのではなく、「中国からの撤兵」を迫るアメリカの圧力に対抗するためこれを結んだのです。太平洋の和平の維持のためには恫喝が必要だ、と松岡は考えたのです。

ただしこの同盟は、ドイツが起こす新たな戦争に日本を巻き込むおそれがありました。独・米が開戦し、これに巻き込まれる形で日・米が開戦することは避けたいと考えた松岡は、三国同盟から「自動参戦義務」を外すことを条件に、同盟締結に賛成しました。

反対派の妨害を恐れた松岡は、外務省ではなく外相私邸にドイツ大使オットとスターマー特使を招き、わずか三日で条約案をまとめました。なお、機密漏洩を恐れるヒトラーの意向によりイタリアは蚊帳の外に置かれ、交渉は日・独間で行われました。

松岡は、木戸内大臣、近衛首相の説得にも成功し、親英米派の昭和天皇や、米国の反発を危惧する海軍の反対を押し切って日独伊三国同盟が成立しました。調印式はベルリンで行われ、日本は来栖（くるす）三郎が全権大使として出席しました。来栖はのちに対米開戦の通告をする役割も果たしています。

日独伊三国同盟の条文はいたってシンプルです。

―― 第1条 日本国はドイツ国およびイタリヤ国の欧州における新秩序建設に関し、指導的地位を認め、かつこれを尊重す。

第2条　ドイツ国およびイタリヤ国は、日本国の大東亜における新秩序建設に関し、指導的地位を認め、かつこれを尊重す。
第3条 日本国、ドイツ国およびイタリヤ国は、前記の方針に基づく努力につき相互に協力すべき事を約す。更に三締結国中いずれか一国が、現に欧州戦争または日支紛争に参入し居らざる一国に依り攻撃せられたる時は、三国はあらゆる政治的経済的および軍事的方法により相互に援助すべき事を約す。

「日独伊三国同盟」（国立公文書館・アジア歴史資料センター／著者が口語訳）

「現に欧州戦争または日支紛争に参入し居らざる一国」とはアメリカのことです。米独開戦の場合、三国は「あらゆる政治的経済的および軍事的方法により相互に援助」しあうが、「自動参戦」とは書いてありません。松岡の修正案をヒトラーがのんだのです。

ヒトラーはイギリスを圧服させるために日本と結んだのであり、米国と戦う気はありませんでした。

一九四一年三月、松岡外相はベルリンを訪問し、熱烈な歓迎を受けます。

松岡と会見したヒトラーは、「ドイツ軍がイギリス本土に上陸し、日本軍が英領シンガポールを攻略すればイギリスは降伏する。アメリカには参戦の隙を与えないだろう」と提案しています。

松岡はヒトラーに、持論の「四国同盟案」を提起しました。しゃべりだすと止まらない松岡は、ヒトラーの前でも饒舌だったと通訳が証言しています。黙って聞いていたヒトラーは、松岡に言質を与えませんでした。

このときヒトラーの頭にあったのは、独ソ不可侵条約を破ってソ連を電撃攻撃し、モスクワを攻略するという作戦（バルバロッサ作戦）でした。つまり「四国同盟案」を潰すことになるのは、ヒトラー自身だったのです。

▲松岡外相（左）を迎えるリッベントロップ外相

ヒトラーは、これからモスクワを訪問するという松岡を黙って見送りました。ここで松岡に独ソ戦争のプランを喋ってしまえば、ソ連側に漏れる可能性があったからです。

スターリンのもとにはドイツ軍の不穏な動きが逐一、伝わっていました。しかしヒトラーと会見したばかりの松岡がモスクワ入りし、スターリンにも「四国同盟案」を熱く語ったわけで

▲日ソ中立条約の調印式（1941.4.13）

▲スターリンと腕を組む
松岡洋右

すから、「独ソ開戦説」はガセネタではないのかとスターリンも騙されたのです。

また仮に独ソ戦争になった場合には、シベリアのソ連軍をモスクワ防衛に回す必要があります。ノモンハン事件以来、緊張が続いていた日本との関係を改善することは、ソ連の国益につながります。そう考えたスターリン首相の立ち会いのもと、松岡外相とモロトフ外相は日ソ中立条約に調印しました。

シベリア鉄道で帰国する松岡を、スターリンは駅まで見送って抱擁しました。一国の外相をソ連の最高指導者が駅まで見送るというのは異例のことでした。

もしヒトラーが四国同盟に同意して独ソ戦を断念し、日本とともに対英戦争に全力をあげていれば、世界史はまったく別のものになっていたでしょう。

しかしその可能性は、ヒトラーによって潰されたのです。

そもそもヒトラーは『我が闘争』でソ連の征服を最終目標に掲げていました。独・ソで世界を分割するというハウスホーファー・プランとは、相入れなかったのです。

ヒトラーの独ソ開戦計画を知ったリッベントロップ外相も驚愕します。外相として、対ソ宣戦布告を通告せざるを得なくなったリッベントロップはソ連の駐独大使を招き、

「スターリンには、私は宣戦に反対だったと伝えてくれ。この戦争がドイツに多大な不幸をもたらすことを自分はわかっている。私は確かに総統に反対した」と言い残しています（ワレンチン・M・ベレズホフ『私は、スターリンの通訳だった。』同朋舎出版）。


独ソ開戦を知った松岡も驚愕しますが、すぐに気を取り直してこう主張します。

「日本も日ソ中立条約を破棄して対ソ開戦すべきだ」

松岡のこの豹変ぶりには東條陸相も絶句し、昭和天皇も警戒して近衛首相に松岡の解任を迫ります。

松岡外相が事態収拾まで辞任しないと主張、近衛首相は自ら総辞職することで松岡外相を失職させ、改めて第三次内閣を組閣しました。松岡の「北進論」を退けた東條陸相ら統制派はこの内閣に留任した結果、日本は仏領インドシナへの南進を実行し、対米戦争への道を突き進んでいきます。


日米開戦を聞いた松岡は、こうもらしています。

「三国同盟締結は、僕一生の不覚」「死んでも死に切れない」

昭和天皇に忌避された松岡に再登板の機会はありません。結核で体調を崩してげっそりやつれ、戦局の悪化を見つめていました。大戦末期には外務省の後輩に当たる吉田茂から、「特使としてソ連に飛び、スターリンに仲介を頼めないか?」と依頼され、その気になりましたが、すでにFDRと対日参戦の密約を結んでいたスターリンに拒否されました。今度はスターリンに裏切られたわけです。

東京裁判では、日独伊三国同盟を主導した「主犯」として告発され、一度だけ英語で弁明を行ったあと、東大病院に移されて病死しました。もし判決言い渡しまで松岡が生存していたら、死刑か無期懲役は免れなかったでしょう。

野村吉三郎と幻となった「日米諒解案」

松岡とは真逆に、共産党を「主敵」とみなし、米国を中心とする国際金融資本と妥協しようとしたのが駐米大使の野村吉三郎(きちさぶろう)です。

日米交渉に当たった野村吉三郎は和歌山県出身の海軍軍人です。海軍大学は出ていませんが、大使館勤務の駐在武官として欧米での暮らしが長く、第一次世界大戦後のパリ講和会議、ワシントン軍縮会議にも日本全権団の随行員として出席。米国のFDR海軍次官(のちの大統領)

とも親交を結んだ野村は、「国際法の専門家」として一目置かれるようになります。

満洲事変と同時に起こった第一次上海事変では、新たに編制された第三艦隊の司令官として、白川義則大将が率いる上海派遣軍（陸軍）を側面支援しました。

事変収拾後の一九三二年、上海で開かれた天長節（昭和天皇誕生日）祝賀会に参列した際、朝鮮人テロリスト・尹奉吉（ユンボンギル）が投げた手榴弾が近くで炸裂し、右目を失明してしまいます。

この「天長節爆弾テロ事件」では、白川上海派遣軍司令官が重傷を負って一カ月後に死亡、重光葵（しげみつまもる）公使（敗戦時の外相として降伏文書に調印）は右脚を失っています。

退役後の野村は外交官に転じ、第二次欧州大戦が始まると、短命に終わった阿部信行内閣の外務大臣に就任します。

四一年一月、第二次近衛内閣により駐米大使としてワシントンに派遣され、日米開戦までギリギリの日米交渉に臨みました。ＦＤＲとの人脈が重視されたのですが、ドイツ語が専門だった野村は英語を苦手としたため、前駐独大使の来栖三郎が野村を補佐する「第二の大使」としてワシントンに派遣されます。

日米交渉は、四〇年一一月、米国人のカトリック聖職者二名が来日したことから始まりました。彼らは、クーンローブ商会の支配人シュトラウスの書簡を、近衛首相の側近で英語に堪能な井川（いかわ）忠雄（肩書きは産業組合中央金庫の理事）に届けるという密命を帯びていました。

クーンローブ商会はニューヨークのユダヤ系金融資本で、日露戦争のときに日本国債を大量購入したジェイコブ・シフの会社です。シュトラウスはフーヴァー前大統領の元秘書で、シュトラウスもフーヴァーも日米開戦には反対の立場でした。

近衛首相はこれを受けて井川と岩畔豪雄(いわくろひでお)大佐をワシントンに派遣し、野村大使のもとでコーデル・ハル国務長官との日米交渉に当たらせます。

岩畔豪雄大佐は、諜報部員の養成所である陸軍中野学校の創設者として知られ、中国大陸での紙幣偽造からアヘン売買まで様々な工作活動に関わっていました。ノモンハン事件で「北進」が困難になった三九年、岩畔は新進気鋭の経済学者を百数十名集めて陸軍直属のシンクタンク(秋丸機関)を設立し、第二次世界大戦のシミュレーションをやらせました。

この結果、対米戦争では日本敗北。しかし対英・対蘭戦争に限定すれば、勝算もあるとの結論を導き出したのです(牧野邦昭『経済学者たちの日米開戦:秋丸機関「幻の報告書」の謎を解く』新潮選書)。

その岩畔が、近衛首相の密命を帯びて駐在武官の肩書で今度はワシントンに派遣され、野村大使を支えて情報収集と交渉の実務を担ったのです。

その成果が四一年四月の「日米諒解案」であり、次のような内容でした。

- 米国は、満洲国を承認する。
- 日本は、支那(中華民国)の独立と門戸開放を承認する。

▲コーデル・ハル国務長官と野村吉三郎駐米大使

- 日本は、領土を奪わず、賠償金を求めず、日本人移民も規制する。
- 蔣介石の重慶政権と、汪兆銘の南京政府との合流。
- 米国は対日経済制裁を解除し、石油、ゴム等の戦略物資を日本が入手できるよう協力する。
- 米国における日系移民への差別禁止。
- 近衛首相とFDR大統領が、ハワイのホノルルにて首脳会談を行う。

この時期、FDRが日本との妥協に傾いたのは、ヒトラーに追い詰められたイギリスを助けて対独参戦する場合、背後にいる日本との二正面作戦を避けたかったからです。大西洋にはドイツ潜水艦のUボートが出没し、これに対して米海軍は攻撃許可を出していました。米独開戦は時間の問題だったのです。

日米諒解案を一言でいえば、日本側が求め続けた満洲国承認と、米国が求め続けた中国の領土保全・門戸開放の相互承認で、日・米双方のメンツも立ちます。

「これで日米開戦は避けられた――」

野村大使は安堵し、日米諒解案を東京に打電させました。

東京では陸海軍ともに日米諒解案を受諾することで意見統一し、近衛首相の決裁を仰ぎました。ところが近衛首相は、外遊中の松岡洋右外相の帰国を待って、決断すると言い出します。

ヒトラーとの会見後、モスクワでスターリンと日ソ中立条約を結び、シベリア鉄道で帰国の途にあった松岡洋右は、満洲で野村大使が進めた日米諒解案を聞いて激怒しました。「四国同盟を結んで米国に圧力をかける」という自分の苦労が無駄になったからです。

大連からは陸軍機で日本へ飛び、雨の立川空港に降り立った松岡外相は、わざわざ出迎えた近衛首相に対してそっけない態度を見せ、車の同乗も拒否します。

夜遅くにようやく首相官邸に姿を現した松岡は、今回の外遊の成果を延々と喋り続けます。近衛首相が日米諒解案について了解を求めると、松岡はこう答えました。

「ドイツ・イタリアとの信義に関わる問題ですから、一～二カ月の検討時間が必要です」

このあとヒトラーにも事の次第を報告した松岡は、のらりくらりと時間を無駄にします。対ソ戦争を準備していたヒトラーには、日・米間の緊張が続いて米国が欧州に介入できない状況が望ましかったのです。

業を煮やした岩畔豪雄は、滞在中のニューヨークから松岡外相に電話をかけました。岩畔は「魚は料理しないと腐ってしまう」と急かしますが、松岡は聞く耳を持ちません。岩畔はニューヨークでクーン・ローブ商会のシュトラウス支配人、フーヴァー前大統領とも面会しました。

五月、松岡外相からの回答を持った野村大使がハルの部屋を訪れます。

「松岡からの電報にはいろいろよくないことも書いてある。お渡ししますか？」

ハルは「よくない点が書いてあるならそちらで持っていてください」と答えます。

実はその電報の内容をわれわれは知っていた。それは松岡から私にあてた声明で、独伊の指導者は勝利を確信しており、米国の参戦は戦争を長びかせ文明の破壊をもたらすだけであり、日本は同盟国の立場を危うくするようなことは出来ない、という文面であった。われわれがこれを知っていたのは、陸海軍の暗号専門家が驚くべき手腕を見せて日本の暗号を解き、東京からワシントンその他の首都に送られる日本政府の通信を解読したうえ、翻訳して国務省に送りとどけていたからである。

この解読情報は「魔術（マジック）」という名前がついていたもので、……日本政府がわれわれと平和会談を行いながら、一方で侵略計画を進めていることを示していた。……私はこういう特別の情報をにぎっているという印象を少しでも野村に与えることのないように注意しなければならなかった。

（コーデル・ハル『ハル回顧録』中公文庫 P.175）

六月、ヒトラーがソ連に攻め込み、松岡の「四国同盟」構想が潰れました。ドイツ軍の主力が東へ移動したためイギリスは一息つき、ＦＤＲは日本との妥協を急ぐ必要がなくなりました。日米交渉がまとまる機会は、永久に失われました。

コーデル・ハル国務長官との極秘日米交渉は国務省ではなく、ホテルのハルの部屋で数十回にわたって行われ、野村大使のほか井川と岩畔大佐が同席しました。七〇歳を過ぎていたハル国務長官は、四〇代の岩畔大佐の能力と実直さを高く評価し、「自分にもこんな有能な部下がいたら……」とまでいっています。

ハル夫妻はまた、井川から贈られた日本人形「春子」を大切に飾っていました。けれどもこのような個人的友情だけではどうにもならないところまで、日米関係は悪化していたのです。

対日経済制裁という「劇薬」

四一年七月二八日に、日本軍が南部仏印に進駐します。

南部仏印進駐は英領マラヤ連邦（マレーシア）やオランダ領東インド（インドネシア）に軍事的圧力をかけ、銅・スズなどの地下資源を確保するのが主な目的でした。フランスと違い、イギリスやオランダは、米国に同調して対日経済制裁に加わっていたからです。交戦中の中国も加え、「ABCD包囲網」と日本側は呼びました。

しかし南部仏印進駐の結果、米国から新たな経済制裁を科されてしまいます。八月一日、石油の禁輸——厳密には「在米日本資産の凍結」ですが、日本の商社の銀行預金が引き出し不能になることを意味しました。当時、日本の石油は九割を輸入に頼り、そのうち八割は米国から輸入していました。石油輸入相手国は中東諸国ではありませんでした。その代金の支払いが滞るため、結果的に石油の輸入が停止したのです。

これは日本にとって「劇薬」でした。日本の石油備蓄は一年半。四二年末までに、日本軍は軍艦も戦車も戦闘機もまったく動かなくなり、戦闘不能におちいるでしょう。これは、中国戦線の崩壊を意味します。

このことが、統制派の「南進論」に追い風となりました。「北進論」すなわち対ソ戦争は、石油確保の見通しが立たないという弱点がありました。永久凍土が広がるシベリアの石油資源が開発されるのは、一九六〇年代以降のことです。

対米戦争をやった場合、どういう結果になるのか。近衛内閣は「総力戦研究所」を開設し、各省庁の中堅幹部を集めて模擬内閣を組織させ、厳密なデータに基づく日米戦争のシミュレーションを行わせました。この研究所の実態については、猪瀬直樹さんが『昭和16年の敗戦』

（中公文庫）という歴史小説で再現しています。
八月二七日と二八日、首相官邸で結果報告会が行われました。
- 日本は初戦で勝利するが、長期戦には耐えられない。
- 戦争末期にはソ連が中立条約を破って参戦し、日本は敗北する。

原爆投下は予想できなかったものの、実際の大東亜戦争の経過を正確に予測していたのは驚くべきことです。日本の官僚の優秀さを物語っています。
ところが、熱心にメモを取っていた東條英機陸相が立ち上がります。

「諸君の研究の労を多とするが、これはあくまでも机上の演習でありまして、実際の戦争というものは、君たちの考えているようなものではないのであります。日露戦争でわが大日本帝国は、勝てるとは思わなかった。しかし、勝ったのであります。あの当時も列強による三国干渉で、止むにやまれず帝国は立ち上がったのでありまして、勝てる戦争だからと思ってやったのではなかった。戦というものは、計画通りにいかない。意外裡なことが勝利につながっていく。……この机上演習の経過を、諸君は軽はずみに口外してはならぬということでありますッ」

（猪瀬直樹『昭和16年の敗戦』中公文庫 P.200〜201）

──

「対米開戦」はもう決まったこと。これに反するデータは採用しない。資源がなくとも精神力で米国に勝てる。日露戦争が証明している。

これが東條陸相の言い分です。このような根拠のない楽観的な「空気」は、統制派で固められた大本営の作戦課を震源地として、政府全体を覆い尽くしていました。その中で昭和天皇だけは、日米開戦に懐疑的な立場を取り続けました。

「南進論」すなわち対米・英戦争を正式決定したのが一九四一年九月六日、昭和天皇の臨席のもとで開かれた「大本営政府連絡会議」でした。日米開戦の三カ月前です。

帝国憲法の規定により政府は軍の統帥に関与できないので、政府を代表する総理・外相・蔵相・陸相・海相・企画院総裁が、大本営（軍）を代表する陸軍参謀総長・海軍軍令部長と協議する場が「連絡会議」です。天皇がこれに出席すると、「御前会議」と呼ばれます。

御前会議では天皇は発言しないのが慣例でした。ところが昭和天皇はあえて発言を求め、即時開戦派の杉山元参謀総長を問いただしました。そのやりとりを近衛文麿の手記『最後の御前会議』から再現してみましょう。

昭和天皇
「もし日米開戦となった場合、どのくらいで作戦を完遂する見込みか？」
杉山参謀総長
「太平洋方面は、3ヶ月で作戦を終了する見込みでございます」
昭和天皇
「汝は支那事変勃発当時の陸相である。あのとき事変は2ヶ月程度で片付くと私にむかって申したのに、支那事変は4年たった今になっても終わっていないではないか」
杉山参謀総長
「支那は奥地が広うございまして、予定通り作戦がいかなかったのであります」
昭和天皇
「支那の奥地が広いというなら、太平洋はなお広いではないか。いったいいかなる成算があって3ヶ月と言うのか？」
杉山参謀総長
「……」

杉山元はテストの成績だけで陸相・参謀総長までのし上がった学歴エリートで、石原莞爾のような世界観も戦略もなかったのです。常に参謀本部作戦課の空気に流されるので、ついたあだ名が「便所のドア」。敗戦直後にピストル自殺していなければ、東條とともに「A級戦犯」として間違いなく処刑されていたでしょう。ただし妙に筆まめな人で、「杉山メモ」と呼ばれる膨大な記録を残したことが、昭和史の研究に貢献しています。

天皇に詰問されてしどろもどろの杉山参謀総長に代わり、海軍の永野修身軍令部総長がこう答えます。

「時機を逸して数年の後に自滅するか、それとも今のうちに国運を引き戻すか、医師の手術を例に申し上げれば、まだ、七、八分の見込みがあるうちに最後の決心をしなければなりませぬ。相当の心配はあっても、この大病を治すには大決心を以て国難排除を決意する外はない。思い切るときは思い切らねばならぬと思います」

昭和天皇
「絶対に勝てるか?」
永野軍令部総長
「絶対とは申し兼ねます。……必ず勝つかときかれても奉答出来かねますが、全力を尽くして邁(まい)進(しん)する外はなかるべし。外交で対米妥結といっても、一年や二年限りの平和では駄目で、少くと

——も十年、二十年でなければなりませぬ」

経済封鎖の中で徐々に軍事力を衰退させて亡国に至るよりは、決戦を挑んで経済封鎖を突破すべし、と永野は答えたのです。

九月六日の御前会議は、「帝国国策遂行要領」を決定しました。

---

1. 対米英蘭戦争を辞せずという決意のもと、10月下旬までに戦争準備を完成する。
2. これと並行して外交努力も継続する。その条件は、「別紙」の通りである。
3. 10月上旬になっても外交交渉妥結の目処が立たぬ場合は、開戦を決意する。その際に、米ソが対日連合戦線を組まぬよう努力する。

「別紙」には米・英に対する最小限度の要求と日本が受諾可能な条件などを列挙しています。

- 米英は支那事変に介入せず、ビルマの援蔣ルートを封鎖する。
- 米英は、日本の戦略物資確保に協力する。
- 日本は、仏印から東南アジア諸国に侵攻しない。

●支那事変が終われば、日本は仏印から撤兵する。
●日独伊三国同盟にかかわらず、欧州大戦への参戦は、日本が独自に判断する。

要は、米・英が蔣介石支援と対日経済制裁をやめれば、日本は仏印から撤収する、という内容です。逆に米国は、「経済制裁で圧力をかけ続けなければ、日本は中国から撤退しない」と信じているので、これでは話のまとまりようがありません。

昭和天皇は、祖父・明治天皇が日露戦争開戦時に詠んだ御製（ぎょせい）（和歌）を朗読します。

よもの海　みなはらからと　思ふ世に　など波風の　たちさわぐらむ
（世界各国は皆兄弟だと思っているのに　なぜ波風が立つのだろうか）

昭和天皇は青年期に父・大正天皇の名代として訪英、国王ジョージ五世に大歓迎されて以来、「君臨すれども統治せず」のイギリス型立憲君主として自らを律し、天皇を絶対君主に祭り上げようと企む国家社会主義者を「ファッショ」と呼んでこれを忌避、皇道派が天皇ファッショ体制を樹立しようとした二・二六事件では、「朕（ちん）、自ら近衛師団を率いて反乱軍を討伐せん」と憲法擁護の強い立場を示されました。

対米戦争に一貫して反対だった昭和天皇が、御前会議で「対米開戦不可」と命じてしまっては、絶対君主であることを認めたことになってしまいます。このジレンマの中で、君主として戦争反対のご意思を明らかにしたのが「よもの海」だったのです。

かくして、九月六日の御前会議で事実上、対米開戦への方向に舵が切られました。「北進論」は完全になくなったのです。

これらの情報は、尾崎秀実によってゾルゲ機関に伝わり、ドイツ軍が迫るモスクワに打電されました。日米開戦を「時間の問題」と考えたスターリンは、対日戦争に備えてシベリアに展開していたジューコフ元帥の精鋭部隊を引き上げ、モスクワの防衛に当たらせます。これが、赤軍工作員ゾルゲにとって、魂の祖国ソ連に対する最大の貢献となりました。

東條陸相と杉山参謀総長が、中国からの撤兵を拒否して首相の近衛と衝突を繰り返すなか、尾崎・ゾルゲ事件も発覚し、追い詰められた近衛首相は、閣内不一致を口実に政権を投げ出します。

「ハル・ノート」を書いた黒幕

一九四一年一〇月一八日、東條英機内閣が発足します。近衛内閣の崩壊で九月六日の御前会議の決定（一〇月いっぱいで交渉打ち切り）は白紙に戻され、東條内閣は対米交渉の新たな原案を作成しました。「甲案」と呼ばれるプランです。

【甲案】

1．太平洋および中国における自由貿易の承認。
2．米独が開戦した場合、日独伊三国同盟に基づいて日本も参戦するかどうかは、日本が独自に判断する。
3．日支平和条約の締結後も日本軍は25年間、中国に駐兵する。（仏印についての言及なし）

こんな内容では米国側が受け入れるはずがない、と考えた東郷茂徳外相が、さらに妥協的な乙案を作成します。

【乙案（東郷外相の案）】

1. 日本は、仏印以外の東南アジア・南太平洋地域に侵攻しない。
2. 日本は、南部仏印から撤収する。
3. 米国は、対日経済制裁を解除し、蒋介石政権支援を停止する。

一一月一日朝から開かれた大本営政府連絡会議は、翌二日の深夜まで激論が続きました。

この日の会議は、①対米戦争を回避するため、米国の要求に屈する、②直ちに対米開戦を行う、③開戦準備と並行して日米交渉を継続する、の三案を検討しました。

東郷茂徳外相・賀屋興宣（かやおきのり）蔵相は、「期限を設けず、外交交渉を継続」と訴えますが、杉山参謀総長は、「一二月初頭に開戦。これを隠して戦争準備を進めるため、乙案をもとに外交交渉を継続すべし」といいます。

東條首相兼陸相は、陸軍を代表して戦争準備を進めつつ、昭和天皇の「忠臣」として戦争回避に努力しなければならないという苦しい立場に追い込まれます。

深夜まで続いた連絡会議は、日米交渉の最終期限を一一月末までとし、まとまらなければ一二月初旬に対米開戦を行うことを決しました。石油の備蓄が日々減っていくという切迫した状況であり、南方上陸作戦には冬の季節風を利用したいという海軍の意向もありました。

1．帝国は自存自衛をまっとうし、大東亜の新秩序を建設するため、対米英蘭戦争を決意する。
●武力発動の時期は12月初頭とし、対米交渉は継続する。
●独伊との連携を強化し、タイとは軍事協定を結ぶ。
2．12月1日午前0時までに対米交渉がまとまれば、武力行使を中止する。

これで、日米開戦のタイムリミットが決まりました。

この頃、前駐独大使の来栖三郎が、野村吉三郎を補佐する「第二の駐米大使」としてワシントンに派遣されました。

横浜の商家に生まれ、外交官となった来栖三郎。英語はもちろん、ドイツ語でヒトラー、イタリア語でムッソリーニと通訳なしで会話できる語学力を持ち、妻は米国人でした。しかし日独伊三国同盟に署名したため「親独派」とみなされた来栖を、FDRもハルもまったく信用せず、せっかくの語学力も「宝の持ち腐れ」となってしまいます。FDRは同じ海軍出身の野村大使に、より親近感を抱いていました。

東京の東郷外相から野村駐米大使宛に、一一月一日の連絡会議の決定を伝える暗号電報が届きました。その最後には、「今度こそはこの期限は絶対に延長できない。そのあとは、事態は自動的に進む」とありました。この外務省暗号電報（パープル暗号）が米軍に解読され、米国政府に筒抜けになっており、「最後通告」とみなしていたことを日本側は知りません。

> 日本はすでに戦争の車輪をまわしはじめているのであり、十一月二十五日までにわれわれが日本の要求に応じない場合には、米国との戦争もあえて辞さないことにきめているのだ。
>
> （『ハル回顧録』P.181）

その一方でFDRは、「対日戦争となった場合、フィリピン防衛の準備が間に合わない」との軍の報告を受け、時間稼ぎのため東郷外相の「乙案」受諾へと傾きます。

この動きを知った重慶の蔣介石は、胡適駐米大使に訓令します。「米国を日本と妥協させてはならない。それは中国の死を意味する」と。さらにはスティムソン陸軍長官やノックス海軍長官以下、閣僚や政府職員にも大量の電報を送りつけ、「米国は中国を見捨てるのか。日本には決して妥協するな」と猛烈な働きかけを行いました。蔣介石にこれらの働きかけを進言したのは米国人顧問のオーウェン・ラティモア。著名なモンゴル史学者ですが、のちにソ連の協力者であったことが明らかになります。

「乙案」に対する米国側の回答作成作業では、ハル国務長官のもとで国務省（外務省）スタッフが書いた草案がボツにされ、モーゲンソー財務長官（実際にはハリー・ホワイト財務次官補）が書いたもう一つの草案がたたき台となります。

この間、陸軍情報部が、「日本艦隊が上海から南下中」との情報をもたらします。これは、日本とヴィシー政府との協定に基づく仏印への兵員輸送でしたが、スティムソン陸軍長官はこの件をＦＤＲに電話で報告（一一月二六日）、これを受けて「烈火のごとく怒った」ＦＤＲは、「日本が全然信用できない何よりの証拠であるから、いまや情勢はすっかり変わってしまった」（ヘンリー・スティムソン『スティムソン日記』）と述べ、対日回答書から一切の妥協案を削除し、書き直すよう指示します。

この結果、「中国（満洲を除く）からの日本軍撤退」という文言から「（満洲を除く）」が削除され、「北部仏印の駐兵は認める」が「仏印からの完全撤兵」に書き換えられました。こうして、米国側の一方的な対日要求のみを「ハル・ノート」として日本側に提示したのです。

一一月二六日、ハル・ノートが手交されます。

「ハル国務長官の覚書」という形式で日本側に手渡されたハル・ノートは、日本に最後通牒と受け取られ、真珠湾攻撃の直接の要因となった文書です。

一一月二六日朝、野村・来栖両大使に面会したハル国務長官は、乙案の受諾を拒否し、代わりにハル・ノートを手渡しました。

●日本は、支那と仏印から全面撤兵する。（満洲国については言及なし）
●蔣介石政権だけを承認する。（日本が南京に樹立した汪兆銘政権の否認）
●米国は日本の資産凍結を解除する。（石油については言及なし）
●日独伊三国同盟を、太平洋地域に適用しない。

すでに四年続いている支那事変と一年続けた日米交渉をなかったこととし、無条件で日本は撤収せよ、という強硬な内容です。

野村と来栖が厳重抗議してもハルはまともに答えず、翌日に両大使と会見したＦＤＲも木で鼻をくくったような態度でした。すでに対米開戦が決定されていたからです。

ハルはスティムソン陸軍大臣との電話で語りました。

「私はそれ（日米交渉）から手を引いた。いまやそれは君とノックス（海軍長官）の手中、つまり陸海軍の手中にある」

ハル・ノートは日本政府内の対米交渉派に大打撃を与えました。報告を受けたとき、「目もくらむばかりの失望に撃たれた」とのちに語った東郷茂徳外相は、もはや日米開戦に反対しなくなりました。

逆に、対米開戦の準備を進めていた大本営では、こう記録しています。

「帝国の開戦決意は踏み切り容易となり、めでたし、めでたし。これ天佑（てんゆう）というべし」（軍事史学会編『大本営陸軍部戦争指導班　機密戦争日誌』錦正社）。日米双方の「開戦派」がハル・ノートを歓迎していたことがわかります。

▲ハリー・デクスター・ホワイト財務次官補

一二月七日朝（日本時間八日）、日本海軍の機動部隊（空母艦隊）が、ハワイ真珠湾のアメリカ太平洋艦隊を攻撃しました。

この頃、モスクワの手前四〇キロメートルまで迫っていたドイツ軍は、猛烈な寒気の到来で身動きが取れなくなり、ジューコフ元帥のソ連軍に大敗しました。

日米開戦があと一カ月遅れていれば、欧州大戦はドイツ軍の敗走という新たな局面を迎えていました。日本政府・軍の内部でも親独派の勢いが衰えて親英米派が巻き返し、日米交渉再開となったかもしれません。四一年一二月の段階で日・米が開戦したことは、ほかの誰よりも、スターリンにとって「天佑」でした。

ハル・ノートの草案を書いたハリー・D・ホワイト財務次官補は、戦後の米ソ冷戦下で「ソ連のスパイ」として米下院の非米活動委員会に証人喚問され、その直後に心臓発作で急死しました。本当の死因は明らかになっていません。蔣介石顧問のオーウェン・ラティモアもスパイ容疑で告発されますが、逃げ切りました。

ソ連の崩壊後、冷戦期にFBIが集めていたソ連の暗号通信（ヴェノナ文書）が公開された結果、ハリー・D・ホワイトはゾルゲが所属していたソ連赤軍情報部（GRU）の協力者（コードネーム「スノウ」）だったことが明らかになりました。

大戦末期のヤルタ会談で、「特別政治問題担当局長」というよくわからない肩書で随行し、ソ連の対日参戦を病身のFDRに働きかけたアルジャー・ヒスも、GRUの協力者でした。このことは、英国の諜報機関MI5の調査報告でわかっています。

ソ連を利するために祖国を戦争にあおり立てる風見章や尾崎秀実のような人間は、FDRのまわりにもたくさんいたのです。

日米開戦は、

①日本の陸軍統制派が「対支一撃」に失敗したため中国を支援する米・英との戦争を望み、帝国憲法の規定によって政府がこれを統御できなかった。
②米国に対する抑止力として独・ソと連携する松岡プランが、独ソ開戦で挫折した。
③米国では、FDR政権が独・日との戦争による世界恐慌からの脱却を望んだ。
④ソ連のスターリンは独ソ戦に専念するため、日本を対米戦争に仕向けた。
⑤日・米両国政府の中枢に、ソ連の意向に沿って動く共産主義者たちがいた。

という複数の要因によるもので、「日本の軍部が悪かった」などという単純な話ではありません。東京裁判で裁かれたのは日本の軍と政府の指導者たちだけでしたが、ほかにも裁かれるべき人たちはたくさんいたのです。

山本五十六の短期決戦論に海軍が押し切られる

中国での戦争の主役は陸軍でしたが、対米戦争ともなれば戦場は太平洋、主役は海軍となります。

日露戦争の勝利が「神話」となっていた日本海軍では、米国艦隊を日本近海におびき寄せて迎撃し、日本海海戦の再現を図る、というプランが練られてきました。

ところが欧州戦線におけるドイツの快進撃が、新たな戦術を生み出しました。航空機による空爆で先制攻撃を行い、軍事施設やインフラを破壊する「電撃戦」です。

太平洋でも電撃戦ができないか？

この構想を練ったのが、山本五十六（いそろく）連合艦隊司令長官でした。

山本は戊辰戦争で「逆賊」となった越後（新潟県）は長岡藩の出身。長岡藩家老の河井継之助（かわいつぐのすけ）は、アメリカ製の機関銃（ガトリング砲）二門を購入して新政府軍を迎え撃ち、初戦で大勝利を収めますが、結局は物量に圧倒されて敗れました（北越戦争）。石原莞爾も河井継之助の戦術を研究しています。

奇抜な戦術により初戦で圧倒的勝利を収めながら、戦争全体では大敗した——山本五十六の真珠湾攻撃に始まる大東亜戦争は、北越戦争を大規模な形で再現したようなものでした。

山本五十六は旧長岡藩士の子として生まれました。両親ともに当時としては高齢で、出生時に父が五六歳だったので五十六と名付けられます。

日露戦争中に海軍兵学校を卒業、巡洋艦「日進」の水兵として日本海海戦に従軍し、左手の指二本を失いました。駐在武官として米国に短期滞在、帰国して旧長岡藩家老の山本家を相続して改姓、英字誌を購読して米国研究を続けます。

海軍大学校を卒業後、海軍省の命を受けてハーバード大学に留学。米国の航空産業と大量消費社会を目撃、日・米の国力の差を痛感します。

日露戦争型の大艦巨砲による決戦はもはや時代遅れ、と悟った山本は、海軍省の副官の話を蹴って、霞ヶ浦航空隊に配属、自らパイロットとしての訓練を受けたあと、空母「赤城」の艦長になります。

空母など補助艦の制限を協議するロンドン海軍軍縮会議に随行し、「対米英七割」を強硬に主張、財政的見地から締結を迫る大蔵官僚の賀屋興宣（かやおきのり）（のちの蔵相）に対し、「黙れ！　鉄拳が飛ぶぞ」と怒鳴りつけ、条約に反対する海軍内部での「艦隊派」のエースとして頭角を現します。

ワシントン海軍軍縮条約が失効すると、日本海軍は大和型戦艦（大和・武蔵）の建造を始めます。しかし海軍航空本部長の山本は「航空戦の時代に戦艦は無用の長物」と断じ、攻撃機の量産を求めました。「軍縮条約で数的劣勢を強いられている日本海軍が対米戦争で勝利するには、航空機を使った短期決戦しかない」という信念を持つに至ったのです。

米内光政海相のもとで山本は海軍次官に抜擢され、米内海相・山本海軍次官・井上成美（しげよし）軍務局長の三名が、日独伊三国同盟に反対しました。このため陸軍の三国同盟推進派から睨まれ、暗殺の恐れもあったため、米内は山本を連合艦隊司令長官に任じ、東京から離しました。

帝国海軍の組織はこうなっていました。

（軍令）
- 大本営海軍部（軍令部総長）―連合艦隊（連合艦隊司令長官）

（軍政）
- 海軍省（海軍大臣）

七つの海を支配した英国海軍は、大西洋艦隊、地中海艦隊、東洋艦隊など、複数の艦隊を保有していました。日本近海防衛を任務とする大日本帝国海軍は、最新鋭艦からなる「常備艦隊」と、老朽艦中心で沿岸警備に当たる「西海艦隊」を保有していましたが、日清戦争の直前に二つの艦隊を統合して「連合艦隊」と命名しました。いわば、戦時における臨時編制だったのです。日露戦争時に連合艦隊はロシアのバルチック艦隊を撃破して世界史にその名を刻み、第一次世界大戦後には平時にも常設されるようになりました。

▲戦艦「長門」：真珠湾攻撃時の連合艦隊旗艦

赤道以北の西太平洋の島々が日本の委任統治領となったため、連合艦隊の守備範囲は広大なものとなり、大東亜戦争で戦闘指揮に当たったのは戦艦「長門（ながと）」に置かれた連合艦隊司令部でした。東京の軍令部はこれを追認するだけとなり、連合艦隊司令部の「東京出張所」と揶揄されました（なお、日米開戦直後に戦艦「大和」が竣工したため、山本長官率いる司令部は「大和」に移っています）。

一九四〇年、ヨーロッパ戦線でのドイツの快進撃を受け、海軍首脳も三国同盟賛成に転じます。三国条約調印を「狂気の沙汰」と断じた山本は、近衛首相に日米戦争の見通しを問われると、有名な言葉を残しました。

「初め半年や一年の間は随分暴れてご覧に入れる。然しながら、二年三年となれば全く確信は持てぬ。三国条約が出来たのは致し方ないが、かくなりし上は日米戦争を回避する様、極極力御努力願ひたい」（『近衛日記』）

「暴れてみせる」とはハワイ奇襲攻撃のことです。この時点ですでに山本は真珠湾攻撃の構想を練っていたのです。日米戦争には反対だが、やると決まった以上は初戦でアメリカに圧勝し、短期決戦に持ち込むしかない、という考え方です。

米太平洋艦隊の主力はハワイにあり。ここを奇襲攻撃して「半年や一年」は足腰立たないくらいの打撃を与えるには、航空機による空爆しかない。欧州戦線でドイツ軍の快進撃を支えた「電撃戦」を太平洋でやる。しかし、日本本土からハワイまで飛べる爆撃機は存在しない。ならば、空母を使って爆撃機をハワイ沖まで運び、一気に叩くしか方法はない……。

こういう奇想天外な発想を持つ人物が、東京の軍令部も制御できない連合艦隊司令長官となったわけです。

真珠湾攻撃の最後通告が攻撃開始後になったわけ

奇襲攻撃の準備は、日米交渉の引き延ばしと並行して行われました。ハワイ・オアフ島の軍港パール・ハーヴァー（直訳すれば「真珠港」だが、慣例的に「真珠湾」と訳す）とよく似た地形の鹿児島湾で、攻撃機の猛特訓を続けていました。

地上の標的に対する空爆では爆弾を落としますが、船を沈めるには魚雷を落とす方が効果的です。真珠湾の水深は一二メートルしかないため、空母に搭載した艦上攻撃機（艦攻）が魚雷をぶら下げ、海面すれすれに飛行して敵艦の直前で魚雷を投下し、急上昇して離脱する、という訓練です。

一九四一年一一月中旬に訓練は打ち切られ、空母六隻（赤城・加賀・蒼龍・飛龍・翔鶴・瑞鶴）からなる機動部隊と艦載機三九九機が択捉（エトロフ）島の単冠（ヒトカップ）湾に集結しました。

一一月二六日、機動部隊が単冠湾を出港。大荒れの北太平洋を東へ進みます。無線封止と灯火管制を徹底し、米軍に察知されずにハワイ沖へ到達します。

一二月八日（ハワイ時間七日、日曜日の朝七時四九分）、眠りこけていた真珠湾を日本軍機が襲います。三分後、真珠湾上空から「トラ・トラ・トラ」の暗号が打電されました。

「ワレ、奇襲ニ成功セリ――」

二波にわたる攻撃で、戦艦ネヴァダ、アリゾナなど四隻が沈没、一隻が大破、軽巡洋艦・駆逐艦五隻が大破、航空機約一八八機を破壊、米兵の死者約四〇〇〇名。

日本側の損失は、艦船の被害ゼロ、未帰還機二九機、未帰還の特殊潜航艇五隻。

この真珠湾攻撃の圧倒的な勝利により、日本海軍、そして山本司令長官の威信は頂点に達します。ただし、米海軍の空母エンタープライズとレキシントンは輸送任務に当たっていたため真珠湾を離れていて無傷でした。

攻撃開始から約一時間、空母「赤城」に座乗する第一艦隊司令長官の南雲忠一中将は敵空母の襲来を恐れ、修理施設や燃料タンク攻撃を断念して撤収を命令します。このことは米軍にとって不幸中の幸いでした。

五時間の時差がある首都ワシントンでは、攻撃開始が一三時頃。それから一時間以上が経過した一四時二〇分、野村駐米大使と来栖特使が、ハル国務長官に日本政府からの最後通告を手渡していました。

「帝国政府は、ここに合衆国政府の態度に鑑み、今後交渉を継続するも妥結するを得ずと認むるほかなき旨を、合衆国政府に通告するを遺憾とするものなり――」

ハルは侮蔑しきった態度で二人に接しました。

実は大統領のFDRも国務長官のハルも、前日に入手した日本海軍の暗号解読によって、この日の攻撃を知っていました。FDRは側近のハリー・ホプキンスにこういっています。

「これは、戦争ということだね」

もともとFDRは最初の一発を日本軍が打ってくれることを望んでいました。真珠湾攻撃は、アメリカの反戦世論を一掃するために歓迎すべきことだったのです。

しかし、真珠湾の恐るべき被害が明らかになるにつれ、驚愕が怒りに変わります。同時に、自分たちが情報を握っていながら真珠湾に防衛措置を指示しなかった不作為を、国民から糾弾されることを恐れたのです。

「我々は何も知らなかった、なぜなら日本が卑怯なだまし討ちをしたからだ――」

そう説明することにしたのです。

これは、戦意高揚のための宣伝――戦争プロパガンダ――ですが、今でも通説として広く流布しています。日本からの最後通告の遅れが、この虚偽に正当性を与えてしまったのです。最後通告の手交は、なぜ攻撃開始後になってしまったのでしょうか？

開戦のルールが決まったのは、日露戦争後の一九〇七年にオランダのハーグで調印された「開戦に関する条約（ハーグ条約）」です。ですから日清戦争、日露戦争では開戦前に宣戦布告をしていませんし、それが問題にされたこともありません。

第1条　締約国は理由を付したる開戦宣言の形式、または条件付開戦宣言を含む最後通牒（つうちょう）の形式を有する、明瞭かつ事前の通告なくして、其の相互間に戦争（hostility）を開始すべからざるこ

（「開戦に関する条約」〈一九〇七〉）

一 とを承認す。

一方的な宣言であれ、相手国への最後通牒（最終的な通告）であれ、明瞭かつ事前の通告なしには、hostility（敵対行動／戦争）を開始してはならない、とあります。

そもそも、支那事変に関して中立国だったアメリカが、援蔣ルートを通じて中国側に武器を送っていたこと、日本に対して石油禁輸という経済制裁を課したことが、そもそも敵対行動ではないのか？ という疑問がまずあります。

さらに、「中国全土からの日本軍撤退」を要求し、応じない場合は石油禁輸を続けるとしたハル・ノートは、明白な敵対行動といえるでしょう。

日本政府はこれらのことを、声を大にして国際世論に訴え、とくに開戦に反対していた米国世論に訴えるという努力をしていません。この点では、なりふり構わずにロビー活動を展開し、ハル・ノートを出させた蔣介石の方が一枚も二枚も上手でした。

山本五十六連合艦隊司令長官は、真珠湾攻撃の前に対米宣戦布告することを軍令部に求め、昭和天皇も東條首相に対し、事前に宣戦布告するよう求めています。

東條内閣は外務省に対し、対米交渉打ち切りを通告する「対米覚書」——事実上の最後通告の作成を命じ、東郷外相は、真珠湾攻撃開始の三〇分前に来栖・野村両大使が米国務省でハル国務長官に提示できるよう手配させました。

攻撃前日のワシントン時間一二月六日の午後から七日の朝にかけて、一四に分割された「覚書」が外務省暗号電報で東京からワシントンへ打電されます。第一四部が打電されたのが七日日曜日の朝七：〇〇頃。米国務省への手交時間はこの第一四部に記されていました。

ワシントン時間一九四一年一二月七日（日本時間一二月八日）

ハワイ	ワシントン	
二：〇〇頃	七：〇〇頃	日本大使館に「覚書」第一四部の暗号電文が到着
五：三〇頃	一〇：三〇頃	日本大使館で「覚書」第一四部の解読作業開始
七：三〇頃	一二：三〇頃	暗号解読完了。奥村一等書記官が順次タイプで清書
八：〇〇	一三：〇〇	「覚書」手交予定時間。まだ清書が間に合わず
八：二〇？	一三：二〇？	日本海軍、真珠湾攻撃開始
九：二〇	一四：二〇	来栖・野村両大使がハル国務長官に「覚書」を手交

日本大使館では、暗号電文解読に二時間、清書に二時間、計四時間かかっていますが、朝の七時に電報は到着しているので、すぐに作業に取りかかれば午前一一時には完成していたはず

です。日本大使館は何をもたしていたのか。

一九九四年にやっと公開された外務省の調査報告書によれば、前日六日の夜、大使館員の南米転勤を見送る送別会がホテルで催され、事務方の責任者である一等書記官の奥村勝蔵は大使館に戻らず、友人宅でトランプに興じていたこと。情報漏洩を恐れた外務省が「タイピストを使うな」と指示したため、慣れない奥村がタイプライターで清書したため時間を浪費したこと、つまりは日本大使館員の職務怠慢が、「覚書」手交の遅れとなり、「真珠湾はだまし討ち」と米国に喧伝させる結果となったのだ、というのが外務省の言い分です。


しかし日本大使館員の職務怠慢とすれば、その責任者である奥村一等書記官は更迭されるなり、左遷されるなり、何らかの処罰を受けるのが当然です。ところがこの奥村は、敗戦後に昭和天皇とマッカーサーとの会談で通訳をつとめ、スイス大使に任命されるなど、まったく処罰を受けていないのです。来栖大使も野村大使も、日本大使館の不手際を非難していません。

と考えていくと、前の晩の送別会も、奥村書記官のトランプ遊びも、慣れない指でタイプを打ったことも、対米通告を遅らせて真珠湾奇襲を成功させるため、「わざとやった」という可能性が濃厚になってきます。

早期終戦工作はことごとくつぶされた

「半年や一年は暴れてみせる」と山本五十六は言いました。その間に政府は終戦工作を急いでくれ、という意味です。ところが初戦の大勝利で東南アジア全域を手に入れた日本軍は、北はアリューシャン列島、南はニューギニア、西はインド国境へと戦線を際限なく拡大していったのです。

●ミッドウェー海戦（四二・六）：日米空母決戦。真珠湾攻撃の際に取り逃がした米空母の撃滅が目的。ハワイ東北のミッドウェー島を攻略し、米空母をおびき寄せて決戦に持ち込むが、日本海軍の暗号電報が米海軍に解読された結果、日本海軍の空母六隻のうち四隻（赤城・加賀・飛龍・蒼龍）が米空母艦載機の攻撃で撃沈。この海戦で米軍は制空権を確保。

●ガダルカナル島の戦い（四二・八～四三・二）：米軍とオーストラリア軍との分断を図るのが目的。ニューギニア東方、ソロモン諸島のガダルカナル島に日本軍が建設した飛行場を米海兵隊が奪取。日本軍は飛行場奪回のため陸軍を送り込むが、米海兵隊との戦いで大敗。ミッドウェー海戦以来、日本軍は制空権を失っていたため武器弾薬・食料の補給が続かず、日本兵はジャングルに放置され、大量の餓死者を出す。

●ニューギニアの戦い（四二・三〜四五）：ニューギニアの脊梁山脈を越えて米・豪軍の拠点ポートモレスビーの攻略を図る。日本軍は制空権を失っていたため武器弾薬・食料の補給が続かず、日本兵はジャングルに放置され、大量の餓死者を出す。

●マリアナ沖海戦（四四・六）：日米最後の空母決戦。米軍のレーダーが日本航空隊の位置を察知できた上、航空機が接近すると爆発するVT信管を装備した対空砲火が威力を発揮し、日本軍機三〇〇機を撃墜（マリアナの七面鳥撃ち）。日本は事実上、航空戦力を失う。

●サイパン島の戦い（四四・六〜七）：米軍は日本本土空爆の基地を確保するため、マリアナ諸島のサイパン島に上陸。圧倒的な艦砲射撃（軍艦からの砲撃）を加えたあと海兵隊が上陸。一カ月抵抗した日本軍守備隊は孤立無援で全滅。責任を負って東條内閣は総辞職。小磯国昭内閣に交代する。

●インパール作戦（四四・三〜七）：ビルマからアラカン山脈を越えて英領インドのベンガル地方を攻略するのが目的。日本軍は制空権を失っていたため武器弾薬・食料の補給が続かず、英・印軍の空爆と雨季の悪路に苦しめられ、大量の餓死者を出す。

●レイテ沖海戦（四四・一〇）：米軍のフィリピン上陸阻止が目的。マリアナ沖海戦で航空戦力を失っていた日本の連合艦隊は、米空母艦載機からの集中雷撃を受け、戦艦武蔵を含む戦艦三隻、空母四隻が沈没。連合艦隊は事実上、消滅した。

●硫黄島（いおうとう）の戦い（四五・二〜三）：米軍はサイパン島から日本本土を空爆する米軍のB-29爆

▲アーリントン墓地

撃機を護衛する戦闘機の基地を確保するため、硫黄島に上陸。栗林忠道中将が率いる日本軍守備隊二万は、地下基地を建設して徹底的なゲリラ戦を行い、六万の米海兵隊に対して一カ月抵抗したのち、孤立無援で全滅、米兵も半数が死傷するという甚大な被害を受けた。米国立アーリントン墓地には、硫黄島の山頂に星条旗を立てる海兵隊員の姿が彫像として立てられている。

●沖縄戦（四五・四〜六）：当初は持久戦に持ち込むも民間人を巻き込む地上戦に。小磯国昭内閣総辞職、鈴木貫太郎内閣に交代。

●ドイツ降伏（四五・五・七）

個々の作戦について書けば、それだけで一

冊の本になってしまいます。主な戦闘の戦術的な誤りについて知るためには、戸部良一他『失敗の本質——日本軍の組織論的研究』（中公文庫）という名著があり、これをおすすめします。本書では戦争終結への努力がどのようになされ、どうしてそれが実を結ぶことなく、一九四五年の破滅的な敗戦を迎えたかについて、考えてみましょう。

終戦工作の中心は吉田茂でした。敗戦後、米軍占領下で首相を務め、自民党を作った人物です。吉田茂の実父は土佐藩士でしたが、板垣退助の影響を受けて自由民権運動に加わり、投獄されています。芸者出身の母は、夫の親友だった実業家、吉田健三のもとに身を寄せ、ここで生まれた茂は吉田の姓を名乗ります。

義父・吉田健三は、英国のアヘン商社であるジャーディン・マセソン商会の横浜支店長として財をなしましたが四〇歳で急死したため、茂が莫大な遺産を相続します。こうした生い立ちから、吉田茂は国際金融資本と深く結びつき、親英米派となることが運命づけられていたのかもしれません。

高等商業学校（一橋大）に入学した茂でしたが商売人が肌に合わず、学習院を経て東京帝大に再入学し、外交官試験に合格します。広田弘毅と同期生でした。この間、学習院出身の近衛文麿とも親交を結びます。

親英米派の自由主義者で第一次世界大戦前後に外交官として活躍した牧野伸顕の娘と結婚し、

パリ講和会議では次席全権の牧野の随行員として出席しました。娘の和子は麻生セメントの社長と結婚し、麻生太郎（首相）を生んでいます。

その後、奉天総領事など中国で外交官としてのキャリアを積んだ吉田茂。その基本的なスタンスは幣原喜重郎外相のもとで英・米との協調を図りつつ、中国に対しては毅然たる態度で対応する、というものでした。したがって、国際連盟脱退にも日独伊三国同盟にも反対し、軍部の国家社会主義者からは「英・米の手先」としてつけ狙われることになります。

二・二六事件のとき、湯河原温泉に宿泊していた岳父の牧野伸顕が襲撃されますが、一緒にいた孫娘（茂の娘）の和子の機転で脱出に成功しています。吉田茂は無事でしたが外交の最前線からは外され、日米開戦前後の外交交渉にはタッチできませんでした。その後は民間人として東郷外相を陰で支え、ミッドウェー海戦の後は牧野・近衛ら重臣グループと連絡を取りつつ、終戦工作に乗り出します。

東條首相の意を受けた憲兵隊と特高（特別高等警察）が、吉田たちの動きを監視します。当局は「吉田」と「反戦」をつなげて「ヨハンセングループ」というコードネームで彼らを呼び、徹底的な尾行を行ったほか、吉田邸内には使用人や書生として三人のスパイが潜り込み、吉田の動向を逐一、東條首相に報告していました。戦争指導は拙劣でしたが、自らの保身にかけては超一流。軍事官僚・東條英機の面目躍如というべきでしょう。

終戦の年、ヨハンセングループは近衛元首相を動かして昭和天皇に直訴する計画を立て、「近衛上奏文」（P.308参照）と呼ばれる文書を起草します。泥沼の支那事変、大東亜戦争に日本を引きずり込んだ陸軍統制派の正体は、「国体」の仮面をかぶった親ソ派の共産主義者でした。その究極の目標は敗戦革命による日本の共産化である、したがって日本を革命から救うためには統制派を排除し、米・英との早期講和を実現すべきである、と指摘した例の文書です。

その写しを持っていた吉田は、ヨハンセングループの岩淵辰雄、殖田俊吉らとともに四五年四月、憲兵隊によって一斉逮捕されました。逮捕容疑は陸軍刑法第九九条の「造言蜚語」、すなわち陸軍を中傷するデマを流布したというものでしたが、これだけで立件するには無理があったため、早くに釈放されています。

この事件は、ヨハンセン事件とも、日本バドリオ事件とも呼ばれます。バドリオというのは、敗色濃厚となったイタリアで、独裁者のムッソリーニ首相を失脚させ、対米英講和を実現したバドリオ元帥の名にちなんだものです。

同じ頃、連戦連敗が続くドイツでも、ヒトラー暗殺未遂事件が起こりました。ドイツ国防軍の高官たちの間に早期講和を求める声が高まり、その最大の障害となっていたヒトラー総統を抹殺する計画が進んでいたのです。メンバーは、ゲシュタポ（秘密国家警察）から「黒いオーケストラ」と呼ばれ、監視されていました。四四年七月二〇日、東部戦線を指揮していたヒトラーの総統大本営「狼の砦」に出入りできたシュタウフェンベルク大佐が、テーブルの下に時限爆弾を仕掛けて退室し、数分後に爆発させました。

ところが、同室にいたヒトラーは奇跡的にかすり傷だけで助かります。ゲシュタポが実行犯のシュタウフェンベルクをはじめ、メンバーを一斉検挙し、処刑します。その中にはカナリス海軍大将も含まれ、ベック元参謀総長や、北アフリカ戦線で勇名をとどろかせたロンメル元帥も関与を疑われ、自殺に追い込まれました。

ドイツはこれで早期講和の機会を逃し、破局へと向かったのです。

そもそも、欧州戦線におけるドイツの快進撃とイギリスの劣勢が、日本陸軍統制派の南進論、対米英開戦論を後押ししたわけです。ヒトラーと個人的な親交があった大島浩駐独大使（陸軍中将）は、ドイツ軍の快進撃を東京に打電し続けました。

ところが日本軍が真珠湾を攻撃したまさにその日、ドイツ軍の快進撃はモスクワの手前四〇キロメートルのところで停止しました。マイナス三〇度の厳寒がドイツ軍を襲い、戦車のエンジンオイルまで凍りついたのです。

ゾルゲの情報をもとに日ソ戦争なし、と判断したスターリンは、冬季の戦争になれたジューコフ元帥の部隊をシベリアからモスクワ防衛に回していました。半年でモスクワ攻略というヒトラーの計画は、永遠に幻となったのです。

一九四二年夏、ソ連最大の油田地帯であるカスピ海のバクー油田に向かってドイツ軍三〇万人が進撃しました。これを阻止するためスターリンは、彼の名を冠したスターリングラードにソ連軍を集め、同市を通行するドイツ軍に対して徹底的な攻撃を加えます。

半年戦ってもスターリングラードを攻略できず、撤退を進言する軍の意向をヒトラーが黙殺した結果、ドイツ兵二〇万人が戦死し、一〇万人が捕虜になるという壊滅的な敗北を迎えました。一〇万人の捕虜はシベリアで強制労働を強いられ、生き残ったのは数千人でした。

このスターリングラードの戦い（一九四二～四三）をターニングポイントとして、四五年までずるずるとドイツ軍の敗走が続きます。しかしヒトラーは敗北を認めず、ドイツ国民や同盟国に対してはドイツ軍優勢の「大本営発表」を続けたのです。大島大使はこれをそのまま東京へ打電していました。

北欧における日本陸軍のスパイマスター、小野寺信

ところが、日本陸軍の欧州駐在武官の中に、ドイツ敗走という正確な情報をつかんでいた人物がいます。

駐スウェーデン日本大使館附武官の小野寺信（まこと）です。

小野寺は陸士卒業後、シベリア出兵に従軍した際、ロシア人家庭に泊まり込んでロシア語を

習得しました。対ソ戦の研究を始めていた皇道派のリーダー小畑敏四郎に才能を見出され、参謀本部第二部（情報課）のロシア班に配属されます。ソ連情報を収集するため、バルト三国の駐ラトビア大使館附武官として派遣されました。

ユダヤ人難民への「命のビザ」で有名な杉原千畝（ちうね）も、同時期にリトアニア領事代理となり、ソ連情報の収集にあたっています。

独ソ不可侵条約に基づき、ソ連がバルト三国を併合したため、日本大使館も閉鎖となり、小野寺は駐スウェーデン大使館附武官としてストックホルムに移ります。

小野寺にソ連情報を提供し続けた亡命ロシア人のイワノフという男。実はポーランド軍の情報将校ミハール・リビコフスキーでした。彼は中立国のスウェーデンを拠点に数十人の工作員を統括し、ロンドンに亡命したポーランド政府に枢軸側の情報を提供する一方、見返りとして連合国側の情報を小野寺に伝えていたのです。

▲小野寺信

彼の祖国ポーランドがロシア帝国から独立できたのは日露戦争とロシア革命のおかげです。シベリア送りになったポーランド人の孤児を多数受け入れ、欧米諸国へ亡命させたのも日本でした。ポーランド人が今日もなお欧州で最も親日的なのはそのためでしょう。

その一方、第二次世界大戦でポーランドを滅ぼしたのはドイツとソ連。そのドイツと同盟関係にあったのが日本ですから、ドイツに関する情報を日本経由で入手できます。

小野寺から見れば、敵国となったソ連やイギリスの情報を直接手に入れるのは困難なので、ポーランド亡命政府とつながるリビコフスキーを利用し、多額の報酬を与えました。情報戦とは常にギブ・アンド・テイクです。小野寺は年間二〇万円（現在の価値で二億円）を工作費として使っていた、とのちに証言しています。

独ソ開戦後、大島駐独大使が報告する「ドイツ軍大進撃」の情報とは裏腹に、ドイツ軍が東部戦線で苦戦という情報をリビコフスキー経由でつかんだ小野寺は、このタイミングで日本が枢軸側に立って参戦することの愚を悟り、「日米開戦不可なり」と東京に打電し続けました。この小野寺情報を大本営は黙殺し、日米開戦に至ります。

ドイツのゲシュタポはリビコフスキーをマークしていましたが、「亡命ロシア人」として満洲国のパスポートを持ち、日本大使館に出入りする彼を拘束することをドイツはためらい、中立違反だとしてスウェーデン政府に圧力をかけました。これに抗しきれなくなったスウェーデン政府は四四年三月、リビコフスキーに国外退去を命じ、彼は小野寺のもとを去りました。

しかしその後もロンドンのポーランド亡命政府から小野寺への情報提供が続きました。その仲介役となったのが、スウェーデン駐在武官ブルジェスクウィンゥキー。ラトヴィア駐在時代に小野寺と親交のあった人物です。彼がもたらす「ブ情報」は、ナチス・ドイツの崩壊とソ連軍の攻勢を刻一刻と伝えました。情報は「手紙」の形で、ブルジェスクウィンゥキーの息子と思われる少年か、年配の女性が小野寺邸に投函し、これを百合子夫人が一回ごとに使い捨ての暗号電文に変換して東京へ打電したため、連合国にも見破られなかったのです。

ヤルタ密約のソ連参戦情報を日本は知っていた？

ドイツの降伏が時間の問題となった四五年、大戦後の世界秩序を決める連合国首脳会議が、黒海に面したクリミア半島の保養地、ヤルタで開かれました。主催者はソ連のスターリン首相。ヒトラーとの「大祖国戦争」で勝利を目前にし、その権威は頂点に達していました。

ゲストは米国大統領のF・ローズヴェルト（FDR）。持病の高血圧が悪化し、空港から宿泊先の宮殿まで担架で運ばれています。フィリピンは奪回したものの、「本土決戦」を叫ぶ日本との戦争終結は目処が立たず、自身の健康状態も予断を許さない状況だったため、ソ連の対日参戦による一日も早い戦争終結を望んでいました。

もう一人は、英国首相のチャーチルです。東欧のソ連占領地における共産党の勢力拡大に警戒心を高めていました。ポーランドではロンドン亡命政府とは別に、ソ連軍占領下のルブリンで共産党政権が発足し、すでに東西冷戦が始まっていたのです。

全体会議では、ドイツ降伏後の分割占領と、ポーランドにおける自由選挙で合意しました（後者はこの後ソ連が反故にします）。

このあと、静養中のFDRを見舞う形でスターリンが訪問し、チャーチル抜きで対日参戦の話を進めます。このとき、米国代表団に随行して調整に当たったのはアルジャー・ヒス。のちにソ連赤軍情報総局GRUの工作員、つまりはゾルゲと同じ立場だったことが明らかになる人物です。

スターリンは対日参戦の時期と見返りを要求し、FDRは快諾しました。チャーチルも事後承諾し、ここに密約が成立します。

三大国即ちソヴィエト連邦、アメリカ合衆国及び英国の指揮者は、ドイツ国が降伏し、かつヨーロッパにおける戦争が終結したる後、二カ月または三カ月を経てソヴィエト連邦が左の条件により連合国に与して日本に対する戦争に参加すべきことを協定せり。

1、外蒙古（蒙古人民共和国）の現状は維持せらるべし。

2、1904年の日本国の背信的攻撃（日露戦争）により侵害せられたるロシア国の旧権利は、左の如く回復せらるべし。

(イ) 樺太の南部、及びこれに隣接する一切の島嶼は、ソヴィエト連邦に返還せらるべし。

(ロ) 大連商港におけるソヴィエト連邦の優先的利益は之を擁護し、……またソヴィエト社会主義共和国連邦の海軍基地としての旅順港の租借権は回復せらるべし。

(ハ) 東清鉄道及び大連に出口を供与する南満洲鉄道は、中ソ合弁会社の設立により共同に運営せらるべし。但し、ソヴィエト連邦の優先的利益は保障せられ、また中華民国は満洲に於ける完全なる主権を保有するものとす。

3、千島列島は、ソヴィエト連邦に引渡さるべし。

(国立国会図書館「日本国憲法の誕生/憲法条文・重要文書」著者が現代仮名遣いに変更 https://www.ndl.go.jp/constitution/etc/j04.html/)

要約すれば、こうなるでしょう。

- 時期：ドイツ降伏後三カ月以内にソ連が対日参戦
- 見返り：日露戦争で日本に奪われた南樺太、旅順・大連の利権、満洲における鉄道利権の返還と、全千島列島のソ連への引き渡し

南樺太を「返還」、千島列島を「引き渡し」と表現しているのは、千島列島は明治初年の樺太千島交換条約以来の日本領であり、日露戦争とは関係ないからです。

ヤルタ密約は「極秘扱い」とされて公表されることはなく、したがって日本の軍・政府はこれを知る由もなく、四五年八月九日に始まるソ連軍の満洲侵攻は「寝耳に水だった」、と教科書では教えられてきました。

しかし、東京の参謀本部にこの極秘情報を打電した情報将校がいたのです。

あのストックホルム駐在武官、小野寺信です。

この情報は、ロンドンのポーランド亡命政府→ストックホルムのポーランド人情報将校ブルジェスクウィンゥキー→小野寺→東京の参謀本部というルートで伝わりました。さらには、小野寺と親交のあったドイツの駐在武官カール・ハインツ・クレーマーを通じて、ドイツ政府にも伝えられます。クレーマーは、例のヒトラー暗殺計画が成功した暁には、スウェーデンで英・米との和平交渉を行う予定でした。

ヤルタ会談の翌三月、ベルリンで大島大使と会談したリッベントロップ外相がこう切り出します。「ドイツを救うには（ソ連との）単独講和しかないとの結論に達した」。

「個人的には（独ソ戦争で占領した）東部の領土をソ連に渡す（四一年に独ソ不可侵条約を結んだ際に秘密議定書で決めた東ヨーロッパにおける独ソの勢力範囲。バルト三国、ルーマニア東部のベッサラビア、フィンランドをソ連の勢力圏に入れ、独ソ両国はカーゾン線においてポーラン

ドを分割占領するまで戻す）こともやむを得ない。連合軍は、ドイツを打ち負かした後、英米とソ連の間で生じるいさかいが大きくなる。それは、亡命ポーランド軍が入手したヤルタ会談の情報でもわかる。なぜならヤルタでスターリンは、英米の民主主義陣営が、戦後のドイツと日本に、ソ連と真っ向対立する反共の政府を作ろうとしていることを悟った（つまり冷戦の萌芽を認識した）からだ。……したがって、やがて英米との対立を迎えるスターリンがドイツ・日本と手を結ぶと考えてもおかしくない」

（岡部伸『消えたヤルタ密約緊急電──情報士官・小野寺信の孤独な戦い』第6章 新潮選書 P.328）

「そこで、日ソ中立条約が機能している日本に、独ソ間の仲介をしてもらいたい。場所は中立国のスウェーデンで、小野寺武官に依頼したい」と。

もともとリッベントロップは、松岡の日独伊ソ四国同盟を支持しており、独ソ戦争には反対の立場でした。さらにナチスの親衛隊全国指導者ハインリヒ・ヒムラーがストックホルムを訪れ、スウェーデン王の甥であるベルナドッテ伯とも秘密裏に会見し、和平工作を依頼しています。これらの提案は、徹底抗戦の態度を頑として変えないヒトラーによって握りつぶされてしまいます。

同じ時期にベルナドッテ伯は小野寺とも接触し、叔父の国王グスタフ五世の希望として日・米間の和平の仲介も申し出ています。

このスウェーデンを仲介者とする終戦工作がもし成功していれば、ドイツ降伏に続いて日本も四五年五月の沖縄戦を最後として戦争を終結し、広島・長崎への原爆投下も、ソ連の対日参戦によるシベリア抑留問題も北方領土問題も起こらなかったわけです。

しかし東京の参謀本部は、小野寺がもたらしたヤルタ協定の極秘情報を握りつぶし、スウェーデンを仲介者とする和平工作案を却下しました。ソ連の対日参戦を知らなかったのではなく、知っていてその情報を握りつぶし、ソ連に仲介役を求める和平交渉を続けていたのです。まるでソ連軍に対日参戦の準備時間を与えるかのような、奇怪な行動です。

日露戦争における明石元二郎と、第二次世界大戦における小野寺信。この二人は、日本陸軍が生み出した世界水準の情報将校であり、スパイマスターでした。

明治政府は明石情報を通じて革命運動に揺らぐ帝政ロシアの内情を理解し、ギリギリの線で妥協して日露戦争を終結させました。ところが昭和の日本陸軍は、小野寺情報をことごとく黙殺し、祖国を滅亡の淵に追いやったのです。たった五〇年で、組織がこれほど劣化するとは考えられません。そこには何か別の事情がありそうです。

実らなかったスイスにおける対米和平工作

ＣＩＡ（米中央情報部）の前身であるＯＳＳ（戦略諜報局）は、ミッドウェー海戦の直後に発足した諜報機関です。それまでは米国も日本同様に陸軍・海軍・国務省（外務省）・FBI（連邦捜査局）がバラバラに情報を集めていたのを、一本化したのです。初代長官のウィリアム・ドノバンは、英国の諜報機関MI6をモデルにOSSを立ち上げました。当初は交戦相手であるドイツ・日本の情報収集と破壊活動を目的としていましたが、大戦末期にはソ連を主敵とみなすようになります。

ドノバンの部下でOSSスイス支局長のアレン・ダレス（のちCIA長官、兄のジョン・ダレスは国務長官）は、中立国スイスを舞台にスパイ網を構築し、スウェーデン人の銀行家ヤコブセンを通じて日本人銀行家と接触します。横浜正金銀行からバーゼルの国際決済銀行に出向していた吉村侃(かん)です。

この吉村がダレスに紹介したのが日本陸軍の駐在武官・岡本清福(きよとみ)中将でした。欧州に駐在していた日本軍人では最高位の人物です。ダレスはまた、ドイツ人政商のフリードリヒ・ハックを通じてもう一人の日本軍人、藤村義一海軍中佐とも接触します。

岡本陸軍中将は、加瀬俊一駐スイス公使、梅津美治郎(よしじろう)参謀総長と連絡を取りつつ、ダレスに対してこう告げます。

「天皇は和平を望んでおり、降伏の条件は皇室の存続である。日本は軍事独裁を放棄し、帝国憲法で規定されている議会政治に復帰するだろう」

敗戦後の日本が共産化してソ連陣営につくことを阻止するのがダレスの使命でした。君主制を認めない共産主義と、皇室の存続とは矛盾します。日本を米国陣営に加えるため皇室の存続は利用できる、とダレスは判断しました。

四五年七月、岡本中将は大本営に打電し、米国は皇室存続を認める方向だから、敗戦を認めるよう進言します。藤村海軍中佐は海軍省（米内光政海軍大臣）、加瀬公使は外務省（東郷外相）へと、同様の働きかけを行いました。

しかし大本営は岡本中将の提言を黙殺し、米内海相は藤村中佐の進言を「米国の謀略ではないのか」と疑い、ソ連仲介の和平交渉に前のめりになっていた東郷外相は加瀬公使に対し、「報告することはそれだけか？」と一蹴しました。

こうして、スイスを舞台にした和平交渉は不調に終わります。しかしダレスが、皇室の存続――「国体護持」を容認する態度を示したことは、最終的に昭和天皇がポツダム宣言の受諾を決断することを強く後押ししました（有馬哲夫『「スイス諜報網」の日本終戦工作』新潮選書）。

しかしその決断までの一カ月間に、さらに数十万人――そのほとんどが一般市民――の命が失われたことは、痛恨の一言に尽きます。

「本土決戦」の思想とは何だったのか？

防空能力も通商手段をも失った大日本帝国は、石油も食料も衣類も不足し、米軍の爆撃機B

―29の無差別爆撃にさらされていました。東京はすでに廃墟となり、皇居の安全も保証できないため、長野県の松代に天皇と大本営を移す計画が進んでいました。壮絶な地上戦で沖縄を焦土にした米軍は、南九州と関東平野に上陸し、四五年末までに日本を降伏させるつもりでした。

小野寺情報で伝えられたソ連の対日参戦のタイムリミットはドイツが降伏した五月七日の三カ月後――八月上旬となります。米軍の空爆ですでに再起不能になっているところにソ連軍がなだれ込んでくれば、もはや大日本帝国の崩壊は明らかです。

岡本情報によれば、米国は皇室存続の容認へと動いています。大本営が下すべき決断は、ソ連の対日参戦の前に、米・英に対して降伏を受け入れる、ということでした。

ところが「本土決戦」という奇怪な言説が、参謀本部から振りまかれます。日本本土を戦場として、米軍の上陸をゲリラ戦で迎え撃つというのです。銃が足りないので竹槍訓練なるものも行われました。この狂気はいったい、何なのでしょう？

合理的に考えれば、ゲリラ戦になれば戦争終結はさらに遠のき、ソ連が対日参戦して満洲や朝鮮、日本本土にまで侵攻してくる可能性がありました。結果、ドイツと同様に日本も米・ソに分割占領され、ソ連占領地域には東欧諸国や東ドイツと同様の共産党政権が樹立されることになります。

「本土決戦」は、日本の共産化をもたらすのです。

この大戦末期の大本営を動かしていたのも、例によって陸大軍刀組が居並ぶ作戦課でした。ガダルカナル作戦の失敗で、服部卓四郎・辻政信のラインが一線を退いたあと、大本営作戦課を仕切っていたのが瀬島龍三です。

▲瀬島龍三

瀬島は陸大五一期を首席で卒業し、大本営作戦課に配属されました。大東亜戦争の作戦参謀として、マレー作戦、ガダルカナル撤収作戦、インパール作戦、台湾沖航空戦、レイテ海戦、沖縄戦、本土決戦、対ソ防衛戦の立案に関わったのが、この瀬島です。

成功したのはマレー作戦だけで、残りはすべて負け戦。屍の山を築きながら、瀬島は大本営の中でその地位を高めていきました。

台湾沖航空戦（一九四四年一〇月）というのは、フィリピン奪回に先立ち、台湾を空襲した米空母艦隊を、台湾と鹿児島の地上基地から出撃した日本海軍航空隊が夜間攻撃した結果、「空母一一隻撃沈、戦艦二隻撃沈、巡洋艦三隻撃沈」という大本営発表が行われたという事件です。この結果、ニューヨークでは一時株価が暴落しました。

これが本当なら大東亜戦争は日本の勝利で終わっていたのですが、実際には空母二隻、巡洋艦二隻に軽い損害を与えただけでした。米機動部隊を率いるハルゼー提督は、「わが艦隊は海底より浮上し、北上中なり」と皮肉たっぷりに本国へ打電します。

夜間攻撃、しかも練度の低い若いパイロットの目視報告を積み重ねていった結果、「幻の大戦果」となりました。情報軽視という日本軍の病弊ですが、これに気づいていた情報士官もいました。大本営情報参謀の堀栄三です。

鹿児島の基地で直接パイロットの証言を聞いた堀は、戦果が水増しされていると気づき、大本営に打電しました。

ところが瀬島が率いる作戦課がこの報告を握りつぶしたばかりか、「米艦隊壊滅」という虚偽情報をもとにレイテ作戦を立案した結果、レイテ海戦で日本の連合艦隊は事実上壊滅し、フィリピンに取り残された日本兵を飢餓が襲ったのです。


フィリピンで日米両軍が激闘を続けていた四四年の一二月。作戦指導の激務に追われていたはずの瀬島が、単身でモスクワに潜入しました。日本軍人と怪しまれないように髪を伸ばし、商社マンに変装してのモスクワ入りでした。

モスクワで誰と会ったのか？　目的は何だったのか？

日本大使館・ソ連外務省という公式ルートとは別のチャンネルを開きにいった可能性があります。とすれば、交渉相手はソ連赤軍の情報機関、ＧＲＵかもしれません。

戦後、瀬島は大東亜戦争について饒舌に語りましたが、この件については生涯、口をつぐん

▲種村佐孝

でいます。今後、ソ連の極秘情報が公開される可能性はありますが、現状では「目的不明」としておきますが、その後も瀬島の背後にはソ連の影が見え隠れします。

四五年二月、ヤルタ会談でソ連の対日参戦を密約。この極秘情報をロンドンのポーランド亡命政府経由でつかんだ小野寺信が大本営に打電しました。当然、瀬島の所には報告が上がっているはずです。つまり小野寺情報を黙殺し、鈴木首相や東郷外相に伝えなかったのも瀬島である、と断言してよいでしょう。種村佐孝(さこう)大佐は、陸大から参謀本部作戦課に配属、瀬島の下で戦争指導班長になり、『大本営戦争指導班機密戦争日誌』を執筆しています。この種村が作成した四五年四月二九日付「今後の対ソ施策に対する意見」(国立公文書館アジア歴史資料センター)には、驚くべき戦争プランが書かれています(二〇一三年八月一二日に産経新聞が報道)。その要点を列挙してみましょう。

- 対米英戦を遂行するため、日ソ戦を回避する。
- ソ連の言いなりになって目をつむる。満洲、遼東半島、南樺太、台湾、琉球、北千島、朝鮮をかなぐり捨てて日清戦争以前に戻り、対米英戦争を完遂する。
- 日本軍の占領地をソ連と延安(毛沢東)政府に明け渡す。支那大陸において米・ソを対立させる。

- 日本が引けば、重慶（蔣介石）政府も米・英から離れ、支那民族主義に基づいて延安と結ぶだろう。日・ソ・支が同盟を結べば、米・英に対抗しうる。

同日、種村大佐が参謀総長宛に提出した「対ソ外交交渉要綱」（国立公文書館アジア歴史資料センター）では、「米・英の世界侵略の野望に対し日ソ支が連携するため、ソ連に以下を確約する」と続きます。

- 支那におけるソ連勢力、延安（毛沢東）政権の拡大強化。
- 彼らが希望する地域からの日本軍撤退。
- 南方占領地域の利権をソ連に譲渡。
- 満洲国、遼東半島、南樺太、朝鮮の譲渡も可。

中国から撤退できずにハル・ノートを突きつけられて対米戦争を始めたはずなのに、「対米英戦の完遂のため、支那の占領地を毛沢東に明け渡す」というのです。

この方針がなんと大本営で了承され、最高戦争指導会議に咨（はか）られます。

ドイツ降伏直後の四五年五月一一日。最高戦争指導会議の六者会合が開かれました。出席者は鈴木貫太郎首相、東郷外相、阿南（あなみ）陸相、米内海相、梅津参謀総長、及川軍令部総長ら、軍と政府の最高首脳です。鈴木貫太郎首相は海軍大将でした。二・二六事件で銃弾を浴びながら奇跡的に生き延び、昭和天皇の信任が厚いため、高齢ながら最後の戦時内閣を率いていました。人柄のいいおじいさんなのですが、「スターリンは西郷隆盛のような人だ」とトンチンカンな認識を持ち、決断力に欠けていました。

阿南陸相は敗戦やむなしと知りつつも立場上これを言い出せない。連合艦隊を失った米内海相は、もはや戦争そのものに無関心のように見えました。ソ連参戦の小野寺情報は大本営で握りつぶされ、何も知らない東郷外相はソ連を仲介者とする交渉に前のめりになっていました。

この最高戦争指導会議では、以下のことが決定されました。

- 米・ソ対立を視野に、日・ソ・支が団結して米・英に当たるべきことをソ連に説明する。
- 独ソ戦に勝利したソ連は国際的地位を高め、その対日要求は過大なものになると予想されるので、日ソ交渉ではポーツマス条約の破棄が必要。
- 南樺太の返還と漁業権の解消、津軽海峡の通航権をソ連海軍に開放する。
- 南満洲と朝鮮は維持するが、北満における鉄道をソ連へ譲渡。
- 旅順・大連、千島北半の放棄もやむなし。

六月、広田弘毅元首相が、東京空襲を避けて箱根へ疎開していたソ連のマリク大使を訪ね、二度にわたって仲介の可能性を打診します。スターリンから時間稼ぎを命じられていたマリク大使はうやむやな態度を取り続けました。

業を煮やした日本政府は、和平案をスターリンに直接に伝えるため、近衛元首相のモスクワ派遣計画を立てました。近衛は固辞しますが、昭和天皇の希望とあって特使に任命されます（七月一二日）。

近衛特使が和平仲介の代償としてスターリンに提示する譲歩案はこうでした。

- すべての海外領土、北千島、小笠原、琉球の放棄。
- 若干の日本兵を残留させ、労働力をソ連に提供。

しかし、米・英とのヤルタ密約を優先するスターリンが近衛の受け入れを拒否したため、特使の派遣は幻に終わったのです。

その後も鈴木貫太郎内閣はソ連仲介の和平を模索し続けますが、ポツダム会談の席で、スターリンは東郷外相からの親書をトルーマンに見せてこう言いました。

「日本からの和平案です。拒否しましょうか？　それとも曖昧な態度を続けましょうか？」

トルーマンの答えはこうでした。「後者を支持します。私は日本を信用していません」。

彼らはソ連軍による「解放」を望んでいた

ポツダムは、敗戦国ドイツの首都ベルリン近郊の別荘地です。四五年七月、連合国三巨頭がここに集いました。スターリンとチャーチルはヤルタ会談と同じ。病没したＦＤＲに代わって副大統領から昇格したトルーマンが出席しました。

ポツダムにおけるトルーマンの懸念は、東欧にありました。スターリンがヤルタ協定に違反してポーランド自由選挙を拒否し、ロンドンから帰国した亡命政府の要人を次々に逮捕した結果、ポーランドが共産党政権になってしまったことです。同じやり方で、チェコやハンガリーなど東欧諸国がソ連の軍門に降りつつありました。

前大統領ＦＤＲとの密約通り、ソ連が八月に対日参戦した場合、満洲や中国本土、朝鮮、日本本土までもがソ連軍に占領され、共産化する恐れがある――

アメリカは中国市場への自由なアクセスを守るために対日戦争を戦ってきたのです。東アジア全体が共産化し、ソ連の勢力圏になってしまったら、米国企業の自由な投資や営業は望めなくなります。

ソ連との密約は反故にはできない。東アジアをソ連に引き渡さないためには、無駄な抵抗を続ける日本をソ連参戦前に降伏させるしかない。当初の作戦では、米軍による東京攻略は四五年の一二月。これでは遅すぎるし、米兵の犠牲も計り知れない。

ほかに方法はないものか──。


このとき、ポツダムのトルーマンのもとに、陸軍から極秘電報がもたらされました。

「赤ん坊は無事に生まれた。Babies satisfactorily born.」

ニューメキシコ州アラモゴードの砂漠で行われた、人類史上初の原爆実験成功の知らせです。トルーマンはためらいませんでした。「八月上旬、日本へ投下せよ」。

日本に対するポツダム宣言は、米・英・ソの三首脳が合意しましたが、対日参戦前だったスターリンは署名せず、重慶の蔣介石に電話で了承を取り付け、発表されました。その最後の部分で原爆投下の可能性をちらつかせ、日本を脅迫しています。

13、われらは日本国政府が直ちに全日本国軍隊の無条件降伏を宣言し、かつ右行動における同政府の誠意に付、適当かつ充分なる保障を提供せんことを同政府に対し要求す。右以外の日本国の選択は、迅速かつ完全なる壊滅あるのみとす。(国立国会図書館「日本国憲法の誕生/憲法条文・

「重要文書」著者が現代仮名遣いに変更 https://www.ndl.go.jp/constitution/etc/j06.html/)

刻一刻と、大日本帝国は奈落の底へと突き進みます。

四五・八・六　米軍、広島に原爆投下。
四五・八・九　ソ連が対日参戦。米軍、長崎に原爆投下。
四五・八・一五　昭和天皇、ポツダム宣言受諾を国民に発表。

ポツダム会談が開かれた四五年七月、満・ソ国境にソ連軍の大部隊が続々と集結していくなか、瀬島龍三が東京の大本営作戦課を離れ、「関東軍作戦参謀」の肩書で満洲へ赴任しました。スターリンは日ソ中立条約の破棄を声明。同条約は破棄通告の一年後まで有効でしたが、米国が原爆を投下し、日本の降伏が早まったと判断したスターリンは、対日参戦を即断しました。

八月九日、ソ連軍が満洲、内モンゴル、朝鮮、南樺太へなだれを打って侵攻します。関東軍は南満洲に防衛線を敷き、撤収を開始しました。北満の日本人の満蒙開拓団は置き去りにされ、ソ連兵による虐殺と陵辱にさらされます。関東軍の山田乙三総司令官、秦彦三郎総参謀長、瀬島龍三作戦参謀はソ連軍の捕虜となり、拘束されます。

このとき、ソ連極東軍司令官ワシレフスキー元帥と停戦交渉にあたったのが瀬島でした。この関東軍の敗走は、「ソ連軍の不意打ちを食らったから」と説明されてきましたが、大本営のこれまでの行動を見ていくと、「はじめから満洲をソ連に引き渡すためのやらせ、戦う振りだったのではないか？」という疑惑が湧いてきます。

瀬島のもとで、満洲に出向していた大本営作戦課の朝枝繁春参謀が、ソ連軍侵攻後の満洲について大本営に送った報告書は東京には残されず、ソ連崩壊後の一九九三年に、ロシア国防省公文書館が機密解除で公開しました。

この「関東軍方面停戦状況に関する実視報告」（四五・八・二八）を見てみましょう。

- 既定方針通り大陸方面に於いては、在留邦人および武装解除後の軍人は、ソ連の庇護下に土着せしめ生活を営むこととし、ソ連側に依頼するを可とする。
- さらに土着するものは、日本国籍を離るるも支障なきものとす。

満蒙開拓団などの在留日本人、武装解除した日本兵は帰国させず、ソ連に身柄を預けるというのです。これは棄民です。

七〇万人のシベリア抑留と強制労働はスターリンが一方的に行ったのではなく、東京の大本営の了解に基づくものだったのです。

ソ連は元日本兵を強制収容所に送り込み、強制労働に従事させるとともに徹底的な思想教育を行いました。

「君たちは日本帝国主義の犠牲者である。この戦争を引き起こしたのは天皇と財閥、軍閥である。祖国に戻ったら帝国主義を打倒し、社会主義を実現しよう！」

瀬島、朝枝ら元日本軍将校の一部はソ連の工作員として教育されます。モンゴルのウランバートル近郊にある第7006俘虜収容所が政治教育の舞台となりました。帰国後は東京のソ連大使館の諜報部員であるラストヴォロフの指揮下に入り、アメリカ占領軍（GHQ）の情報をソ連側に送り続けました。

ところが朝鮮戦争後の一九五四年、元締のラストヴォロフ本人がアメリカに亡命し、ソ連の対日工作の実態を米議会で証言するという大事件が起こります。

追い詰められた朝枝繁春と志位正二（まさつぐ）は警視庁に出頭し、ラストヴォロフ配下でのソ連の工作員だったことを自白します。

志位正二は関東軍第三方面軍情報参謀でしたがウランバートルに抑留され、工作員教育を受けました。帰国後は、GHQの参謀第二部（G2）の地理課に勤務し、シベリア抑留者の調書から地図を作成するという業務に従事、その後は外務省アジア局調査員となり、情報をソ連大使館に渡していました。甥の志位和夫は東大工学部を経て、日本共産党の委員長となります。

朝枝や志位はソ連のスパイであったことを自白しましたが、スパイ防止法を廃止してしまった戦後の日本では、罪に問われることはなかったのです。

瀬島龍三はどうなったのか。

瀬島は「大物」として一一年間シベリアに抑留されました。シベリアでは兵士とともに肉体労働に従事し、それなりに苦労したようですが、東京裁判ではソ連側証人として出頭しただけで被告人にはならず、ラストヴォロフ事件にも巻き込まれなかったのです。

釈放された後は、伊藤忠商事という小さな商社に入社し、ソ連・中国との人脈を生かして同社を巨大商社に育て上げ、最後は伊藤忠商事の会長、財界の重鎮として政界にも影響力を及ぼしました。

▲志位正二

大本営作戦参謀の生き証人として、戦後、多くのインタビューに応じ、饒舌に語りましたが、肝心のソ連との関係については巧妙に話をそらし、口をつぐんだまま二〇〇七年になくなりました。工作員としても財界人としても、きわめて有能な人物でした。

そもそも日本を泥沼の戦争に引きずり込んだ「昭和維新」の思想とは、天皇をいただく国家社会主義、北一輝の思想であり、そ

ソ連軍の侵攻

のモデルはソ連型社会主義でした。統制派と皇道派との抗争は、「革命方針」をめぐる「内ゲバ」に過ぎません。

軍事クーデタ（二・二六事件）によってその実現を図った陸軍皇道派に対し、統制派が一貫してソ連との不戦、対中国・対米国との戦争拡大を推進して大日本帝国を存続の危機に陥れ、その最後の段階でソ連の日本占領を容易にする「本土決戦」を唱え始めたことは、もはや偶然とは思えません。

彼らは日本が敗北し、ソ連軍に「解放」されることが、「昭和維新」の近道だと信じていたのです。米軍に占領されれば、資本主義社会と財閥の跋扈が続くだけなので、ソ連軍による占領に意味があったのです。このような「赤い将校たち」によって東京の大本営は乗っ取られていたのです。そして数百万の若者を戦地に動員して十分な補給も行わず、屍の山を築いていった責任者であるこの者たちは、戦後も生き残って政財界にも影響力を及ぼし、大日本帝国を崩壊させた自らの戦争責任については口をつぐんだままなのです。

第13章

アメリカ幕府のもとで

「国連による平和」という虚構

アメリカ・シカゴ大学の国際政治学者ジョン・ミアシャイマーは、個々の主権国家を超えた「世界権力」が存在しない以上、国際システムは常にアナーキー（無政府状態）であり、大国はその生存をかけて、他の大国との覇権争いを永久に続けると論じました。

その上で、国際関係を次の三つのパターンに分けました。

- 一極（unipolar）システム……中華帝国や古代ローマ帝国。一つの覇権国家が支配する
- 二極（bipolar）システム……一九世紀の英・露対立、二〇世紀後半の米・ソ冷戦
- 多極（multipolar）システム……ウェストファリア体制、ウィーン体制、ビスマルク体制

このうち一極システムが最も安定しており、二極システムがこれに次ぐこと、そしてドングリの背比べのような多極システムが最も紛争を生みやすいことを彼は指摘しているのです（ジョン・ミアシャイマー『大国政治の悲劇』五月書房新社）。

二つの世界大戦は、多極システムの不安定を立証しました。第一次世界大戦の反省の上に構

築された国際連盟とは、要するに主権国家の談合組織であり、植民地代表はもちろん米国やソ連といった大国が参加せず、世界恐慌という極限状態の中で、日本・ドイツ・イタリアが脱退して瓦解しました。

国際連盟に代わるもっと強力な国際機構を作ろうという構想は一九四一年八月、独ソ戦争が始まった直後に訪米した英チャーチル首相が、米国大統領FDRとの大西洋上会談——文字通り、大西洋に浮かぶ英軍艦プリンスオブウェールズの艦上で調印した大西洋憲章八カ条の最後の項目で、はじめて明記されました。

この四カ月後の一二月に日・米が開戦し、英領シンガポール防衛に派遣されたプリンスオブウェールズは、日本海軍の攻撃機に襲われ、沈没します（マレー沖海戦）。

明けて四二年一月一日、連合国二六カ国が「the United Nations（連合国）」として共同宣言を発表し、枢軸国（日・独・伊）との単独不講和を誓いました。

この二六カ国が、「国際連合 the United Nations（UN）」の原型となりました。「連合国」を「国際連合（国連）」と訳し変えたのは日本外務省ですが、これが定着してしまったので本書でも「国連」の訳語を使います（中国語ではいまも「聯合国」の訳語を使っています）。国連憲章の起草は大戦末期の四四年、米国ワシントン近郊のダンバートン・オークスで進められました。

国連の基本原理も、多極システムの維持にあります。具体的には、一国一票の国連総会の上に、最高機関としての安全保障理事会（安保理）が置かれます。
当初、国連軍の出動による武力制裁権を持つ安保理は、拒否権を持つ常任理事国五カ国と、選挙で選ばれる非常任理事国六カ国の計一一カ国から構成されました（現在は非常任理事国が一〇カ国、計一五カ国）。五大国とは、第二次世界大戦の勝者となった五大列強（米・英・仏・中・ソ）です。

五大国が拒否権を発動しなければ多数決で採決されますが、五大国のうち一カ国でも拒否権を発動すれば、そこで審議は停止し、議案は否決されてしまいます。

拒否権なるものを最初に要求したのは、ソ連のスターリンでした。

五大国のうち米・英・仏は資本主義陣営。中国は当時まだ蔣介石政権だったので米国陣営。ソ連は孤立しており、残り四大国から武力制裁の対象にされることを恐れたのです。中国の代表権が毛沢東の共産党政権に交代するのは一九七一年のことです。

一九四五年のヤルタ会談で、米・英がスターリンの要求をのんで、五大国の拒否権が国連憲章に追加されました。結果、ソ連とその同盟国がいかなる軍事行動を行っても、国連安保理には武力制裁ができなくなりました。この愚かな決定を他の四大国が受け入れたのはなぜか？

自分たちが起こした軍事行動に対する安保理の武力制裁にも、拒否権を発動できるからです。大戦後のソ連は、ハンガリーやチェコ、中国やアフガニスタンに対して侵攻しました。英・仏はエジプトに対し（スエズ戦争）、米国はベトナムに対し、中国もインドやベトナムに対し、軍事侵攻を行っています。これらはれっきとした侵略戦争ですが、国連安保理は何も対応できませんでした。ソ連は一二〇回以上、米国は八〇回以上、拒否権を発動し、安保理の機能を麻痺させてきました。英国は三二回、フランスは一八回、中国は一〇回、拒否権を発動しています。

つまり、安保理五大国が引き起こす戦争を止める権限を、国連は持たないのです。ですから日本と五大国（ロシアや中国）との間で領土紛争が起こった場合、もし日本が安保理に提訴したとしても、相手国が拒否権を発動すれば、それでおしまい。国連は動きません。

▲国連（UN）の安全保障理事会

五大国以外の国が起こした戦争については、安保理が介入して武力制裁を行った例が二回だけあります。朝鮮戦争と湾岸戦争です。

前者はソ連の同盟国だった北朝鮮が韓国に侵攻、後者はソ連の同盟国だったイラクがクウェートに侵攻した戦争です。けれども、対米関係の悪化を恐れたソ連は北朝鮮とイラクを見捨て、前者の場合は棄権（安保理を欠席）、後者の場合は武力制裁賛成に回ったため、安保理決議が通ったのです。七〇年を越える国連の歴史の中で、武力制裁にゴーサインが出たのはこの二回だけなのです。

なお、安保理が直接指揮する「国連軍」なるものも存在しません。実際には安保理決議が可決されたあと、国連加盟国の有志が連合軍を編制するのです。これを「多国籍軍」とか「有志連合」といいます。朝鮮戦争に出撃した「国連軍」も、その実態は米軍を主力とする有志連合軍でした。

「旧敵国条項」についても触れておきましょう。

「旧敵国」すなわち日・独・伊に対しては、安保理の承認なしに軍事的強制力を発動でき（国連憲章第五三条）、第二次世界大戦の戦後処理についても、安保理の承認は不要である（第一〇七条）、という規定です。

日本やドイツが抗議を繰り返した結果、一九九五年一二月に国連総会がこの条項を削除すべきである、と決議しました。しかし国連憲章の改定に必要な五大国の承認が得られず、いまだにこの条項は残っているのです。

たとえば、日本と他の国連加盟国との間で領土紛争が起こったとしましょう。「旧敵国」である日本に対する軍事行動は、安保理の承認なしに可能なのです。

「国連に加盟していれば平和が守れる」「いざという時は国連軍が守ってくれる」という愚かな幻想から、日本人は早く目覚めるべきです。

パクス・アメリカーナの本質

あるいは、次のような反論があるかもしれません。

「でも実際、戦後七〇年以上、平和が続いたではないか」

この疑問にお答えしましょう。

中東、アフリカ、東南アジア、中南米、東欧では平和どころか、局地戦争や内戦が続きました。戦後七〇年以上、平和が続いたのは北米（米国とカナダ）と西欧諸国と日本だけです。ですからこれは国連とは関係なく、北米・西欧・日本に共通する特殊事情によるものです。

それは何か？

米軍が駐留し、米国の経済援助を受け、米国を主な市場としたことです。

第二次世界大戦が終わったとき、ヨーロッパと東アジアは破壊されつくしていました。先進工業国ではアメリカだけが無傷で、「世界の工場」であり続けました。大量の軍需物資の売却代金と、他の連合国から引き受けた戦時国債の償還金により、世界中の金（ゴールド）がニューヨークに流れ込んだ結果、世界の金の八五%を米国が保有していました。

米国政府の財源は無尽蔵であり、世界の軍事費の半分を米国一国でまかなうことができました。大戦後も世界各地に米軍基地を維持し、空母一隻と複数の艦艇からなる機動部隊(空母打撃群)を一〇セット、世界に展開できるようになったのです。

かつてウィルソン大統領は、米国が「世界の警察官」になることを夢見ていましたが、半世紀を経たトルーマン時代に、これが現実となったのです。

ソ連は陸軍と核ミサイルでは米国に匹敵する量を保有していましたが、海軍はお話にならず、経済力に至ってはGDPで米国の半分以下でした。つまりその程度の経済力で、「米ソ冷戦」を演出していたわけですから、無理がたたって半世紀で崩壊したのです。

スターリンもソ連共産党の歴代指導者も自国の実力を理解していました。ですから、「どんなに対立しても、絶対に米ソ戦争は避ける」ことを至上命題にしてきました。ソ連が支援するキューバと米国との対立が、米ソ全面核戦争になりかけたキューバ危機(一九六二)のときも、先に拳を下ろしたのはソ連でした。大東亜戦争で国を滅ぼした日本の指導者に比べ、ソ連共産党政権ははるかに賢明でした。

第二次世界大戦後の世界は、外見的には米ソ冷戦という二極システムでしたが、その実態は、米国の一極支配だったのです。ミアシャイマー理論では最も安定した体制であり、局地紛争は起こっても世界大戦にはなりません。米国に軍事的に対抗しうる国が、一つも存在しないからです。

ある街に広域暴力団が複数存在すれば、必ず抗争が起こるでしょう。しかし広域暴力団が一つしか存在しなければ、他の小さな組はすべてこれに従属し、上納金を納める代わりに守ってもらおうとするでしょう。結果的に血で血を洗う抗争は免れられるのです。

米国は、世界規模の「広域暴力団」です。必要とあれば、原子爆弾の投下もためらわなかった世界唯一の国です。この米軍を自国に駐留させることで、他の「小さな組」がちょっかいを出しにくくする。こういう考え方を、「抑止力」といいます。カナダも西欧諸国も日本も、これをやってきたのです。米軍を駐留させるための約束が、北大西洋条約機構（ＮＡＴＯ）であり、日米安全保障条約なのです。米国はこれらの同盟国に米軍を駐留させる見返りとして、これらの国々に市場を開放し、戦後復興の経済援助を惜しみなく与えました。旧敵国の日本や西ドイツも、このシステムの中で戦後復興を成し遂げ、米国につぐ世界二位、三位の経済大国にのし上がったのです。

米国の圧倒的パワーによる平和。これを古代ローマ帝国による平和、「パクス・ロマーナ」になぞらえて、「パクス・アメリカーナ」と呼びます。

日本史にたとえれば、帝国主義列強の抗争が戦国時代、アメリカが家康。第一次世界大戦が関ヶ原の戦い、第二次世界大戦が大坂の陣。豊臣方（枢軸国）を倒した家康が、圧倒的な武力を背景に諸大名を従え、「徳川の平和」を実現したのと同じです。

国連体制は、事実上のアメリカ幕府。西欧・カナダ・日本は譜代大名、ソ連・中国は外様大名ですが、徳川には勝てないので「面従腹背」を続けてきたのです。

東京裁判とは何だったのか？

連合国は「枢軸国の戦争犯罪を裁く」としてニュルンベルク裁判と東京裁判を開き、ドイツと日本の戦争指導者を告発しました。罪状は次の三つです。

⑴ 平和に対する罪……侵略戦争の計画と実行
⑵ 通例の戦争犯罪……捕虜の虐待、民間人の殺傷などハーグ陸戦条約（P.234参照）で禁じられた行為
⑶ 人道に対する罪……特定民族の絶滅計画と実行

東京裁判ではそれぞれA級戦犯、B級戦犯、C級戦犯と呼びました。ABCは罪の重さではなく、罪の種類を示しているのです。A級だから重い、というわけではありません。

ヒトラーが自殺してしまったため、ニュルンベルク裁判では、リッベントロップ外相ら一二

名が絞首刑、東京裁判では東條英機元首相、広田弘毅元首相ら七名が絞首刑になりました。近衛元首相は、逮捕直前に服毒自殺しています。

この二つの裁判は、国家の戦争犯罪について、その指導者を裁くという世界初の試みとして画期的なものになるはずでした。しかし、次のような問題がありました。

(1) 連合国の戦争犯罪を裁かなかった

米軍が日本に対して行った無差別爆撃。一晩で一〇万人を焼き殺した一九四五年三月一〇日の東京大空襲、いうまでもなく八月六日の広島、九日の長崎への原爆投下は、軍事目標ではなく市街地を標的にしたものであり、日本人の子供や女性はもちろん、朝鮮人労働者や米国人捕虜まで犠牲にした無差別殺戮でした。イギリス軍がドイツのドレスデンで行った無差別爆撃も、これに匹敵します。これらを許可したトルーマンやチャーチルもB級戦犯として裁かれるべきでした。

またスターリンは、ヒトラーと共謀してポーランドやバルト三国を侵略、併合しました。大戦末期には日ソ中立条約の有効期間内に対日参戦しましたが、これは日本に対する侵略戦争に当たりますから、スターリンをA級戦犯として裁くべきでした。ドイツ人捕虜や日本人捕虜のシベリア抑留と奴隷労働を命じたのもスターリンですから、B級戦犯としても裁くべきでした。

これらの議論は封殺され、彼らは無罪放免されています。

⑵　事後法で裁いた

法律学の大原則では、まず法が制定され、事後に起こった事件にその法が適用されます（罪刑法定主義）。法ができる前の行為に対し、事後法を遡って適用することはできません。「平和に対する罪」「人道に対する罪」は、第二次世界大戦後のニュルンベルク裁判ではじめて提唱されたものです。したがって第二次世界大戦中のできごとに、これらを適用することはできないのです。

第二次世界大戦前からあった戦争に関する法は、ハーグ陸戦条約、国際連盟規約、パリ不戦条約の三つです。侵略戦争を禁じているのは国際連盟規約とパリ不戦条約ですが、前者は経済制裁を科すだけ、後者は罰則なしです。東京裁判でウェッブ裁判長は、こういう判決を下すべきでした。

「被告人トージョー。あなたは真珠湾攻撃を計画実行した。これは国際連盟規約、パリ不戦条約に抵触するが、いずれの法も戦争指導者を裁くことはできない。よって無罪」

これらの矛盾については、英領インド帝国出身のパル判事が明らかにし、被告人全員を無罪にすべきだ、と意見書を提出しています。

「南京虐殺事件」が裁かれたのも東京裁判です。一九三七年一二月、日本軍の南京攻略時に、捕虜や一般市民数十万人を無差別に虐殺した、と中華民国側が告発したのです。しかしこの数字は、埋葬者数から類推したもので、戦闘中の兵士だったのか、捕虜だったのか、一般市民だったのかがわかりません。大量虐殺の現場を見たという証言すらないのです。

南京陥落の前後に、多くの人命が失われたのは間違いありません。しかし何十万人であろうが、戦闘中の兵士を殺すことは戦時国際法上、合法です。一〇人であっても、一般市民や投降した捕虜を殺すことは非合法、虐殺です。日本側の証言によれば、脱走した中国兵がゲリラ化して私服のまま撃ってきたり、難民キャンプに紛れ込んだりしていました。これは、戦闘員と非戦闘員を分けよ、という戦時国際法違反です。

中国兵の規律のなさが、民間人を戦闘に巻き込む結果となった、というのが真相に近いと思います。犠牲者の数については、今後、学問的な研究が必要です。

東京裁判では、南京を占領した松井石根（いわね）司令官が告発されました。松井はA級戦犯で絞首刑となりましたが、B級戦犯としての告発は見送られています。

吉田親米政権と日米安保体制

敗戦国日本はポツダム宣言に基づいて連合国（実態は米国）が占領し、東京の皇居の向かいに連合国軍最高司令官総司令部（GHQ）が置かれ、陸軍軍人のダグラス・マッカーサーが最高司令官に就任しました。マッカーサーのもとで、総理大臣に事実上指名されたのは、東條内閣の倒閣運動で投獄歴のある外交官・吉田茂でした。吉田は確かに親英米派の政治家でしたが、マッカーサーに常に屈服していたわけではありません。

占領当初、マッカーサーは日本の徹底的な非武装化、武装解除を行いました。彼をサポートしたGHQ民政局では、ニューディーラーと呼ばれる社会主義者たちが要職を占めていました。彼らがいう「日本民主化」の総仕上げが日本国憲法です。

英文で起草されたこの憲法は、第一条から第八条までで天皇の権限を制限し、第九条で戦争放棄と戦力不保持を定めました。

第九条

1　日本国民は、正義と秩序を基調とする国際平和を誠実に希求し、国権の発動たる戦争と、武力による威嚇又は武力の行使は、国際紛争を解決する手段としては、永久にこれを放棄する。

2　前項の目的を達するため、陸海空軍その他の戦力は、これを保持しない。国の交戦権は、これを認めない。

（「日本国憲法」）

第1項の「戦争の放棄」はパリ不戦条約をベースにした文言で、国連憲章や諸外国の憲法にもよくある規定です。たとえばイタリア共和国憲法第一一条を見てみましょう。

「イタリアは、他国民の自由に対する攻撃の手段および国際紛争を解決する手段としての戦争を放棄する」

そもそもパリ不戦条約は、侵略戦争を放棄したのであって、自衛権は放棄していない、と解釈されます。このことを明確にするため、日本国憲法は「国際紛争を解決する手段として」、イタリア共和国憲法は「他国民の自由に対する攻撃の手段および国際紛争を解決する手段として」という但し書きをつけ、放棄したのは侵略戦争のみであることを明確にしているのです。

問題は第2項の「戦力の不保持」です。前項の目的、すなわち侵略戦争の放棄という目的のため、「戦力を保持しない」「交戦権を認めない」のはわかるのですが、侵略を受けた場合の自衛のための戦力、自衛のための交戦権はどうなのか、について定めがないからです。

この憲法が衆議院と貴族院を通過した一九四六年の日本は世界最強の米軍の占領下にあり、撤収の見通しは立っていませんでした。したがって日本を侵略しようとする国は自動的に米軍との戦争を覚悟しなければなりません。そんな国はなかったので、日本国憲法は自衛の心配をしていないのです。

米軍撤収が現実化したのは、朝鮮戦争の時です。北朝鮮が韓国に侵攻した時、これを迎撃したのは日本駐留米軍を中心とする多国籍軍でした。マッカーサー自身が「国連軍最高司令官」

として韓国入りしています。

その分、日本の防衛は手薄になりますから、米国はこれまでの日本非武装化政策を百八十度転換して、主権回復と再軍備を急がせます。ＧＨＱ内部でも社会主義的な民政局に代わって、反共主義的な参謀第二部（Ｇ２）が主導権を握るようになります。

朝鮮半島で激戦が続く五一年、サンフランシスコで連合国のうち西側諸国と日本との講和条約が結ばれます。日本は主権を回復し、米軍占領時代は終わりました。

同日夜、米軍施設に場所を移して日米安全保障条約（安保条約）が結ばれます。

その前文にはこうありました。


日本国は、武装を解除されているので、平和条約の効力発生の時において固有の自衛権を行使する有効な手段をもたない。

無責任な軍国主義がまだ世界から駆逐されていないので、前記の状態にある日本国には危険がある。よつて、日本国は平和条約が日本国とアメリカ合衆国の間に効力を生ずるのと同時に効力を生ずべきアメリカ合衆国との安全保障条約を希望する。

平和条約は、日本国が主権国として集団的安全保障取極を締結する権利を有することを承認し、さらに、国際連合憲章は、すべての国が個別的及び集団的自衛の固有の権利を有することを承認している。

これらの権利の行使として、日本国は、その防衛のための暫定措置として、日本国に対する武力攻撃を阻止するため日本国内及びその附近にアメリカ合衆国がその軍隊を維持することを希望する。

データベース「世界と日本」政策研究大学院大学・東京大学東洋文化研究所
http://worldjpn.grips.ac.jp/documents/texts/docs/19510908.T2J.html

署名を強いられた吉田首相は当惑し、危惧しました。

「米国は、再軍備させた日本を共産圏との戦いに動員するのではないか？」

「用心棒」としての米軍駐留はありがたいが、米国の戦争に日本が駆り出されるのはごめんだ、と考えたのです。そこで吉田は巧妙な手段を思いつきました。

「マッカーサー元帥。わが国には平和憲法があり、戦力の保持を禁じております。従いまして、戦力に当たらない範囲の警察力は保持できます。これは戦力ではありませんので、海外派兵はできません」


アメリカが制定に関与した日本国憲法第九条を盾に、アメリカが求める海外派兵をやんわりと拒否したのです。この考え方を「吉田ドクトリン」といい、冷戦中の自民党政権がこれを踏襲しました（片岡鉄哉『日本永久占領』講談社）。

「警察予備隊」という名称は、「戦力ではない」ことを強調するためでした。これが「保安隊」→「自衛隊」と改称されて今日に至ります。

国会では、対米同盟を推進する吉田茂の自由党、民族主義的な鳩山一郎の日本民主党、ソ連との友好、非武装中立政策を説く日本社会党の三つ巴により、いずれも過半数を取れない不安定な状況が続いていました。日本社会党はソ連が反対する日米安保条約を認めないのはもちろんですが、サンフランシスコ平和条約をも、ソ連を除外した「単独講和だ」と反対しました。大戦中、近衛内閣や陸軍統制派に浸透していた親ソ派が、戦後は「日本社会党」という政党の姿になって立ち現れてきたのです。

一九五五年、日本社会党に対抗するため自由党と日本民主党が「保守合同」することで自由民主党が発足。国会での三分の二弱の議席を確保し、長期安定政権を実現します。自民党の発足はもちろん米国の意向であり、アレン・ダレスが率いるＣＩＡから工作資金が流れたのはいうまでもありません。

その一方で、労働組合に支持され、ソ連のＫＧＢから資金提供を受けていた日本社会党も、他の野党と合わせて常に三分の一以上の議席を保持しました。

日本国憲法は改憲について、

「衆参両院で三分の二以上の賛成で発議し、国民投票で過半数の賛成が必要」と定めています。言い換えれば、日本社会党など護憲勢力が三分の一を確保すれば、改憲を阻止できるという状況が続いたのです。

日本における「戦争と平和」の未来

一九五一年に締結された最初の安保条約は、不平等条約でした。米軍には日本で起こる暴動を鎮圧する権利を与える一方、日本防衛の義務を明記しなかったのです。これでは在日米軍は、事実上の日本占領を続けるために存在するのか、と疑われても仕方ありません。

この安保改定問題に取り組んだのが、岸信介(きしのぶすけ)内閣です。

岸信介は安倍晋三首相の母方の祖父です。商工省の「革新官僚」として満洲国の計画経済で辣腕(らつわん)を振るい、関東軍参謀長だった東條英機に評価され、東條内閣の商工大臣に迎えられました。

しかし閣内で東條の拙劣な戦争指導を批判し、サイパン島陥落の責任を問う形で東條首相の辞任を求め、閣内不一致で東條内閣を崩壊に導きました。帝国憲法下では総理大臣と各国務大臣とは対等でしたので、こういうことができたのです。

敗戦後は「A級戦犯」容疑でGHQに拘束されますが、東條との確執が明らかになったため、無罪となりました。鳩山民主党に所属しますが、積極的に占領政策に協力し、CIAとのコネクションもできます。米国はこの現実主義者で有能な官僚を「使える」と判断しました。

岸は米軍による日本防衛義務を盛り込んだ、より対等な安保条約に改定することに成功しました。これが六〇年安保です。

改定安保条約の審議が国会で始まると、日本社会党議員が本会議場に立てこもって議事を妨害します。これを支持する労働組合、学生組織が総動員をかけ、数十万人が国会議事堂を包囲しました。デモ隊の参加者で改定条約の内容を知っている者はほとんどおらず、「A級戦犯の岸が再軍備を企て、米国との軍事同盟を強化している」というソ連のプロパガンダに乗せられ、「アンポ反対！」「アンポ反対！」と叫び続けたのです。まるで

▲六〇年安保…国会を包囲するデモ隊

この条約が発効した途端に、日本が新たな戦争を始めるかのような危機感にデモ参加者は包まれていました。機動隊との衝突で、東大の女子学生が圧死するという気の毒な事件も起こりました。

結局、改定安保条約は国会で承認され、目的を達した岸内閣は混乱の責任を取るという形で総辞職しました。この直後の衆議院総選挙で、自由民主党は圧勝します。日本国民の大半は、

冷静に判断していたのです。

岸が成し遂げられなかった憲法改正、とくに九条を改正して交戦権を明記するという課題に取り組んだのが中曽根康弘内閣でした。

海軍士官出身の中曽根はフィリピン戦線に動員され、軍事力なしに国家の独立は守れないという信念の持ち主で、「憲法改正の歌」を作ったほどの改憲派です。

六〇年代に中ソ対立が激化する一方、ベトナム戦争からの早期撤退を求める米国が中国に急接近した結果、七二年にニクソン大統領が訪中、毛沢東との会見が実現しました。

中・ソ vs 米国

という図式が、

ソ連 vs 米・中

という図式に変わったのです。

この流れの中で、中国の国連代表権が蔣介石から毛沢東に移り、日本では田中角栄首相が訪中して日中の国交が回復されました。

ソ連型計画経済の失敗で経済が破綻していた中国共産党政権は、外資導入のため日・米に友好を振りまき、反日の「は」の字もない時代でした。

中曽根もこの流れに乗ります。自民党最大派閥となった田中派の支持を受けて八〇年代に政権を握った中曽根は、「親米・親中・反ソ」の姿勢を明確にしました。ロナルド・レーガン大統領との会見時に、「日本列島を不沈空母のように強力に防衛する」と発言したことはレーガンに好印象を与え、互いを「ロン」「ヤス」とファーストネームで呼び合う関係を築きました。

その一方で日本は米国を守れないという不均衡な同盟関係を維持するため、中曽根政権は経済分野で対米譲歩を迫られました。米国の輸出産業を守り、日本車などの対米輸出を減らすため、円高ドル安に舵を切る「プラザ合意」に応じたのは、このためです。結果、日本企業は円高不況に突入、これを救うには国内需要の拡大が必要というわけで日銀が急激な金融緩和（円の増刷）を行った結果、余剰資金が株と土地に流れ込み、異様なバブル経済が現出しました。

ソ連経済が崩壊に向かい、ゴルバチョフ書記長は冷戦終結に動きました。中国とは蜜月、ソ連は崩壊に向かい、北朝鮮はまだ核を持っていなかった時代です。平和ムードが日本を包み、このことが中曽根政権に憲法改正の機会を失わせたのです。

冷戦終結とソ連崩壊後の一〇年間（九〇年代）は、日米関係が悪化した時代です。ソ連という軍事的敵国を見失ったＣＩＡは、経済的ライバルとして日本を敵視するようになりました。クリントン政権は「構造改革」と称して日本市場の開放を迫る一方、中国市場への投資を奨励し、「ジャパン・パッシング（無視）」の態度を続けました。バブル経済崩壊後の日本では、回転ドアのように首相がくるくる変わりましたが、その多くは田中派を受けついだ竹下派、小沢派――要するに親中派の傀儡政権でした。スポンサーだったソ連の崩壊で日本社会党も崩壊し、その残党と自民党を抜けた小沢派が「反自民」で結束したのが民主党（→民進党→立憲民主党／国民民主党）です。

湾岸戦争（一九九一）は、国連安保理で米・ソが一致してイラクを武力制裁した戦争でしたが、日本の海部（かいふ）内閣（小沢幹事長）は相変わらず「吉田ドクトリン」を堅持し、多国籍軍にカネだけ出して自衛隊員の派遣は拒絶しました。

世界第二位の経済大国が国連の平和維持に関して無関心という態度を示したことは、各国の顰蹙（ひんしゅく）を買いました。イラク軍から解放されたクウェート政府が出した多国籍軍への感謝の新聞広告の中に、日本の名前はなかったのです。

この反省から、多国籍軍には参加できなくとも、戦闘終了後の平和維持活動（ＰＫＯ）には参加すべきではないか、という声が高まり、宮澤喜一内閣の時にＰＫＯ協力法が成立します（一九九二）。このときも、日本社会党、労働組合、マスメディアは「自衛官を戦場に送るな！」と大騒ぎし、野党議員が投票を遅らせる牛歩戦術で抵抗しましたが、あっさり可決されました。

カンボジア、シリアのゴラン高原、南スーダン、海賊対策のためジブチに自衛隊が駐留し、国際的に評価されるようになったのはこれ以後です。その一方で自衛のための武器の使用さえもが厳しく制限され、隊員の安全確保に支障をきたしています。

九〇年代に傷ついた日米関係を再建したのが小泉純一郎内閣でした。９・11テロのあと、倒壊した世界貿易センタービルを訪れた小泉は、「日本は常にアメリカとともにある」と発言し、ブッシュJr.大統領の「対テロ戦争」を全面的に支持して日米関係を蜜月に戻しました。「対テロ戦争」とくにイラク戦争（二〇〇三～一一）は、安保理でロシア・中国・フランスまでもが反対し、国際法上の疑義を残したままブッシュJr.が始めた戦争でした。戦闘終結のあとも、ゲリラ化したフセイン政府軍の残党が米・英軍に対するテロ攻撃を続ける中、小泉内閣はイラクのサマーワに自衛隊を派遣し、道路や水道、学校の復旧に当たらせました。住民からは感謝されたものの、自衛隊のキャンプも迫撃砲で攻撃され、隊員に犠牲者が出なかったのは奇跡的なことでした。

国会でも議論になりましたが、戦闘地域か非戦闘地域かを厳密に区別し、非戦闘地域だけに自衛隊を派遣する、というのは非現実的なのです。非戦闘地域は一夜にしてゲリラに襲われ、戦闘地域になりうるからです。

「交戦権の否認」という憲法の規定にがんじがらめになり、丸腰に近い形で自衛隊を海外派遣することが、そもそも非現実的なのです。

この考え方から、海外に派遣する自衛隊をもっと動きやすくし、同盟国の軍隊に対する後方支援（補給任務）を行えるようにした一連の法改正が、安倍晋三内閣が二〇一五年、国会に提出した平和安全法制（いわゆる安保法制）でした。

国会では民主党など野党が議事妨害を続け、国会周辺を労組などのデモ隊が包囲し、「アベ

戦争法案反対！」「日本を戦争のできる国にしてはならない！」と叫び続けました。しかし法案はあっさり国会を通過し、施行されました。六〇年安保の頃は学生がデモの主体でしたが、安保法制の時にはデモ参加者の高齢化が目立ちました。つまりは六〇年安保世代が、半世紀後に高齢者となって再び国会を包囲したわけです。この間、米ソ冷戦の終結とソ連崩壊、中国の軍事的台頭という国際情勢の激変があったわけですが、デモ参加者の主張は半世紀前と同じでした。

▲二〇一五年の安保法制反対デモ

この世代がやがて退場すれば、こういうお祭り騒ぎも消えていくでしょう。

若い世代になればなるほど、現実的な安保政策を支持しています。彼らは二一世紀の東アジアの現実——中国が軍事大国化し、南シナ海や尖閣諸島に触手を伸ばしてきたこと、北朝鮮が核ミサイルで周辺諸国を恫喝していること、日本人拉致問題がいっこうに前進しないこと、韓国が竹島問題や歴史問題で日本を揺さぶり続けていること——つまり日本がいくら平和を求めても、周辺諸国が日本を軽んじてこれに応じなければ平和は訪れないことを、体感的に理解しているからです。

大戦中の日本人は、米国の国力が日本の一〇倍あるという現実に目をふさぎ、情報を軽視し、「敵殲滅」やら、「必殺の信念」やら、「大和魂」やらで、大日本帝国は勝利できるという空想的軍国主義に汚染された結果、社会主義者に誘導されて国を滅ぼしました。

戦後の日本人は、米軍の圧倒的な軍事力に守られているという現実に目をふさぎ、情報を軽視し、「平和憲法」やら、「友好」やら、「話し合い」やらで、日本は平和を維持してきたという空想的平和主義に汚染された結果、気がつけば周りは敵だらけになっているのです。

あの痛苦に満ちた敗戦から七〇年余を経て、今ようやく「戦争と平和」について感情を離れて冷静かつ合理的に判断できる世代が、多数派になろうとしています。

この国にはまだ未来がある――と私は感じています。

第14章

日本を、戦場にしないために

ウクライナ戦争――ロシア・ウクライナ間の関係史

二〇二二年に始まるウクライナ戦争は、ロシア軍がウクライナに攻め込んで始まったのであり、その逆ではありません。つまり「ロシア側に戦争を始める動機があった」ということです。犯罪の防止策を立てる時に、犯罪者の動機の解明は不可欠です。同様に、戦争の防止を考える場合にも、戦争を始めた側の動機の解明は不可欠なのです。

そしてロシアの開戦動機を知るためには、一〇〇〇年以上に及ぶロシア・ウクライナ間の関係史の知識が必要です。少々長くなりますが、できるだけコンパクトにお話ししましょう。

「ウクライナ」とは、「辺境」を意味します。欧州最大の穀倉地帯であり、侵入が容易な平原が広がっているため、歴史的に周辺諸大国の「草刈場」となってきました。

古代のウクライナは、キエフ公国（キエフ・ルーシ）と呼ばれる大国の中心地でした。現在のウクライナの首都キーウ（ロシア語でキエフ）がその中心であり、ウラディーミル大公（たいこう）がギリシアのビザンツ帝国から宣教師を受け入れて、キリスト教の東方正教会に改宗しました。このキエフ公国こそ、のちのウクライナ、ベラルーシ、ロシアの三国の起源とされる国です。

しかしキエフ公国は、異民族の侵入によって切り刻まれました。

一三世紀、東方からモンゴル軍が攻め込み、キエフを徹底的に破壊しました。以後、二〇〇年間、公国の領域はモンゴル帝国の支配下に置かれ、貢ぎ物を課せられました。この時代は「タタールのくびき」と呼ばれ、暗黒時代とされます。

この時代、ウクライナには逃亡農民が、コサックと呼ばれる武装集団を形成します。彼らは農業を営みつつ、土地を守るために遊牧民と戦い、その戦いを通じて騎馬戦法を学んだのです。遊牧民のようなファッションを身にまとい、髪を剃って辮髪（べんぱつ）にしていたコサックの成り立ちは、中世日本の武士団とよく似ています。しかし武士団との大きな違いは、そのリーダーが世襲ではなく、選挙で選ばれたという点です。

このためウクライナ地域には、独特の民主主義的な伝統がはぐくまれました。これが専制政治の続いたロシアやベラルーシとの大きな違いです。

一四世紀、今度は西からポーランド軍が攻め込み、モンゴル軍を駆逐します。当時のポーランドはリトアニアと連合国家を形成し、ヨーロッパ最大の国家になっていました。リトアニアの占領地がベラルーシ、ポーランドの占領地がウクライナとなり、西欧カトリック文化の影響を受けます。

ポーランドは政策的にユダヤ人差別のない国で、西欧諸国で迫害されたユダヤ難民を受け入れていました。流浪の民ユダヤ人は各国で土地所有を禁じられていたため、全財産を貴金属や宝石に換え、避難先で金融業を営む者がたくさんいました。

ポーランド政府は、ユダヤ人の有力者にウクライナ統治を任せ、徴税を請け負わせました。このためウクライナでは、「ユダヤ人はポーランドの手先」としてうとまれるようになったのです。

一方、モンゴル軍が長くとどまったロシアでは、モンゴルの従属国の一つであるモスクワ大公国が台頭します。

一五世紀、ビザンツ帝国（東ローマ帝国）の皇女を妃に迎えたモスクワ大公イヴァン三世は、ローマ帝国の後継者として「皇帝（ツァーリ）」の称号を継承し、やがてモンゴルから独立します（ロシア帝国の起源）。ロシアの専制政治は、ビザンツ帝国の政教一致体制と、モンゴル帝国の軍事制度を掛け合わせたものです。自由すぎるポーランドが貴族の内紛で衰える一方、ロシアが強力な専制国家として、領土を拡大していったのです。

この頃、独立心の強いウクライナのコサックは、ポーランド支配をうとましく思うようになっていました。

一七世紀、コサックの指導者フメリニツキーは対ポーランド独立戦争を開始し、モスクワ大公に援軍を求めます。これが、ロシアによるウクライナ介入の始まりです。

このためロシア史では、「ロシアとウクライナを統合した」フメリニツキーを高く評価し、ウクライナ史では「ロシアに国を売った裏切り者」としてフメリニツキーを描きます。

大国の草刈り場となったウクライナ

14〜15 世紀

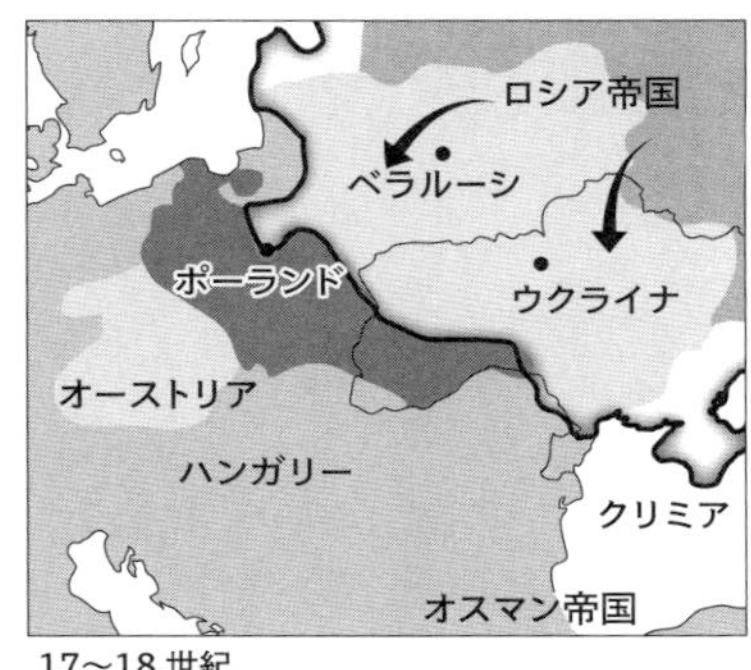

17〜18 世紀

また、対ポーランド独立戦争の中で、ユダヤ人の虐殺を行ったのもフメリニツキーです。ウクライナにおける反ユダヤ感情は、その後も間欠的に噴き出し、多くの犠牲者を出しました。こうしたユダヤ人に対する迫害事件をロシア語で「ポグロム（破壊）」といい、一九世紀にピークに達します（後述）。

一八世紀、ロシアに女帝エカチェリーナ二世が登場します。彼女はポーランド貴族を買収してその西側をロシア帝国に併合し、残ったポーランドはプロイセンとオーストリアに分割されました（ポーランド分割）。

女帝はオスマン帝国との戦いにも勝利し、黒海の北岸のクリム・ハン国を併合します。この国はモンゴル人の子孫が建てた国で、オスマン帝国に臣従していました。

クリムの名は「クリミア」半島として残り、女帝はここにロシア黒海艦隊の母港セヴァストーポリを建設します。この時、大量のロシア人がクリミア半島からウクライナ東部に入植し、今日のロシア・ウクライナ紛争の原因を作りました。

一九世紀末、帝政ロシアの圧政と貧富の差の拡大を背景に、旧ポーランド地域を中心に革命運動が起こります。革命派による要人へのテロが相次ぎ、ついにはロシア皇帝アレクサンドル二世が爆殺されました（一八八一）。皇帝暗殺事件の犯人グループにもユダヤ人がいたことから、ウクライナで大規模なポグロムが発生します。

祖国を持たないユダヤ人の若者には革命思想に共鳴する者が多かったのは事実です。ロシア政府は人民の不満のはけ口として、「ユダヤ陰謀論」を喧伝しました。世界支配を企むユダヤ人が革命運動を煽っている、という内容の偽書『シオンの長老の議定書』が、ロシア秘密警察（オフラーナ）の手でばら撒かれたのがこの時期です。このためロシアから大量のユダヤ人が欧州諸国へ、米国へと亡命しました。米国では、イギリス系白人（ＷＡＳＰ）を支持基盤とする共和党に対し、ユダヤ難民など新たな移民を支持基盤として民主党が急成長しました。民主党バイデン政権のブリンケン国務長官、ヌーランド国務次官の祖先は、この時代にウクライナから逃げたユダヤ人です。

ウクライナ独立のチャンスはロシア革命（一九一七）でした。帝政ロシアを崩壊させるため、レーニンは少数民族の独立を支持しました。「ウクライナ」という名前で独立国となったのは、この時が最初です。

レーニンは「世界革命」を叫んでいました。革命の波及を恐れたイギリス・フランスが出兵して黒海から上陸し、ウクライナ独立軍とともにロシア共産党政権と戦います。英・仏からの要請を受けた日本軍とアメリカ軍は日本海から上陸し、沿海州を占領しました（シベリア出兵）。

しかし広大すぎるロシアの占領は不可能であり、モスクワを攻略できないまま各国は撤収し、最後まで残った日本軍も引き上げました。革命軍（赤軍）は占領地を拡大し、ウクライナを再び併合してソヴィエト連邦を樹立します。

ソヴィエト連邦は、「ロシア、ウクライナ、ベラルーシなどが対等に合併した連邦国家である」という建前でしたが、実際は加盟国には共産党独裁体制が敷かれ、モスクワのソ連共産党政権からの命令が絶対だったのです。

穀倉地帯であり、黒海への出入口でもあるウクライナを失うことは、ソ連にとっては死活問題でした。革命指導者の地位をレーニンから引き継いだスターリンは、ウクライナの独立運動を根絶する効率的な方法を考えました。独立運動を起こした地域を赤軍が封鎖し、食糧の強制徴発を行うことで、徐々に餓死させていくという方法です。

この共産党による人工的な飢饉（ホロドモール）により、数百万人から一〇〇〇万人以上が餓死したといわれます。いわば、国全体が強制収容所となったのです。

ホロドモールについて語ることはソ連時代にはタブーとされ、ソ連崩壊後にようやく事実関係が明らかになってきました。

二〇〇七年、ウクライナ政府はこの事件をソ連によるジェノサイド（民族虐殺）と認定し、翌年には追悼記念館も設立、二〇一〇年に国立博物館と改称しました。一方ロシア側は、「スターリンの犯罪」は認めつつ、「ウクライナ人だけを標的にしたジェノサイドではない」と主張しています。

第二次世界大戦で、ウクライナは独・ソ両軍の戦場となりました。ホロドモールの記憶がまだ生々しかった時代です。ヒトラーのドイツ軍が西から侵攻した時、ウクライナ人はこれを「解放軍」として迎え入れました。ナチス式の軍服、敬礼を採用したウクライナ民族主義組織の指導者ステパーン・バンデーラは、ドイツ軍の力を借りて、ソ連からの独立を達成しようとしたのです。彼らはナチスによるユダヤ人、ポーランド人虐殺にも協力しています。

しかしヒトラーは、ウクライナをドイツの植民地にするつもりでした。危険人物とみなされたバンデーラは逮捕され、ドイツの強制収容所に送られます。

大戦末期、ソ連軍が反攻に転じ、ウクライナ全土を再占領します。バンデーラ派は「ナチス協力者」とみなされ、ソ連の強制収容所へ送られました。

第二次世界大戦後、ドイツが降伏し、米ソ冷戦が始まると、アメリカＣＩＡはウクライナでソ連に抵抗を続けるバンデーラ派を軍事援助しました。バンデーラ自身も釈放され、西ドイツに亡命しましたが、ソ連の情報機関ＫＧＢによって暗殺されます。

今日、プーチンはロシアに抵抗を続けるウクライナ民族主義者のことを、「ネオナチ」とか「バンデーラ主義者」と呼んでいます。

一九五三年にスターリンが死に、後継者となったニキータ・フルシチョフは、ウクライナ共産党のトップでした。彼はロシアとウクライナとの関係修復に努め、それまでロシア領であったクリミア半島を、ウクライナ領へと移管します。同じソ連邦内での管轄の変更ですから、あとあと大問題になるとは予想できなかったのです。

一九八〇年代、計画経済が行き詰まり、アフガニスタン侵攻（一九七九〜八九）で財政危機を迎えたソ連では、改革派のゴルバチョフ政権が成立し、米ソ冷戦を終わらせ、アフガニスタンや東欧諸国からソ連軍を撤退させました。

ゴルバチョフは、国内ではペレストロイカと呼ばれる経済改革に乗り出しました。市場経済への移行を進めるとともに、言論統制を弱め、ソ連を構成する一五の共和国がそれぞれ自由選挙で大統領を選べるようにしたのです。

ロシアでは、民族主義者のエリツィンが大統領に選ばれ、他の一四の共和国を切り離してロシア連邦を独立させ、一日も早く市場経済を導入せよ、と訴えます。これを阻止しようとした共産党保守派の軍事クーデタも失敗し、エリツィンが全権を握ります。

ウクライナとベラルーシの指導者もエリツィンに同調し、これらの国々がソ連を脱退したことにより、約七〇年続いたソヴィエト連邦は崩壊しました（一九九一）。

共産党政権のもとで荒廃したソ連経済を立て直すため、エリツィンは外国資本を歓迎しました。アメリカを中心とする外資がロシアへどっと流れ込み、石油・ガスなどの地下資源、国営企業を買い漁(あさ)ります。大量の公務員が解雇され、保険年金も削減され、一般ロシア人の大半は生活水準が下がりました。

その一方で、外資と結び、国営企業の買収で巨利を得る新興財閥が登場します。彼らは「少数の支配者」を意味する「オリガルヒ」と呼ばれ、その多くはユダヤ系でした。

ロシア連邦には少数民族がたくさんあります。特にカスピ海の西、コーカサス地方に住むイスラム教徒のチェチェン人の独立運動に火がつきました。

ロシアがコーカサスを失えば、カスピ海油田へのアクセスを失います。エリツィン大統領はロシア軍を侵攻させてチェチェンの独立を粉砕します。これに対するチェチェン過激派の返答は、一般ロシア人を標的にした無差別テロでした。

共産党独裁政権がなくなれば、西側諸国のように豊かで平和な暮らしができるだろうと夢見ていたロシア人に突きつけられた現実は、凄まじい貧富の格差と治安の悪化だったのです。現在、エリツィン時代を懐かしむロシア人はいないでしょう。

こういう地獄絵図の中で、ウラディミル・プーチンは権力への道を駆け上っていきました。ソ連が産んだ最大のスパイであるゾルゲ（P.306参照）に憧れ、高校生の時にソ連の情報機関ＫＧＢの門を叩いて「スパイになりたい」と相談、職員からアドバイスを受け柔道に打ち込んでいた大学時代に本当にＫＧＢからスカウトされています。冷戦末期には東ドイツに駐在、ベルリンの壁の崩壊を目撃しました。

エリツィン時代にKGBはFSB（ロシア連邦保安庁）と改称され、プーチンの任務の中心は、汚職摘発とチェチェン・ゲリラ制圧になります。感情をほとんど表さないこの怜悧な小男にエリツィンは全幅の信頼を置き、やがて首相に抜擢しました。

二〇〇〇年、心臓病の悪化で退陣したエリツィンに代わり、プーチンが第二代大統領に就任します。閣僚の多くが治安機関の出身であり、強権による治安の回復と、国民生活の安定がプーチン政権の公約となります。

それから二〇年余、言論統制と政権批判への容赦ない弾圧をプーチンが行ってきたのは事実でしょう。多くのジャーナリストや野党指導者が逮捕されたり、遺体で見つかったりしています。

その一方で、多くのオリガルヒ（新興財閥）が脱税や不正蓄財で逮捕され、また国内テロは激減しました。再国有化されたガスや石油の輸出で得た収益は、年金保険資金として国民に還元されました。プーチンが選挙で勝ち続けた一番の要因は、格差拡大と治安悪化をもたらしたエリツィン時代には戻りたくない、というロシア国民の心情なのです。

ウクライナ戦争——ロシア側の論理

プーチンは共産主義者ではありません。彼は熱心に教会へ通うロシア正教徒であり、共産主義政権の崩壊をその目で見てきた男です。エリツィン時代を否定するからといって、ソ連時代に戻るつもりなどありません。

プーチンが考える理想のロシアは、キエフ公国にさかのぼる「歴史的なロシア」です。ロシア、ウクライナ、ベラルーシが一体だった頃のロシアです。この「三姉妹」は一つになるべきであり、これを分断しようとする外国の干渉を排除しなければ、ロシアに未来はない、というのが彼の信念なのです。

しかしモンゴル人がキエフを破壊し、ポーランド人やリトアニア人がウクライナとベラルーシを奪い取り、ロシアの統一は失われました。エカチェリーナ二世がようやく統一を回復しますが、エリツィン時代に再び分断され、外資の草刈り場になりました。自分（プーチン）はロシアを取り戻したが、ウクライナはいまだに外資とオリガルヒの食い物になっている。この哀れなウクライナを取り戻し、歴史的ロシアを復活したい――

この思想は、プーチン自身が二〇二一年の論文の中で明らかにしています（プーチン「ロシア人とウクライナ人の歴史的一体性について」https://en.wikisource.org/wiki/On_the_Historical_Unity_of_Russians_and_Ukrainians）

以上のプーチンの言い分を聞いたウクライナ人の多数が、「なるほど！　ロシアのいう通りだ」と考えれば、今回の紛争は起こらなかったでしょう。

それでは、ウクライナ人はそう考えているのでしょうか？

ウクライナ人は一枚岩ではありません。首都キーウ（キエフ）を流れるドニエプル川を境にして、南東部と北西部とでは民族意識がまったく違います。

ロシアに接する東部ドンバス地方や南部のクリミア半島では、ロシア系住民が多く、ロシア語を話します。彼らにはプーチンの論理を受け入れる素地があります。

しかし北西部ではウクライナ独立派が多数を占め、ポーランド国境に近づけば近づくほど、その傾向が強まります。

「われわれはウクライナ人だ。ロシア人ではない。ホロドモールを引き起こしたロシアを、絶対に許さない！」というのが、彼らの言い分です。

ソ連から独立後のウクライナでは、大統領選挙のたびに国論が二分されました。親ロシア派の大統領はプーチンの政策に同調し、親欧米派の大統領はアメリカに接近し、EU（欧州連合）加盟やNATO（米国中心の軍事同盟）加盟をめざしました。

一九九〇年代以降、クリントン民主党政権下の米国は、ウォール街の国際金融資本とタッグを組んで旧ソ連諸国の「民主化」「市場開放」を推進しました。ロシアにおけるエリツィン改革はその一環でしたが、プーチンの出現によってこの計画は阻止されました。

アメリカ民主党政権の責任

二〇一〇年代、民主党オバマ政権は「カラー革命」を推進します。これは、旧ソ連諸国の権威主義的な指導者に対して、「自由と民主主義」を求める民衆蜂起を演出し、親米政権を樹立させるという「ソフトな革命」です。資金提供者として知られるのが、ウォール街のヘッジファンドを率いるジョージ・ソロス。彼の「オープンソサエティ財団」が各国の民主活動家を教育し、資金を提供し、革命を起こさせたのです。

二〇〇三年、コーカサスの小国ジョージア（ロシア語で「グルジア」）が最初の成功例でした。人々がバラの花を持って広場に集まったので、「バラ革命」と呼ばれます。

ＮＡＴＯ加盟の意思を隠さないジョージア親米政権に対し、ロシアは民族紛争を口実にジョージアに侵攻し、親露派住民が多い南オセチアを占領しました（二〇〇八）。

二〇〇四年、ウクライナでは、親露派のヤヌコヴィッチ大統領が当選しました。ところが不正選挙を訴える親欧米派がキーウの広場を占拠して圧力をかけた結果、決選投票が行われることとなり、ヤヌコヴィッチは敗れ、親欧米派のユシチェンコが大統領に就任しました。親欧米派がオレンジ色をシンボルカラーにしたので、オレンジ革命と呼ばれます。

一〇年後の二〇一四年、再び大統領に返り咲いたヤヌコヴィッチに対し、親欧米派のデモ隊

NATOの東方拡大とロシアの軍事行動

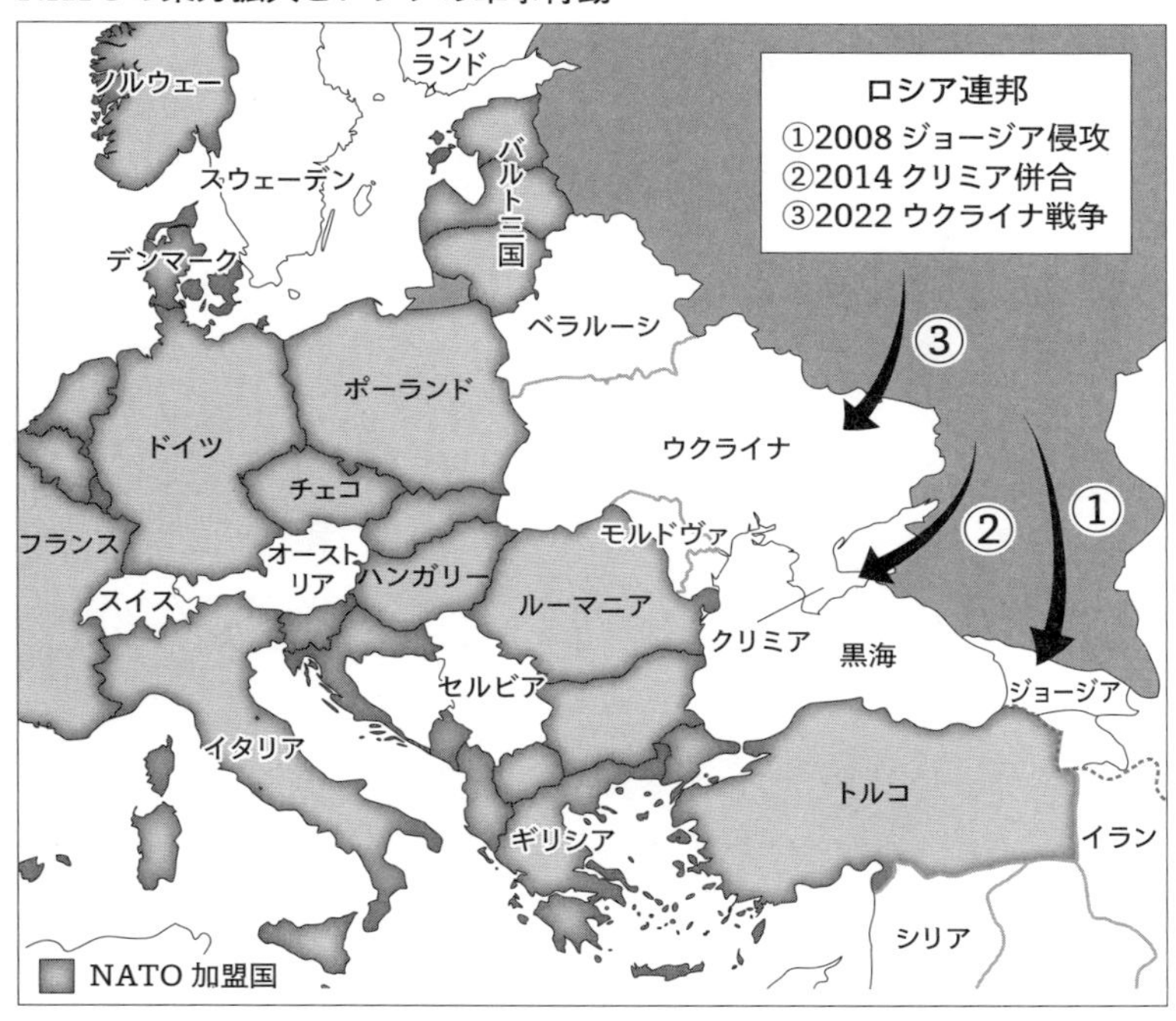

に紛れた武装勢力が攻撃を始め、キーウの独立広場（マイダン）が戦場になってしまいます（マイダン革命）。ヤヌコヴィッチはロシアへ亡命し、親欧米派政権が成立しました。

これに対してロシア系住民の多い南東部では抗議活動が続き、東部ドンバス地方の二州では親露派の武装勢力が地方政府を掌握したため、内戦が始まります。

ロシアと蜜月だったヤヌコヴィッチ政権時に、ウクライナは徴兵制の廃止と大規模軍縮に着手していました。

兵員不足のウクライナ親欧

米政権に代わり、オリガルヒが資金提供して民兵を養成し、親露派住民の押さえ込みに利用しました。「アゾフ大隊」もその一つで、ウクライナの「メディア王」と呼ばれる投資家のイーホル・コロモイスキーが資金源でした。

この時、黒海の港町オデッサで、双方の武装勢力が衝突して市街戦となり、労働組合ビルに立て籠った親ロシア派に対し、親欧米派の民兵が火炎瓶で攻撃し、数十人が犠牲になる事件を起こしました。プーチンは彼らを「ネオナチ」「バンデーラ主義者」と呼んで非難しましたが、ウクライナの親欧米派政権は彼らを英雄と賞賛し、アゾフ大隊もウクライナ国家親衛隊に所属する正規軍として再編されました。

このマイダン革命の裏では、アメリカ国務省の次官補ヴィクトリア・ヌーランドが、ウクライナのアメリカ大使に直接指示を出し、ウクライナ新政権の人事にまで介入していたことが、ロシア側のリークによってわかっています。その目的は、ウクライナに親米政権を再建し、NATO加盟と米軍基地の受け入れを認めさせ、クリミアのロシア軍を撤退させることです。

公然たるアメリカの内政干渉に対し、プーチンはすぐに手を打ちました。

ロシア黒海艦隊の母港セヴァストーポリがあるクリミア半島をウクライナから切り離し、ロシアに編入したのです。この時プーチンは、ロシア系住民が多いクリミアで住民投票を行わせ、「ウクライナからの独立とロシア編入」を決議させるという手の込んだことをしました。ロシアの侵略ではなく、クリミア住民の意思を受け入れただけである、という体裁を取ったわけです。

アメリカのオバマ政権をはじめとする西側諸国は、ロシアに対する経済制裁、ロシアをG7首脳会議から締め出す、という対抗策を取りましたが、クリミアのロシア軍を排除する具体的行動は取れませんでした。ロシアが国連五大国の一つで拒否権を持ち、また、世界第二の核保有国だからです。西側諸国はクリミアのために核戦争を起こす気はありません。プーチンにとってこのクリミア危機は、成功体験となりました。

プーチンは共産主義者ではなく、旧ソ連の復活をめざしているのでもありません。彼は伝統的な大ロシア主義者であり、「祖国ロシア」の復活を願っているだけです。問題は「大ロシア」の中に、ウクライナとベラルーシがはじめから含まれていることです。ウクライナ人がこの考えに同意しない限り、紛争は続くことになります。

習近平は「中国の夢」を語り、アヘン戦争以降の歴史を「屈辱の歴史」とみなし、過去の偉大な「大中華」の再現を願っています。その「大中華」の中に台湾が含まれているのが問題なのです。日本の統治を経て、大陸とは別の独立国としての歴史を歩んできた台湾では、強固な台湾人意識が形成されています。ウクライナとよく似ているのです。

二〇一四年のクリミア併合から、二〇二二年のウクライナ戦争まで、ロシアは動きませんでした。この間にいったい何があったのでしょう？

ウクライナではその間親欧米派政権が続き、ロシア語を公用語から外す、ロシアとの航空便を止める、など脱ロシア化を進めていました。東部ドンバス地方では、ロシアの軍事援助を受けた地方政府とウクライナ政府軍との内戦が続いていましたが、ロシアは直接介入を避けてきました。

二〇一六年、オバマの後継を争うアメリカ大統領選挙で、民主党のヒラリー・クリントン元国務長官が敗れ、共和党の新人ドナルド・トランプが当選しました。

不動産王のトランプは選挙資金の大半を自腹でまかない、「ウォール街の言いなりにならない大統領」として登場しました。「アメリカ第一（ファースト）」を掲げ、「外国への内政干渉や海外派兵は税金の無駄だからもうやめる」と公約したのです。

「ロシア第一」主義のプーチンは、トランプ政権に期待しました。アメリカがカラー革命をやめるなら、ロシアもウクライナ干渉を手控えよう、という暗黙の了解です。

このためアメリカ民主党側は、ロシアの情報機関が二〇一六年のアメリカ大統領選挙に介入し、トランプが当選するよう工作した、という「ロシア・ゲート事件」を作り上げ、執拗なネガティブキャンペーンを続けました。特別検察官も任命されましたが、現在まで確たる証拠は見つかっていません。

逆に明らかになったのは、マイダン革命（二〇一四）直後にオバマ政権の副大統領ジョー・バイデンがウクライナを訪問した時、同行した息子のハンター・バイデンがウクライナの天然ガス会社ブリスマの重役に迎えられて多額の報酬を受けていたことです。ウクライナの利権にアメリカ副大統領の息子が食い込んでいたのです。

このブリスマ社はのちに不正経理が明らかになり、ウクライナ検察当局の捜査を受けますが、これを聞いたバイデン副大統領が当時のウクライナの親欧米派大統領ポロシェンコに電話をかけ、「検事総長をクビにしないとウクライナ支援を停止する」と圧力をかけていたことが、電話録音の公開で明らかになりました。

ポロシェンコ大統領は、ウクライナ最大の製菓会社の経営者で「チョコレート王」と呼ばれるオリガルヒの一人です。ウクライナの親欧米派オリガルヒ政権とアメリカ民主党政権との癒着が、こうして明らかになりました。

ところがこの「民主党ウクライナ・ゲート」について、民主党を支持するアメリカの大手メディアはほとんど報道せず、二〇二〇年の大統領選挙ではトランプの再選が阻止され、ウクライナ利権を有するバイデンが当選しました。高官の多くはオバマ政権の出戻りで、国務次官にはマイダン革命を演出したヌーランドが抜擢されました。

「今後四年間、あるいは八年間、アメリカで民主党政権が続けば、ウクライナの脱ロシア、NATO加盟路線は規定事実となる。自分の目の『青い』うちにウクライナを取り戻さなければ、永遠にウクライナは失われる——」

二〇二二年に齢七〇歳を迎えるプーチンは、そう決断したのでしょう。

二〇二一年の秋、ロシア軍がウクライナ東部国境に集結していることを、アメリカ軍の偵察衛星はつかんでいました。バイデン大統領は、ロシア軍の侵攻が近いと警告し、ウクライナ在住のアメリカ人を退去させる一方で、「アメリカ軍は介入しない」と明言しました。それはまるで、「ロシアさん、どうぞ、どうぞ……」と誘い込むような態度でした。

トランプ時代の二〇一八年五月、北朝鮮が水爆実験や核ミサイルの打ち上げ実験を繰り返した時、シンガポールでの米朝首脳会談のキャンセルを伝える金正恩（キムジョンウン）あての信書の中で、トランプはこう釘を刺しました。

「あなたは北朝鮮の核戦力について語るが、アメリカが保有する核戦力は非常に大規模かつ強力なものだ。私はそれが決して使われないことを神に祈っているが」

必要なら核兵器を使用する、という脅しです。これを読んだ金正恩はアメリカ本土を標的にした弾道ミサイル実験を停止し、首脳会談を受け入れました。

バイデンの態度はこれとは真逆です。はじめから腰が引けており、騒ぐだけ騒いで、米軍は何もしないことを「決断」した。これを見てプーチンは、ウクライナ侵攻の最終決断をしたと思います。相手がトランプなら、もっと慎重になっていたでしょう。

ウクライナ戦争から何を学ぶべきか？

残念ながら、戦争は実際に起こりました。つまり今後も起こり得るということです。
今回のウクライナ戦争が深刻なのは、国際平和の維持に格別の責任を負い、核兵器の保有を許されている国連安全保障理事会の常任理事国であるロシアが、核を持たない隣国ウクライナに攻め込んだということ。これを国連が阻止できずにいることの意味は、極めて重大です。

国連憲章のもとで戦争が許されているのは、
(1) 国連安保理決議で武力制裁を認めた場合（五大国は拒否権を発動できる）
(2) 「旧敵国（日・独・伊）」による新たな侵略を防止する場合（P.414参照）
(3) 侵略を受けた場合の個別的、集団的自衛権の発動
※(2)(3)の場合は、安保理決議は不要

ロシアに対する制裁決議はウクライナの訴えにより国連安保理の議題となりましたが、当事国のロシアが拒否権を発動して葬りました。国連五大国（米・露・中・英・仏）が起こした戦争を国連は止められないという現実が、再び露呈しました。

ウクライナは現在、個別的自衛権の発動という形で戦っています。欧米諸国から大量の武器が送られていますが、共に戦ってくれる国はありません。ウクライナはいまだNATOの加盟国ではなく、集団的自衛権を発動できないからです。NATOのストルテンベルグ事務局長は早々に、「NATOはウクライナ戦争には介入しない」という立場を明確にしています。

ウクライナと対照的なのがバルト三国です。リトアニア・エストニア・ラトビアのバルト三国は、スターリン時代にソ連に併合され、ソ連崩壊（一九九一）で独立を回復しました。隣国ロシアに二度と併合されないことを誓った三国はNATOに加盟しました（二〇〇四）。

この時プーチンは、バルト三国に米軍基地を置かないことを条件に、NATO加盟を容認しました。防空戦力の弱いバルト三国をロシア軍から守るため、NATO加盟国の空軍が交代で領空警備を行っています。国連憲章が認めている「集団的安全保障」の発動です。

「中立国」とは、いかなる軍事同盟にも加盟せず、個別的自衛権だけで独立を維持しようとする国です。ウクライナは中立国だったため、単独でロシアと戦う羽目になりました。プーチンは停戦条件として、「ウクライナの中立化」を要求しました。これはウクライナに対して他国との軍事同盟を結ぶことを禁じ、ロシアの言いなりになれ、と言っているのと同じです。

ミサイルが飛び交う時代に、中立の維持は困難です。スイスやスウェーデン、フィンランドも中立国ですが、これらの国々は今回、ウクライナへ武器を送っています。スウェーデンとフィンランドは、正式にNATO加盟を申請しました。ロシアのウクライナ侵攻が、逆にNATOを強化してしまったという皮肉な結果をもたらしたのです。

ウクライナにとってもう一つの痛恨事は、核兵器を放棄したことです。

ソ連時代、核兵器はロシアのほか、ウクライナやベラルーシ、カザフスタンにも備蓄されていました。ソ連崩壊後、「核兵器の拡散を防ぐ」という大義名分のもと、旧ソ連の核兵器はすべてロシア連邦が引き継ぐことになりました。核を手放すことになるウクライナ・ベラルーシ・カザフスタンに対しては、米・英・露が安全を保障するという合意が交わされました（ブダペスト覚書、一九九四）。

(1) ベラルーシ、カザフスタン、ウクライナの独立と主権と既存の国境を尊重する。
(2) ベラルーシ、カザフスタン、ウクライナに対する脅威や武力行使を控える。
(3) ベラルーシ、カザフスタン、ウクライナに政治的影響を与える目的で、経済的圧力をかけることは控える。

二〇一四年のクリミア併合も、二〇二二年のウクライナ戦争も、このブダペスト合意への重大な違反です。これについてプーチンは、「二〇一四年のマイダン革命でウクライナは別の国になったのだから、ブダペスト合意は無効である」と説明しています。

革命があろうが、政権交代があろうが、新政権が旧政権の結んだ国際条約を継承するのは常識です。ソ連とロシアが別の国で、ソ連が結んだ条約は無効だというのなら、ロシアは安保理常任理事国の地位を降りて、核兵器も放棄すべきでしょう。

「非武装中立」が絵空事であり、むしろ有害な思想であることが、ウクライナ戦争によって明々白々になりました。日本共産党はいまだに党綱領で「日米安保条約の破棄と自衛隊の段階的解消」を掲げています。もはや現実を見る勇気もないのでしょう。

私たち日本人が今後考えるべきこと

その一方で、日米安保条約が機能するのか、という重大な疑義を持たざるを得ません。前述のように日米安保条約は、岸信介内閣の改定（一九六〇）によって、米軍に日本防衛義務を課しました（P.428参照）。さらに安倍晋三内閣の安保法制（二〇一五）により、有事の際に自衛隊が米軍を後方支援するための法整備が行われました（P.432参照）。

けれども日米安保条約第五条には、日米両国は武力攻撃を受けた場合に「共通の危険に対処する」というあいまいな規定しかありません。

第五条　各締約国は、日本国の施政の下にある領域における、**いずれか一方に対する武力攻撃**が、自国の平和及び安全を危うくするものであることを認め、自国の憲法上の規定及び手続に従って**共通の危険に対処する**ように行動することを宣言する。

これでは「対処」が武力行使なのか、経済制裁なのか、ただの非難声明で済ませるのかわかりません。そのときのアメリカ大統領が決めるということです。今のアメリカ大統領の顔を、思い浮かべてください。

一方、NATO結成の法的根拠である北大西洋条約の第五条では、以下の定めがあります。

---

1. 締約国に対する武力攻撃を**全締約国に対する攻撃とみなす**。
2. その場合に締約国は、**必要と認める行動**（**兵力の使用を含む**）を、個別的または他の締約国と共同して**直ちにとる**。

これを「自動参戦義務」と呼びます。もしロシアがバルト三国へ侵攻すれば、アメリカを含むNATOの全加盟国との戦争状態に陥るということです。だからプーチンはバルト三国には何もせず、中立国のウクライナに攻め込んだのです。

国連安保理の五大国は、国連の制止を受けずにいつでも戦争を始めることができます。理由は何でもいいのです。それを抑止できるのは、侵略された側の反撃能力だけです。

反撃能力が最も高いのは核兵器です。核兵器を持たない日本が、米軍の支援なしに個別的自衛権だけで侵略国に抵抗を続ければ、ウクライナ同様に国土を蹂躙されるでしょう。反撃のための核兵器を持てば、侵略国は核による反撃を恐れて全面戦争をためらいます。このように、核兵器の保有が戦争を抑止することを、「核抑止力」といいます。ウクライナが今も核兵器を持っていれば、プーチンは自制したでしょう。

次に侵略国が考えることは、相手国の核兵器を無力化することです。核ミサイル基地の場所を偵察衛星で確認しておき、開戦と同時にミサイル攻撃で破壊するのです。

ただし敵のミサイル基地を完全に破壊できなければ、反撃を受けることになります。

最近、自衛隊の「敵基地攻撃能力」が国会でも議論になりました。これは仮想敵国のミサイル基地を自衛隊が攻撃して無力化する、という話ですが、実際には非常な困難が伴います。キューバ危機（一九六二）が、よい例でしょう。

キューバ危機とは、ソ連がキューバに核ミサイル基地を建設し、アメリカのケネディ政権を恫喝した事件です。米空軍はキューバのミサイル基地への攻撃を進言しましたが、完全破壊の確証が得られなかったケネディ大統領は、空爆を却下しました。

当時は航空機による上空からの偵察で敵基地を把握していましたが、今は偵察衛星を使っています。地下基地でも作らない限り、発見されてしまうでしょう。

たとえ地上基地が破壊されても、核ミサイルによる反撃ができるように、安保理五大国とインドは、弾道ミサイル潜水艦を運用しています。

海水は、電波も光も遮ります。深海に沈めた潜水艦を、偵察衛星が捕捉することはできないのです。潜水艦ですから、敵の領海近くまで忍び寄って、相手国の中枢にミサイルを打ち込めます。これは、ものすごい恐怖を相手国に与え、抑止力になります。

日本は被爆国として国民の反核感情が強く、核兵器の保有には長い時間がかかるでしょう。しかし、将来の核保有に備えて、少なくともミサイル潜水艦は持つべきです。通常兵器の弾頭ミサイルを搭載して深海に沈めておくだけでも、周辺国に対して一定の抑止力にはなるでしょう。

海上自衛隊の潜水艦能力は世界一といわれます。しかしディーゼルエンジンで動くので、換気のために定期的に海面近くまで浮上し、シュノーケルで外気を取り入れる必要があります。このとき、敵に発見されるリスクが高まるのです。

この点、浮上の必要がなく、何年でも潜っていられるのが原子力潜水艦です。小型原子炉を搭載し、化石燃料をいっさい使いません。当然、敵に発見されるリスクが劇的に減ります。

日本は、小型原子炉の開発で世界のトップ水準です。よりコンパクトで安全な原子炉の開発は、エネルギー自給の観点からも、国防の観点からも、極めて重要なのです。

アメリカは、二一世紀のなかばには完全に「世界の警察官」をリタイアし、東アジアからも米軍基地を撤収させると私は見ています。

それまでの間、日米安保条約は必要ですが、アメリカ政府の一存でどうとでも解釈できる条約では心もとない。これを多国間同盟に拡大して、ＮＡＴＯ型の集団安保体制の構築を目指すべきでしょう。

安倍晋三政権下で発足した米・日・豪・印の四国体制（ＱＵＡＤ／クアッド）が、その雛形になるでしょう。これは、敗戦後ずっと対米従属外交を続けてきた日本が、初めてアメリカに提案し、トランプ政権によって承認された新しい枠組みです。すでに四カ国は、インド洋や西太平洋で合同軍事演習を重ねています。米国とインドという二つの核保有国が入っていることは、中国に対する抑止力が働くということです。

中国軍の脅威にさらされている台湾や東南アジア諸国がこれに加われば、インド・太平洋版のＮＡＴＯとなります。バルト三国の上空をＮＡＴＯ所属のドイツ空軍やフランス空軍が守っているように、フィリピン上空をＱＵＡＤ所属の航空自衛隊やインド空軍がパトロールする日が来るでしょう。今はその準備段階なのです。

残された時間は、そう多くはありません。

あとがき

徳川幕府は二六〇年続きましたが、アメリカ幕府はもっと短命に終わりそうです。その兆しは一九六〇年代に現れました。日本・西独が経済的なライバルとなり、自動車産業に代表される米国の製造業が斜陽を迎えました。これを目にしたソ連・中国という「外様」が局地紛争をあおります。これがキューバ危機であり、ベトナム戦争でした。

経済が傾けば税収が落ち込み、軍事費の維持が難しくなります。米国の財政赤字はこれ以後、八〇年代のレーガン政権時代にピークを迎えました。

幸いにして、ソ連の財政赤字は米国を上回っていたため、レーガンはかろうじて冷戦に勝利することができたのです。

この頃から米国は、同盟国に対して「応分の負担」をするよう圧力を加え始めます。日本がPKO法案や安保法制を成立させたのは、この圧力を受けてのことです。

ドナルド・トランプ政権の登場は、同盟国にとって衝撃的でした。

「日・韓やNATOは応分の負担をしていない」

「彼らは米国を頼らず、自国の安全を自国で守るべきだ」

このように公言する米大統領が出現したのです。前のオバマ大統領も、

「米国はもはや世界の警察官ではない」
と発言していました。つまりこうした見方は、共和党・民主党の枠を越えて、米国の指導者たちの共通認識になっているのです。

「パクス・アメリカーナ」の時代は間もなく終わります。在韓米軍は撤収し、米国は北朝鮮主導の朝鮮半島統一をも黙認するでしょう。これを見通した中国が米国の覇権を脅かすと、トランプ政権は米中貿易戦争を発動しました。ペンス副大統領は二〇一八年一〇月の演説で、「中国を市場開放すれば民主化が進むという従来の米国の政策は間違っていた」と明言しました。二〇一八年は、米中冷戦の始まり、と歴史に記されるでしょう。

在日米軍がどうなるか、まだわかりません。しかし、在日米軍がない日本をどう守るか、今から考えておかなければ、いざというときに間に合わなくなります。

そのためにも、日本がいかに独立を維持してきたのか、そもそも人類は、いかにして戦争を回避しようとしてきたのか、歴史を振り返っておく必要があるのです。

TAC出版さんから、「戦争について書いてみませんか?」とお声がけをいただいたのは二〇一五年、国会を「アベ戦争法案反対!」のデモ隊が包囲している頃でした。

冷ややかにデモ隊を眺めていた私は、平和に関する人々の無知がこのような熱狂を生み出していると感じ、これに冷水を浴びせるような本が書ければと思い、お引き受けしました。
書いているうちに私自身が深みにはまり、新たな発見も多く、気がつけば四年の歳月が経過してしまいました。私が冷水を準備する前に、国会周辺のデモ隊は雲散霧消し、狂熱は冷静に変わっていました。

ＴＡＣ出版編集部の藤明隆様、野崎博和編集長、そして佐藤禎子様には、想像を絶する忍耐力で遅筆の私を見守ってくださり、本書の刊行にこぎつけました。
心より感謝申し上げます。

また世界史の予備校講師である私に、様々な時事問題についてストレートな質問をぶつけてくれた学生諸君。君たちとの対話は、特に一三章で、隠し味として生かされています。どうもありがとう。

二〇一九年、「令和」改元の五月

茂木　誠

増補版　あとがき

一瞬先は闇――

ウクライナ戦争が始まる直前、私はこう考えていました。

「プーチンは二〇一四年のクリミア併合の時のように、ウクライナ東部のドンバス地方をサッと併合し、ウクライナは何もできないまま停戦するだろう――」

予想は外れました。ロシア軍はウクライナ全土に侵攻し、これに対してウクライナ大統領のゼレンスキーが徹底抗戦を呼びかけてまさかの市街戦となり、多くの市民が参戦するという事態になりました。空爆により多くの街が破壊され、難民を生み出しました。開戦から半年経った今も、収拾の目処がついていません。

多くの家族が生き別れとなり、子供たちも命を落としました。胸が痛みます。

その一方で、ウクライナは新兵器の実験場、見本市となり、その利益に群がる人たちもいます。

各国は、「明日はわが身」と防衛体制を見直し、新たな同盟関係の模索を始めました。中国の恫喝を受けている台湾や東南アジア諸国は、ウクライナ戦争を深刻に受け止めているでしょう。それでは日本は？　この戦争を何か教訓にしたのでしょうか？

ウクライナ戦争を踏まえて、二〇一九年刊行の『「戦争と平和」の世界史』に加筆してほしいという要望をＴＡＣ出版さんからいただきました。まだ開戦から半年で先行きも見えないのですが、「ウクライナがなぜ攻め込まれたのか？」を歴史的に、また国際法の視点から情報を整理し、読者の皆さんに広く共有していただこうと考えました。

日本を、戦場にしないために。

先月八日、参院選の最中に街頭で非業の死を遂げられた安倍晋三さんも、現実的な安全保障体制の確立（本書第13章、14章参照）のために、ずっと闘っておられました。

ご冥福をお祈りいたします。

二〇二二年　八月

茂木　誠

茂木 誠（もぎ・まこと）

ノンフィクション作家、予備校講師、歴史系YouTuber。
駿台予備学校、ネット配信のN予備校で世界史を担当する。著書に、『経済は世界史から学べ!』（ダイヤモンド社）、『世界史で学べ! 地政学』（祥伝社）、『世界史とつなげて学べ 超日本史』（KADOKAWA）、『米中激突の地政学』（WAC）、『テレビが伝えない国際ニュースの真相』（SB新書）、『世界の今を読み解く「政治思想マトリックス」』（PHP研究所）、『「保守」って何?』（祥伝社）、『教科書に書けない グローバリストの近現代史』（ビジネス社・共著）、『バトルマンガで歴史が超わかる本』（飛鳥新社）、『「リベラル」の正体』（WAC・共著）など。

装丁
小口翔平＋後藤司（tobufune）

写真提供
ユニフォトプレス
朝日新聞社／ユニフォトプレス
共同通信社／ユニフォトプレス
毎日新聞社

本文デザイン・イラスト
有限会社マーリンクレイン

校正協力
小野雅彦

増補版「戦争と平和」の世界史
日本人が学ぶべきリアリズム

2022年9月28日　初　版　第1刷発行

著　者　茂木 誠
発行者　多田 敏男
発行所　TAC株式会社　出版事業部（TAC出版）
〒101-8383　東京都千代田区神田三崎町3-2-18
電話　03(5276)9492（営業）
FAX　03(5276)9674
https://shuppan.tac-school.co.jp

組　版　有限会社 マーリンクレイン
印　刷　今家印刷 株式会社
製　本　株式会社 常川製本

落丁・乱丁本はお取替えいたします。

ISBN 978-4-300-10416-3
N.D.C. 209